C00 487

D0626265

0

CHANG
ZAŁATWIĆ
BILLY'EGO

tête
à
tête

Jo Brand

ZAŁATWIĆ BILLY'EGO

PRZEŁOŻYŁ
JAN KABAT

WARSZAWSKIE WYDAWNICTWO LITERACKIE
MUZA SA

Tytuł oryginału: **Sorting Out Billy**
Projekt serii i okładki: *Anita Andrzejewska*
Redakcja: *Barbara Janowska*
Redakcja techniczna: *Zbigniew Katafiasz*
Korekta: *Magdalena Szroeder*

© 2004 Jo Brand. All rights reserved
© for the Polish edition by MUZA SA, Warszawa 2005
© for the Polish translation by Jan Kabat

ISBN 83-7319-691-9

Warszawskie Wydawnictwo Literackie
MUZA SA
Warszawa 2005

DUNDEE CITY
COUNCIL

LOCATION
LEISURE READING

ACCESSION NUMBER
COO 487 776X

SUPPLIER   PRICE
BBS   £10·00

CLASS No.   DATE
                 12-6·07

Dla Berniego, Maisie i Elizy

Prolog

Marta pamiętała dokładnie, kiedy po raz pierwszy zaczęła odczuwać nienawiść do ojca. Miała wtedy cztery lata. Wcześniej doznawała tylko lekkiego niepokoju wywołanego szorstkością jego głosu, nieprzyjemnym zapachem rąk i faktem, że jej matka Pat prawie zawsze wyglądała jak królik, którego mali chłopcy wyciągnęli właśnie z klatki, by się nad nim poznęcać.

Dzień Nienawiści powinien na dobrą sprawę stanowić wyjątkowo radosną okazję, gdyż były to siódme urodziny jej siostry Mary, a wielebny Brian, w przypływie niezwykłej dla siebie wspaniałomyślności, postanowił wydać na cześć córki przyjęcie. Zaprosił kilkoro przyjaciół i członków rodziny, ale tylko nieliczni – tak pierwsi, jak i drudzy – przyjęli zaproszenie, ponieważ rodzina go nie lubiła, a większość przyjaciół zamieniała się właśnie we wrogów.

W związku z tym, że Harrisowie rzadko urządzali przyjęcia, wielebny Brian znajdował się w stanie wyraźnego zdenerwowania, którego objawem był zły humor i łagodna histeria. Martwiło to jego młodszą córkę. W uroczystość wrobiono kilkoro dzieci z klasy Mary – przyszły pod przymusem, gdyż żadne z nich, pomimo że bardzo ją lubiły, nie chciało tak naprawdę spędzić ani minuty w domu „Wielebnego Śmierdzibrzucha", bo budził w nich strach. Włosy w jego nosie wymykały się spod kontroli, a ponieważ nieodmiennie przemawiał do wszystkich – nawet małych dzieci – przysuwając swe oblicze do ich twarzy, każdy siedmiolatek wybuchał w takiej sytuacji płaczem. Poza tym Brian był pastorem.

7

Tak więc wielebny Brian robił co w jego mocy, by odgrywać rolę uprzejmego gospodarza, lecz po kilku godzinach wysiłek związany z dyrygowaniem dziesiątką niechlujnych wiejskich dzieci w jego, jak uważał, pięknym domu i widok ich brudnych palców, które wędrowały po zasłonach, obrazach i tapecie, sprawiły, że cieniutka powłoka życzliwości okrywająca pastora zaczęła powoli zanikać.

Mary pierwsza oberwała podczas zabawy w szukanie skarbu, kiedy to krzyknęła zbyt radośnie jak na niezwykle delikatny stan psychiczny wielebnego Briana. Zaciągnął ją do pokoju, z dala od uszu gości, i przygwoździł słowami: „Nie hałasuj, głupia dziewczyno, i nie przynoś mi dyshonoru". Mary nie miała pojęcia, co oznacza ten drugi zakaz, i doznała takiego szoku, że niemal zapomniała się rozpłakać.

Pat Harris, nieświadoma zmiennych nastrojów swego nadąsanego męża, siedziała w kuchni, nucąc i ustawiając świeczki na torcie, kiedy wkroczył wielebny Brian i oświadczył, że ma dość małych gówniarzy, którzy rujnują mu dom, i że zamierza wysłać tę grasującą bandę prostaków do ogrodu, gdzie nie będą mogli niczego zdewastować. „Och, daj spokój, Brian – odparła Pat. – Nie co dzień urządzamy przyjęcia, poza tym tak dobrze się bawią. To prawdziwa przyjemność słyszeć ich śmiech i widzieć uradowane buzie. Proszę, nie psuj wszystkiego, kochanie".

Tego było już za wiele dla pastora, który aż kipiał ze złości, zwłaszcza od chwili gdy mały Jim Baker rozbeczał się, ponieważ odkrył, że poszukiwanym skarbem jest egzemplarz Biblii, a Kim Meades zsikała się na perski chodnik w holu, kiedy Brian na nią ryknął. W końcu puściły mu nerwy i przemaszerował z Pat przez salon, ciągnąc ją za ucho i oświadczając, że czego jak czego, ale pyskatej kobiety nie zniesie, i że musi ją bezwzględnie ukarać.

Ku konsternacji Marty, Mary i gości wepchnął Pat, która próbowała rozpaczliwie obrócić wszystko w żart, do składzi-

ku pod schodami i zamknął na klucz. „Będziesz tam siedzieć, dopóki nie nauczysz się dobrych manier" – oznajmił.
Choć Marta miała dopiero cztery lata, odczuła głębokie za-
żenowanie. Ze składziku dobiegało wołanie Pat, która błagała łagodnym głosem, by ją wypuścić, ale wielebny Brian nie
chciał słuchać. Wyprowadził gości do ogrodu, tłumiąc wszelkie protesty i udowadniając po raz kolejny, że ludzie z dużym
prawdopodobieństwem zrobią to, co im się każe, jeśli tylko
jest się dostatecznie chamskim.

Marta nie była w stanie zapanować nad gniewem i podchodząc zdecydowanym krokiem do swego ojca, rzuciła mu
prosto w oczy z wyrafinowaniem godnym czterolatki: „Nienawidzę cię, nienawidzę. Jesteś… – zawahała się. – Jesteś
palantem, tato".

Czas jakby stanął w miejscu, gdy wielebny Brian zawisł nad
córką niczym lawina, by po chwili porwać ją z ziemi i zanieść
z powrotem do domu. Potem zabrał ją do łazienki, gdzie wepchnął jej do ust kawałek mydła. Następnie wystawił ją za
okno, jakby chodziło o doskonały dowcip, i wrzasnął: „Spokojnie, jest tutaj, to tylko zabawa!". Jego głos brzmiał tak, jakby
usunięto mu niedawno jądra, a słowo „zabawa" znaczyło
„morderstwo".

Tego było już za wiele dla zwykłych rodzin z wioski, które
wymaszerowały jedna za drugą z ogrodu pastora i gdy tylko
znalazły się na ulicy, przyspieszyły kroku, chichocząc i szep-
cząc, gotowe zrelacjonować incydent komu się tylko da, i to
jak najszybciej.

Upłynęło wiele miesięcy, nim mieszkańcy wioski wyba-
czyli wielebnemu Brianowi jego zachowanie tamtego dnia,
a Mary, Pat i Marta przez cały ten okres surowo karano,
gdyż oczywiście ponosiły za wszystko winę.

Z upływem czasu stosunki między Martą a ojcem wcale nie
poprawiły się, ponieważ dziewczyna postanowiła sprzeciwiać
mu się przy każdej nadarzającej się okazji. Mary natomiast

uznała, że lepsza jest uległość i że w dużym stopniu ułatwi jej życie. Faktycznie. Od tej pory wielebny na ogół ją ignorował, pomijając rzucane mimochodem zjadliwe komentarze na temat jej wyglądu, umiejętności domowych czy wyboru męża.

Zarówno Marta jak i Mary musiały przystąpić do bierzmowania, choć ta pierwsza postanowiła w wieku mniej więcej sześciu lat, że zostanie ateistką, gdyż uważała, że gdyby Bóg istniał, nigdy by nie dopuścił do zachowania, na jakie pozwalał sobie wielebny. Przy tej okazji ojciec skorzystał ze sposobności, by przedstawić wiernym naturę Boga, ilustrując to opowieściami z życia rodzinnego, których uwieńczeniem był opis pewnego incydentu, jaki miał miejsce tydzień wcześniej. „Obecnie moja córka Marta to mały nieznośny osobnik nawet w najbardziej prozaicznych sytuacjach – oznajmił. – Mało tego, jest też wielkim łakomczuchem. Na przykład w zeszłym tygodniu moja żona Pat przyrządziła lemoniadę, którą Marta uwielbia. Pomimo naszych wezwań do umiarkowania, wypiła jej całe litry. W rezultacie tej samej nocy zmoczyła łóżko. Czy uwierzycie, że tak zachowuje się ośmioletnia dziewczynka?".

Dzieci zachichotały, rodzice zaś sprawiali wrażenie zakłopotanych.

„Mówię o tym tylko dlatego, że moja żona i ja ostrzegaliśmy Martę, by nie piła za dużo lemoniady, bo wydarzy się katastrofa – wyjaśnił wielebny. – My, dorośli, zachowujemy się czasem tak jak Marta, jeśli chodzi o Boga: nie zawsze słuchamy Jego rady, ale On jest od nas mądrzejszy".

Marta miała wrażenie, że wszystkie oczy zwróciły się na nią, i zastanawiała się, jak przeżyje poniedziałek w szkole. Pat i Mary, całym sercem po jej stronie, zapłonęły z oburzenia i wstydu, ale żadna nie odezwała się słowem, gdyż Mary była w tym okresie już prawie niema, Pat natomiast nie chciała doprowadzać wielebnego do wściekłości.

Choć Marta wielokrotnie modliła się w małym kościele, nie udało jej się sprawić, by Bóg przyznał, że jej ojciec to kiepski specjalista od boskiego public relations, albo żeby chociaż dał znak, że rozumie, o co jej chodzi.

Wielebny Brian nawiedzał koszmary senne Mary aż po kres jej dzieciństwa, pojawiał się w nich z niepokojącą częstotliwością także później, w jej dorosłym życiu. Był tolerowany przez mieszkańców wioski, którzy bez wyjątku wiedzieli, że jest draniem w życiu rodzinnym, ale uważali, że dobrze wykonuje swoją robotę, skutecznie i z zapałem biznesmena, a tym samym zaakceptowali nieco dickensowskie podejście pastora do trzech nieszczęsnych kobiet.

Kiedy Marta podrosła, jej relacje z ojcem osiągały bezustannie punkt wrzenia, tym bardziej że zostały wzbogacone o dodatkowy element – zmiany hormonalne. Marta sądziła wcześniej, że wielebny Brian nie może być już gorszy, ale potem ujawnił pewną stronę swej natury, o jaką nigdy go nie podejrzewała: stał się nieco rozpustny. Pewnego wieczoru, kiedy spocony i niepokojąco rozbudzony nadskakiwał Marcie i jej przyjaciółce o wielkim biuście, jego córka postanowiła dobierać sobie znajomych wedle kryterium atrakcyjności seksualnej. Od tej pory przez plebanię przewijał się korowód krostowatych, odpychających nastolatek, tak jakby wszelki przejaw piękna został w domu Briana surowo zakazany. Chłopców dobierała wyłącznie według ich nieprzydatności – Marta gustowała w narkomanach i osobnikach wywodzących się z klasy robotniczej, a życie intymne rozpoczęła w wieku czternastu lat.

Straciła dziewictwo z miejscowym robotnikiem rolnym, który nie miał jeszcze dwudziestki, i fantazjowała o ślubie z konieczności, udzielanym przez własnego ojca, który kryje z rozpaczy twarz w swych cuchnących serem dłoniach.

Mary nie pomagała jej, ale i nie przeszkadzała, w walce z wielebnym Brianem i niczym wielki ponury nietoperz spędziła wczesną młodość w swej sypialni, otaczając się gotyckimi rekwizytami i nosząc jak wiktoriańska wdowa z upodobaniem do erotyki.

Pat, która była niewinną i pogodną córką rolnika, zafascynowaną wybuchowym temperamentem Briana w latach jego młodości, bezustannie wyrzucała sobie, że pozwala mężowi traktować córki tak, jakby były groźnymi psami, które trzeba nauczyć, kto tu jest panem.

I choć wiedziała, że mąż to żałosny drań, nie była w stanie zdobyć się na krok ostateczny, czyli rozwód, gdyż wciąż wierzyła, że pod powłoką wiecznego niezadowolenia i gwałtowności kryje się intelektualista i idealista, który wciąż ją bardzo kocha. Niestety, szybko zastąpił go ten cuchnący, niezrównoważony, stary pierdziel i wydawało się nieprawdopodobne, by kiedykolwiek jeszcze powrócił ów przedmałżeński Brian. Tak więc Pat znosiła liczne upokorzenia, zarówno przy ludziach, jak i w zaciszu domowym, które napawały ją ogromnym wstydem. I szepty, które zawsze zdawała się słyszeć za plecami, kiedy szła do wioski po zakupy albo do biblioteki, a które układały się w refren: „Pat, jesteś żałosna, Pat, jesteś słaba, Pat, zasługujesz na takie traktowanie". W końcu sama w to uwierzyła.

Wielebny Brian przeżył okres wiary w naukę chrześcijańską jako siłę dobra – Marta miała wtedy dwadzieścia kilka lat – i przyszło mu do głowy, że może warto by odzyskać szacunek córek.

Z Mary nie miał specjalnych kłopotów. Do tej pory zdążyła wyjść za mąż za pewnego chudzielca i wszystko, co mogło przełamać monotonię ich uporządkowanego życia, było mile widziane, nawet obecność irytującego ojca, który próbuje wkraść się w uczucia córki.

Marta, w przeciwieństwie do siostry, trwała zdecydowanie przy swoim i nadal odstawiała numery przyprawiające wielebnego Briana o zawał – zrobiła sobie na tyłku tatuaż

„Jezus jest do dupy", który pokazywała mieszkańcom wioski w najbardziej zaskakujących sytuacjach, zwłaszcza kiedy była wkurzona, gdy wyleciała z uniwersytetu czy kiedy została na pewien czas muzułmanką i zatrudniła się jako kelnerka w klubie ze striptizem w Soho.

Miała trzy marzenia: wychowywać samotnie dziecko, ujrzeć mamę szczęśliwą i doczekać chwili, gdy jej ojciec padnie na kolana, błagając o wybaczenie. Gdyby był nagi i pokryty zawartością kubła na śmieci, tym lepiej.

Rozdział 1

W komunalnym mieszkaniu Marty Harris na dwunastym piętrze, w południowym Londynie, zadzwonił telefon, przerywając fantazję, jakiej się właśnie oddawała: mordowanie ojca za pomocą stalowego szydełka, a tym samym przerwanie kolejnego wykładu na jeden z tematów, do których rościł sobie wiedzę absolutną, czyli „Wszystko na świecie kiedykolwiek napisane, pomyślane albo powiedziane".

Podniosła słuchawkę i obraz zniknął. Po drugiej stronie linii trwała cisza, przerywana sporadycznie ledwie słyszalnym piskiem, jaki wydaje człowiek, kiedy stara się zapanować nad płaczem.

Po chwili pisk umilkł, za to odezwał się drżący głos:

– To ja... Sara.

– Co jest, kumpelko? – spytała Marta.

– Nie mogę powiedzieć przez telefon. Spotkajmy się za pół godziny w pubie – zaproponowała Sara. – Zadzwonię do Flower.

Marta chciała zapalić szluga, ale popatrzyła na swój wielki żywy kałdun i zrezygnowała. Potencjalny kryzys usprawiedliwiał papierosa, ale to nie była jeszcze sytuacja alarmowa, choć Marta dawno już straciła rozeznanie, co możć nią być na dobrą sprawę: w dzisiejszych czasach nawet kiepski obraz na kanale czwartym mógł sprowokować człowieka do wypalenia dwóch paczek. Żałowała, że nie wychowywała się w szczęśliwym i beztroskim domu, dzięki czemu byłaby pogodna i zadowolona, wolna od wszelkich uzależnień, którymi broniła się przed niepokojem; często myślała o straszliwej zemście na ojcu, wielebnym Brianie Harrisie, za brak zainteresowania i upokorzenia, jakich doznała z jego strony. Od ponad trzydziestu lat Marta przechowywała w głowie pewną listę, która wydłużała się po każdym spotkaniu z ojcem.

Powody, by zabić mojego tatę:

Ponosi odpowiedzialność za to, że mam na imię Marta.

Cuchnie jak stęchła kanapka z żółtym serem.

Jest okropny dla mamy, poza tym wmówił jej, że na to zasługuje.

Jest okrutny, choć ma być przedstawicielem Jezusa na ziemi.

Był to tylko krótki i przypadkowy spis urazów wybranych spośród setek, które żywiła do ojca w dzieciństwie, młodości i dorosłym życiu. Marta możliwie najwcześniej uciekła przed pełnymi dezaprobaty spojrzeniami mieszkańców małej wioski w Suffolk i zaczęła ostrzeliwać wielebnego na chybił trafił z większego dystansu, między innymi przeniosła się do nędznego mieszkania komunalnego w południowym Londynie i zaszła w ciążę z kimś, kogo ledwie poznała.

Choć cieszyła ją myśl, że zostanie samotną matką, w rzeczywistości popełniła błąd z antykoncepcją; zbyt się wstydziła, by choć wspomnieć o tym swoim przyjaciółkom. Umówiła się na skrobankę, ale nie była w stanie się jej poddać – przekleństwo wartości moralnych wielebnego Briana tkwiło w niej zbyt mocno. I teraz „Gula" w jej łonie liczyła siedem miesięcy i naprawdę zaczęła dawać o sobie znać – o obecności jej lub jego, zależnie od płci. Nikt nie znał tożsamości ojca, a Marta była zdecydowana nie ujawniać jej przyjaciółkom. Myślały, że powodem jest odrażający wygląd albo przynależność do prawicy, ojciec uważał, że delikwent jest czarnoskóry, a Mary sądziła, że Marta milczy, bo chodzi o jej męża Keitha. Mary nie miała pojęcia, że gdyby na ziemi pozostał tylko jakiś potworny, wzdęty, syfilityczny dyktator i mąż Mary, Keith, a Marta musiałaby uprawiać seks z jednym z nich, by przedłużyć istnienie rodzaju ludzkiego, to stawiłaby czoło gębie dyktatora, zignorowała obrzydzenie i zrobiła swoje.

Marta z wielką radością poinformowała ojca o Guli, z rozkoszą też ujawniła, że nie bardzo wie, kto spłodził dziecko. Nowina została przekazana w pewien weekend na plebanii podczas popołudniowej herbatki.

– Że co jesteś?! – wrzasnął wielebny Brian.

– W ciąży – odparła spokojnie Marta.

– Niezamężna – zacharczał wielebny, wypluwając okruchy herbatników na grzbiet kota. – Co pomyślą sobie parafianie?

– Że ze mnie stara zdzira? – podsunęła.

W tym momencie wielebny Brian użył sformułowania dość niestosownego jak na człowieka służby bożej, Marta zaś wyszła z pokoju. Wielebny miał wielką ochotę wymierzyć córce policzek, ale ponieważ miała trzydzieści siedem lat, uświadomił sobie, że nie wypada, więc tylko zwrócił się wściekły do Pat, lamentując, że nie doczekał się syna, który z pewnością odziedziczyłby charakter po nim. Zważywszy na fakt, że dał swoim córkom imiona Marta i Mary, musiałby – gdyby chciał dochować wierności rodzinnym związkom Biblii – nazwać syna Łazarzem, tak więc Łazarz tkwił w świadomości obu dziewcząt jako nienawistna postać. Łazarz z pewnością nie powiedziałby „pieprz się" do pani Avedon podczas letniego festynu parafialnego w 1979. Argument Marty – że była to reakcja na bardzo długą historię o pnącej fasoli hodowanej przez ową kobietę i że nie powiedziała „odpierdol się" – nie przekonał wielebnego, który popadł w typowe dla siebie długie i ponure milczenie, co naprawdę ucieszyło Martę i jej mamę, choć niestety na dość krótko.

Przyjaciółki Marty chciały jej powiedzieć, że trwająca całe życie wojna z wielebnym ma w sobie coś masochistycznego.

Pragnęły też wiedzieć, dlaczego sobie nie odpuści i nie zacznie się bawić, ale nigdy się na to nie zdobyły, choć miały mnóstwo okazji. Flower raz próbowała; dwa lata temu w sylwestra były odrobinę wstawione, ale Marta, która nie piła często wódki, zareagowała nieprzyjemnie i zagroziła, że walnie Flower. Ta, mając za sobą hipisowską przeszłość, na którą wskazywało jej imię, wycofała się szybko i próbowała namówić Sarę, by to ona pomówiła z przyjaciółką. Sara jednak była zbyt nieśmiała, a nawet gdyby się odważyła, to i tak tylko pogorszyłaby sprawę, gdyż odznaczała się delikatnością słonia w składzie porcelany.

Sara była entuzjastyczną konsumentką nowoczesnego życia (z wyjątkiem jedzenia) i wszelkich jego demonicznych przejawów, od magazynów poświęconych znakomitościom życia towarzyskiego, które zamawiała regularnie u kioskarzy, po częste wyprawy na Oxford Street w szale zakupów, przywodzącym na myśl obłęd kogoś, kto wygrał na loterii i zamierza właśnie sprawić sobie helikopter. Flower gromiła ją często za uleganie kapitalistycznemu etosowi, ale Sara nie miała pojęcia, co to jest kapitalizm, a częste próby namówienia jej do uczestnictwa w dziwacznych marszach protestacyjnych zawsze wywoływały na twarzy Sary wyraz grozy, który rezerwowała dla kogoś, kto pożyczył bez pytania jej bluzeczkę. Sara była typem osoby, która robi akurat herbatę, gdy w telewizji leci jakiś świetny program, i bierze za dobrą monetę każdą reklamę. Choć akceptowała swoje status quo, była bardziej niż inni zdeterminowana w poszukiwaniach mężczyzny, który uzasadniłby jej egzystencję swą gwiazdorską rolą męża i dostarczyciela spermy do płodzenia dzieci. Wybrała już dla nich imiona (Natan i Emily), a także ubranka na chrzest, zdecydowała się też na cesarskie cięcie, gdyż oznaczało ono nieco mniej nieprzyjemnych płynów ściekających po jej koszuli nocnej. (Nie słyszała jeszcze od nikogo, że podczas cesarskiego cięcia ładna koszula nocna zamienia się w fartuch rzeźniczy). Sara poczuła się nieco urażona, kiedy w pubie Marta obwieściła jej i Flower nadchodzące wydarzenie.

– Jesteś pewna, że zaszłaś w ciążę? – spytała.

– No, zrobiłam sobie test – odparła Marta.

– Och, zrobiłabym jeszcze jeden. Wiecie, nie zawsze pokazują prawidłowo – zauważyła Sara.

– Bzdura! Pokazują – oznajmiła Marta, wyczuwając coś w głosie przyjaciółki. – Nie martw się, Sar. Jest zapisane, że wyprodukujesz kilku małych gnojków. I Connie spłodziła Sarę, ta zaś spłodziła Natana i Emily – obwieściła biblijnym tonem wobec całego pubu, podczas gdy Sara sprawiała wrażenie skonsternowanej i zastanawiała się, czy przyjaciółce czasem nie odbiło.

Spotykały się zawsze w tym samym pubie, King's Head, niedaleko boiska do krykieta. Wiktoriański, naruszony zębem czasu, samotny, stał sobie w otoczeniu domów z lat 50., niczym jedyny ocalały po nalocie bombowym, i świecił nocą jak przygasający węglik pośród ostrych neonowych świateł innej epoki.

Marta wyruszyła do pubu o siódmej i z zadowoleniem stwierdziła, że pada. Czuła się w deszczu bezpieczniejsza. Zakładała, że włamywacze i gwałciciele nie wychodzą w czasie ulewy, ponieważ w głębi serca są leniwymi, żałosnymi draniami, którzy nie chcą się zmoczyć.

Sara udała się do pubu od innej strony. Nienawidziła deszczu. Rozmazywał jej makijaż, zamieniał ubranie w łachy i sprawiał, że kiedy zjawiała się w miejscach, gdzie mogli kryć się potencjalni mężowie, wyglądała jak zmokła kura i kiepska kandydatka na żonę. Marta, Flower i Sara były już dobrze po trzydziestce, a nawet pod czterdziestkę, i Sara żałowała, że ominęła ją epoka niezależnych kobiet, ponieważ jest za stara. Gdyby mogła włóczyć się, popijając piwo i przeklinając, to jej życie, jak uważała, nabrałoby większego sensu.

Flower, jako osoba mierząca ponad sto osiemdziesiąt centymetrów wzrostu, zawsze obrywała od deszczu wcześniej niż inni i nieodmiennie unosiła radośnie głowę, pozwalając, by spływał po wolnej od makijażu strefie, czyli twarzy. Sarę bulwersował fakt, że przyjaciółka się nie maluje: to jak wyjście z domu bez majtek. Flower nie powiedziała nigdy Sarze, że majtek też nie nosi!

Ponieważ ludzie uważali Martę za wojującą feministkę z ikrą, nie lubiła przyznawać, że kiedy nocą przemierza zaśmieconą ulicę w pobliżu swego domu, jest absolutnie przerażona z powodu młodych chłopaków, za jakich uznano by ich pewnie dziesięć lat wcześniej. Teraz, dzięki lepszemu odżywianiu, byli napakowanymi testosteronem, postawnymi, dorosłymi mężczyznami w ciałach czternastolatków, których przekleństwa i seksistowskie uwagi bywały na ogół celnie wymierzone. Potrafili też wyczuć strach, a jego woń kazała im podążać za Martą, by doprowadzić ją do płaczu. Nie musieli się specjalnie wysilać, biorąc pod uwagę fakt, że hormony stanowiły około 97 procent masy jej ciała. Jeśli nawet ktoś krzyknął pod jej adresem coś równie nieszkodliwego jak „napompowana”, od razu czuła w oczach łzy. A byli to chłopcy z południowego Londynu. Nie zamierzali poprzestawać na takich łaskotkach. O, nie. Wypowiadali pod adresem biednej Marty wszystko, co im podpowiadała wygłodzona wyobraźnia, więc biedaczka szła przed siebie ze spuszczoną głową, żałując, że w szkołach nie używa się już rózgi i że nie zarezerwowano kary śmierci za szczególne przestępstwo, jakim było wyzywanie kogoś od „tłustych zdzir”. „Odpieprzcie się!” – rzucała wściekle, przeklinając się za to, że brzmieniem głosu do złudzenia przypomina nauczyciela wymowy ze szkoły prywatnej.

Flower, z powodu swego wzrostu, roweru i wyglądu pracownicy społecznej, także doznawała publicznie słownych przytyków, choć nie tak brutalnych. Pewnego dnia podjechał do niej samochód pełen chłopaków, a jeden z nich wychylił się, by pociągnąć ją za warkocz. „O! – wrzasnął. – Pieprzona żyrafa na rowerze!".

Wtedy to odkryła w sobie pokłady wściekłości, o jakie się wcześniej nawet nie posądzała. Ruszyła za prześladowcami do następnych świateł, wyrwała im z samochodu wycieraczki i kopnęła w karoserię, niepomna faktu, że mogą ją zabić, jeśli im tylko przyjdzie ochota. Na szczęście dla niej, byli bardziej rozbawieni niż rozgniewani, gdy ta koścista dziewczyna rzuciła się na ich wóz, i w rezultacie umknęła bez szwanku.

Sara natomiast była typem osoby, która odrobinę się niepokoi, jeśli jakiś poczciwy przestępca seksualny z placu pobliskiej budowy nie komentuje jej wyglądu.

To oryginalne trio spotkało się po raz pierwszy jakieś dziesięć lat wcześniej na dobroczynnej uroczystości gwiazdkowej, zorganizowanej, by nakarmić i napoić bezdomnych z Londynu. Sara liczyła na to, że pozna tam jakichś miłych facetów, Marta pomyślała, że spotka koszmarnych osobników, których mogłaby przedstawić wielebnemu Brianowi, a Flower nie miała ochoty na obiad świąteczny w domu. Były ostatnimi już dziewczynami do wzięcia, gdyż wszyscy znajomi poznawali kogoś, wchodzili w związki małżeńskie i przenosili się tam, gdzie w powietrzu krąży mniej astmogennych czynników.

King's Head, jak zwykle niechlujny, stanowił rodzaj przybytku, gdzie ostatni facet, który miał odmalować sufit, doznał zatrucia nikotyną. Marta lubiła jego obskurne kąty, gdyż skrywały jej niedoskonałości nawet za dnia, i gdy tak siedziała bez szluga, popijając wodę mineralną, zaczęła rozmyślać, co oznacza telefon od Sary. Zważywszy na charakter i dziwactwa przyjaciółki, przyszło jej do głowy, że być może chodzi o jakąś nieprzemyślaną decyzję w sklepie obuwniczym w Covent Garden w ostatni weekend albo o nową fryzurę, która postarzała ją o trzy tygodnie, jednak ton głosu Sary sugerował, że tym razem jest inaczej. Podniosła wzrok i ujrzała Flower, zarumienioną i przemoczoną, która właśnie zmierzała w jej stronę.

– Drinka? – spytała Flower.

– Nie, dzięki – odparła Marta. – Wystarczy mi woda.

Flower zamówiła jakąś ohydną mieszankę zawierającą sok pomidorowy, likier cytrynowy i wodę sodową i usiadła obok Marty.

– No dobra, co o tym myślisz? – zapytała.

– Podejrzewam, że ma to związek z Billym – odparła Marta, która widziała faceta tylko kilka razy i z miejsca poczuła do niego niechęć; nawet mimo ograniczonej wiedzy z zakresu psychiatrii orzekła, że gość ma zaburzenia emocjonalne.

– Wielokrotne rozszczepienie osobowości? – spytała Flower, która widziała kiedyś film o pewnej kobiecie z Ameryki, cierpiącej na schizofrenię.

– Brak jakiejkolwiek, o ile mogłam się zorientować – wyjaśniła Marta.

– Wróg mężczyzn – ironizowała Flower, co sprowokowało Martę do wygłoszenia zwyczajowej mowy o tym, dlaczego bycie feministką nie oznacza, że nienawidzi się wszystkich mężczyzn. Flower przygarbiła się tylko nad stołem, błyskając białkami oczu i tocząc ślinę z kącika ust, dopóki Marta tego nie dostrzegła i się nie przymknęła.

Po chwili do pubu wpadła Sara. Biorąc pod uwagę jej zwykle nieskazitelny wizerunek, wyglądała wyjątkowo nieatrakcyjnie. Należała do tych ludzi, którzy mogliby wejść do kopalni w białym kostiumie i wyjść stamtąd bez jednej plamki, w przeciwieństwie do Marty, która zdawała się przyciągać fruwające drobinki kurzu, gdziekolwiek wchodziła. Sara, co było widoczne, nie skrywała swoich uczuć, więc oznaczało to jakiś wielki kryzys. Jak zauważyły ze zgrozą Marta i Flower, przyjaciółka nawet się nie umalowała; w jej katalogu klęsk równało się to żałobie po zgonie ukochanego zwierzaka.

Flower zdążyła już zamówić Sarze gazowany napój cytrynowy zmieszany z wódką, drink, który nazywał się tropikalna machorka czy coś w tym rodzaju, a który według Marty powodował więcej ciąż i chorób wenerycznych u nastolatek niż cokolwiek innego. Siedziała jednak cicho. Sama, w wieku trzydziestu siedmiu lat, nie stanowiła chwalebnego przykładu dla starych panien z jej osiedla.

– A więc o co chodzi, Sara? – zaczęła Flower.

W lewym oku przyjaciółki pojawiła się łza, która zaczęła spływać po nieumalowanym policzku.

– To Billy – odparła znużonym głosem, którym zwykle informowała Flower i Martę, że znów rozstała się z facetem, co było do przewidzenia.

– Skończył z tobą, zniknął bez śladu, ukradł ci zegarek czy usiadł na kocie, kiedy się wstawił? – dopytywała się Marta, przypominając sobie cztery poprzednie związki Sary. Miała nadzieję, że uda jej się rozproszyć nieco ponury nastrój.

– Uderzył mnie – wyjaśniła Sara.

Marta i Flower nie kryły zdumienia. Żadna z nich się tego nie spodziewała. Fakt, obie traktowały coraz bardziej desperacką walkę Sary o mężczyznę i związane z tym niepowodzenia w kategoriach makabrycznego żartu, ale nie przygotowały się na taką ewentualność. Zapadło długie milczenie.

W końcu Marta oznajmiła: „Drań", a Flower spytała: „Nic ci nie jest?".

– Nie – zapewniła Sara. – Fizycznie jestem w porządku. Nie uderzył mnie zbyt mocno, ale tu jest kiepsko. – Wskazała swoją głowę.

Flower, która na nieszczęście dla siebie wzięła swego czasu zastępstwo jako nauczycielka i musiała szybko nabrać doświadczenia w miejscowej szkole średniej, nie zdając sobie wcześniej sprawy, że czternastolatkowie zabijają nudę na lekcji, urządzając zawody w trzepaniu kapucyna, przypomniała sobie lekturę pewnej pracy naukowej. Cytowani tam chłopcy twierdzili, że to w porządku tłuc dziewczyny, jeśli zbytnio się człowiekowi naprzykrzają.

– Wezwałaś świnie w mundurach? – spytała, co ze względu na kontestacyjny charakter lat siedemdziesiątych wywołało u Marty niestosowny śmiech.

– Flower – oznajmiła z wyrzutem – nie możesz już nazywać ich świniami. To takie... takie... niedzisiejsze. Czasy Greenham Common* już minęły.

Flower spojrzała na nią poirytowana.

– To chyba nieodpowiednia pora na dyskusje o moim słownictwie – oświadczyła i znów zwróciła się do Sary.

– Wezwałaś... ich?

– Boże, nie – zapewniła Sara. – To byłaby przesada.

– A „Pomoc ofiarom gwałtu"? – ciągnęła Flower.

– Flower – upomniała ją z wyrzutem Marta. – Popieram całym sercem takie organizacje, jeśli spełniają swoją rolę, ale „Pomoc ofiarom gwałtu" to bzdura!

– Nie chcesz się ukryć na jakiś czas? – spytała Flower, co tylko utwierdziło jej przyjaciółki w przekonaniu, że ma naprawdę kłopoty z głową.

– Może byśmy się tak uspokoiły – zaproponowała Marta.

– No dobra, Sar, powiedz, co się stało.

– No cóż – zaczęła Sara – zeszłego wieczoru pracowałam do późna i kiedy wróciłam około dziewiątej, Billy oglądał telewizję i pił piwo. Był naprawdę w kiepskim nastroju. Kiedy zapytałam, jak się czuje, zignorował mnie, więc spytałam ponownie, a wtedy powiedział, żebym się zamknęła.

„Czyżby studiował w Akademii Wielebnego Briana?" – zastanowiła się Marta.

– Poszłam do kuchni – ciągnęła Sara – żeby przygotować coś do jedzenia i zawołałam stamtąd do niego, żeby się dowie-

---

* Greenham Common – baza sił powietrznych w latach 80., miejsce protestów antynuklearnych.

dzieć, czy ma na coś ochotę, i wtedy wpadł do kuchni mówiąc, żebym dała mu spokój, żebym się, kurwa, zamknęła i czy nie mówił mi już tysiąc razy, i czy jestem pieprzoną idiotką...

Znów zaczęła płakać, a siedząca obok Flower otoczyła ją ramieniem, odrobinę niezgrabnie, trzeba przyznać, bo pomimo że jej mama i tata byli hipisami ze starej szkoły, nie przepadali za fizycznym kontaktem z córką.

– No i co się potem stało? – spytała Marta, która podświadomie zaczęła traktować całe zdarzenie w kategoriach opery mydlanej. Flower rzuciła jej spojrzenie, które mówiło „Nie możesz wykazać więcej taktu?", i Marta spuściła skromnie oczy.

– Powiedziałam do Billy'ego: „Nie wiem, co zrobiłam, ale przepraszam" – wyjaśniła Sara. – Potem uderzył mnie w twarz i wyszedł z kuchni.

– I co wtedy zrobiłaś? – spytała Flower.

– Poszłam do toalety – odparła Sara, która wykazywała się ogromną precyzją i dokładnością w relacjonowaniu incydentu.

– A potem? – drążyła Flower.

– Obejrzałam telewizję, rozpłakałam się i poszłam spać – wyliczyła Sara. – Wszedł do sypialni około północy i...

– Och, mogę się założyć, że był słodki jak miód – przerwała jej Marta. – Mówił, jak mu przykro, jak sam nie może uwierzyć, że to zrobił, nigdy mu się to wcześniej nie zdarzyło, że nie zrobi tego więcej, że cię kocha, tak mu wstyd, poprosi o pomoc specjalistę, nie potrafi zrozumieć, jak to się stało...

– Niezupełnie – sprostowała Sara. – Położył się do łóżka i zasnął.

– No dobra, ale wyrzucisz dziś tego palanta, co? – upewniła się Marta.

Odezwała się komórka Sary. Był to jeden z dzwonków, które można sobie ściągnąć z jakiegoś magazynu. Mają w założeniu brzmieć niczym ostry rap, ale w rzeczywistości przypominają pozbawioną jakiegokolwiek charakteru melodyjkę zabawki z centrum nauczania początkowego, więc człowiek łapie się na tym, że nuci sobie „Pieprzyć gliny z Los Angeles" głosem straceńca rodem ze szkolnego przedstawienia, który nie przeszedł jeszcze mutacji.

Marta mogłaby się założyć, że to dzwoni Billy, ponieważ biedna Sara oblała się rumieńcem i siliła na rzeczowy ton, podczas gdy tak naprawdę starała się udawać za wszelką cenę, że nic się nigdy nie wydarzyło. Skończyła rozmawiać i oświadczyła wyraźnie zakłopotana:

– Muszę lecieć.

Komentarze w rodzaju „Trzeba zaparzyć mu herbatki, co?" czy „Potrzebuje pociechy, biedny mały drań?" zawisły niewypowiedziane na ustach Marty i Flower i obie przytaknęły niby współczująco. Obie też miały doświadczenia, co prawda nie z przemocą, ale z humorzastymi facetami, którzy je dołowali, i każda starała się ukrywać prawdę przed przyjaciółkami i udawać, że nie jest tak źle. Sara wracała do domu, żałując, że w ogóle wspomniała o „incydencie" Flower i Marcie. Życie byłoby o wiele łatwiejsze, gdyby nie znajdowała się pośrodku drogi między „dumną kobietą, która nie daje się facetom w nieuświadomionym, ale zasadniczo feministycznym stylu" a „kobietą, która tak bardzo kocha faceta, że znosi niewyobrażalne akty przemocy".

Marta i Flower siedziały ponuro w pubie.

– Powie nam, jeśli będzie potrzebowała pomocy, prawda? – spytała Flower. – Mam wrażenie, że nie chce, byśmy się wtrącały. Może trzeba obserwować wszystko z dystansu.

Marta, która miała właśnie zaproponować, by ruszyły razem do mieszkania Sary, wyciągnęły Billy'ego na zewnątrz, poddały torturom i pozostawiły na żer wronom wydziobującym mu ślepia, była nieco zaskoczona.

– Masz jeszcze ochotę na któryś z tych dziwacznych drinków? – zapytała tylko.

Rozdział 2

Mniej więcej tydzień później Marta wyłoniła się z cuchnącej windy i zbliżyła ciężkim krokiem do drzwi wejściowych. Zawsze odczuwała ulgę, kiedy udawało jej się po pracy dotrzeć bez przeszkód do swego mieszkania. Obecnie była kelnerką w pewnym klubie w Soho, czyli jeśli chodzi o drabinę społeczną jakieś dwanaście stopni niżej od nauczycielki geografii, o której to roli marzył dla niej ojciec. Dotarcie do drzwi stanowiło dla Marty tor przeszkód nie tylko dlatego, że się bała, ale także dlatego, że była uczulona na komentarze każdej napotkanej po drodze osoby. Wynikało to bardziej z urojonego lęku niż jakiejś realnej sytuacji. Kombinacja ojcostwa wielebnego Briana, wybujałej wyobraźni i życia spędzonego na oglądaniu zbyt wielu filmów, w których kobiety były dźgane nożem, palone, cięte, pozbawiane głów, duszone, mordowane garotą, patroszone i ogólnie traktowane bez większego szacunku, zrodziło w niej przesadne poczucie bezbronności. To do niej kierował uspokajające uwagi prezenter pod koniec programu o przestępczości, które, jak w przypadku innych zaniepokojonych ludzi, nie odnosiły najmniejszego skutku.

Tak więc pukanie do drzwi w bloku Marty po siódmej wieczorem nie wróżyło niczego dobrego. Wydawało się nieprawdopodobne, by był to jakiś sprzedawca naturalnie hodowanych warzyw albo świadek Jehowy, którzy ryzykowaliby ukrzyżowanie, gdyby odważyli się zapuścić w tę okolicę. Marta pomyślała, że sprzedawca naturalnie hodowanych warzyw zniósłby próbę ukrzyżowania znacznie mężniej, gdyż tacy ludzie byli zwykle zdrowi i mieli krzepę, podczas gdy biedni świadkowie Jehowy nie nadawali się nawet na honorowych dawców krwi.

Jednak w jakiś sposób pełne skruchy pukanie nie wydawało się groźne i choć Marta wpierw założyła łańcuch, to mimo wszystko otworzyła drzwi z niejaką pewnością siebie.

Przeżyła szok. Na progu stała Pat, jej matka, pokonawszy bez szwanku i z dumą południowolondyńskie osiedle o fatalnej reputacji. Ona, która nie była w stanie zmrużyć oka w maleńkiej wiosce w Suffolk bez zapalonego światła i noża do sera pod poduszką. Jakimś cudem owa „nieustraszona" kobieta pokonała budzące grozę przeszkody, zwłaszcza gang utuczonych na McDonaldzie i niewykształconych osobników szukających zaczepki.

– Mamo – zdołała wykrztusić Marta, starając się stłumić w swym głosie panikę i zdumienie. – Co ty tu robisz?

– Porzuciłam twojego ojca – oznajmiła Pat z triumfem, na jaki tylko mogła się zdobyć nieśmiała, sześćdziesięcioletnia żona pastora. – A nie przychodził mi do głowy nikt, do kogo mogłabym się udać, prócz ciebie.

– A Mary z Siedmiu Dębów? – spytała Marta odruchowo, myśląc bez szczególnej życzliwości o swej wybuchowej siostrze, ożenionej ze skurczonym, pryszczatym workiem gnatów i skóry, pozbawionym jakiejkolwiek osobowości.

– Och, Mary od razu odesłałaby mnie z powrotem – odparła matka. – Poza tym nie umie zaparzyć filiżanki przyzwoitej herbaty (egzystencja żon pastorów odmierzana jest licznymi filiżankami kiepskiej herbaty). Tak na marginesie, co to znaczy „cholerny śmierdziel"?

– Nieważne – machnęła ręką Marta, poruszona tym, że jej matka wciąż nie jest w stanie wypowiedzieć słowa na „p", odbierając od niej przy okazji torbę. – Wejdź.

Wyczuła niemal, jak z matki ulatuje dobry nastrój, gdy tylko wkroczyła do jej mieszkania. Owszem, było obskurne. Owszem, było zaniedbane, a za sprawą potrawki z curry z wczorajszego wieczoru cuchnęło. Marta nie wierzyła w skuteczność usuwania zapachów za pomocą odświeżaczy powietrza. W końcu nie ma nic gorszego niż wejść do toalety przesiąkniętej kwietną wonią, od której wywracają się w człowieku bebechy. Ujrzała nagle w wyobraźni wieczór, może nawet tydzień, pełen horroru, kiedy to próbuje zabawiać swą biedną matkę, podczas gdy Pat zastanawia się nad swoją przyszłością. Marta prawie żałowała, że mama nie została z wielebnym.

Wiedziała przede wszystkim, że trzeba będzie znosić atak wiosennych porządków, podczas którego matka zwykle uosabiała nieszczęśnika w tańcu świętego Wita, przerywany drobiazgowymi pytaniami co do zasadności każdego przedmiotu w szafce łazienkowej, dogłębną penetracją kosza na brudną bieliznę i sesją prania, nieznaną od czasu, gdy natballowa drużyna Flower doznała biegunki po nocy spędzonej w miejscowej knajpie włoskiej i przyjaciółka przyniosła ich stroje do Marty, ponieważ pralka w komunie hipisowskiej skrywała w swym wnętrzu istną skamielinę starych gaci.

– Usiądź, mamo – poprosiła Marta. – I opowiedz, co się stało.

Rzuciła okiem na zegar, ponieważ za pięć minut zaczynał się jeden z jej ulubionych programów.

– Wyłącz telewizor, kochanie – poprosiła matka.

Marta ściszyła głos, ale nadal zerkała na ekran i gdy pojawił się tytuł programu, a jej matka doszła dopiero do incydentu pod drzwiami łazienki tego ranka, kiedy to wielebny Brian, jak sam wyznał, doprowadzony do wściekłości cichym i uporczywym pukaniem do drzwi, ukazał się na progu, całkiem wyzbyty godności, wymachując wszystkimi kończynami, i walnął ją w ramię mokrą myjką, poczuła się nieco zirytowana.

„Och, to okropne", powtarzała co kilka sekund, podczas gdy matka kontynuowała smutną opowieść, relacjonując z zapałem coś, co przypominało komedię rozgrywającą się w każdym pomieszczeniu domu, która skończyła się w ogrodzie, kiedy to kobieta z sąsiedztwa zagroziła, że zawoła męża, a matka ostatecznie uciekła z plebanii, podczas gdy w jej uszach rozbrzmiewały pełne mściwości słowa wielebnego Briana: „Nie waż się wracać, dopóki nie przestaniesz się zachowywać jak mysz!".

Marta była u rodziców kilka tygodni wcześniej, by przekazać nowinę o mającym się wkrótce pojawić nieślubnym dziecku, więc jej brzuch w kształcie poduszki nie stanowił dla matki zaskoczenia, ale Pat Harris zwykle stawiała czoło trudnym sytuacjom, udając, że ich nie ma, więc nawet jeszcze o tym nie wspomniała. Marta nie martwiła się zbytnio ogromną przepaścią w systemie komunikacji między matką i córką, ponieważ wychowanie, jakie odebrała, wykluczało wzmiankowanie o menstruacjach, bo groziłoby czyimś omdleniem. Tak więc przesiedziały obie cały wieczór, rozmawiając grzecznie jak damy przy porannej kawie w zakrystii, dopóki Marta nie przygotowała matce łóżka z najczystszą pościelą, jaką tylko mogła znaleźć. Westchnęła z ulgą, gdy Pat zniknęła na całą noc w pokoju, który pełnił funkcję gabinetu. Było dopiero wpół do dziesiątej. Marta nadal nie wyrosła z typowego dla nastolatki zdumienia wywołanego faktem, że ludzie mogą iść spać przed północą i uważać to za normalne.

Sara zadzwoniła około dziesiątej, pozbywszy się Billy'ego, który przebywał w łazience albo w sklepie alkoholowym. Upłynęły dwa tygodnie od historii z policzkiem. Biorąc pod uwagę obecny kryzys, Sara nie mogła oczywiście dzwonić w jego obecności, na wypadek gdyby musiała zrelacjonować, sekunda za pełną napięcia i suspensu sekundą, jakiś nowy incydent między nimi. Marta zauważyła, że przyjaciółka zachowuje się spokojniej, jest sobą i skąpi szczegółów niczym przedstawiciel biura podróży.

– Tak – oznajmiła Sara. – Chyba wtedy przesadziłam. Wiesz, trudno to nawet nazwać uderzeniem. Takie klepnięcie. Nie miej mu tego za złe, dobrze, Mart?

– Nie wiem, czy mogę na to pójść – odparła Marta.

– Och, błagam. Zrobisz to dla mnie? – W głosie Sary słychać było pełną desperacji dziewczęcość.

– Spróbuję – obiecała bez przekonania Marta.

Marta żałowała, że nie poradziła przyjaciółce, by ta posłała Billy'ego i jego ruchliwe pięści do diabła. Zadzwoniła za to do Flower, by porównać wiadomości.

– No i co myślisz? – spytała.

– Cholera wie, słowo daję – odparła Flower, która była zmęczona, poirytowana, ani odrobinę współczująca i chwilowo wyzbyta stereotypu miłej, przyjaznej hipiski. W ciszy, która zapadła, dało się słyszeć nieznaczne chrząknięcie.

– Charlie! – wrzasnęła Flower. – Odłóż pieprzoną słuchawkę!

Charlie był facetem Flower, asystentem bibliotekarza na Wydziale Ekonomicznym Uniwersytetu Londyńskiego, i spędzał wolny czas, protestując przeciwko burdelowi, jakim stała się nasza planeta, i temu, jacy okropni w przeważającej mierze są ludzie. Na nieszczęście, bardziej z przypadku niż celowo – ponieważ zawsze znajdował się w samym środku jakiegoś cuchnącego potem, gniewnego protestu – spotykał mnóstwo okropnych ludzi, mianowicie policjantów, którzy pragnęli wyładować swoją frustarcję na jego niemytej głowie i wszelkiej maści anarchistach, traktujących każdy protest jako okazję, by przerobić twarz jakiegoś policjanta na stek (rzecz niezwykła w przypadku wegetarian). Charlie, wbrew swojej niefrasobliwej naturze, był obłąkańczo zazdrosny o każdy kontakt Flower ze światem zewnętrznym i próbował podsłuchiwać jej rozmowy… jakby Flower mogła dzwonić do swojego kochanka, podczas gdy Charlie pałętał się po mieszkaniu. Flower chciała go spytać, kto u licha mógłby się interesować mierzącą sto osiemdziesiąt centymetrów wzrostu artystką kabaretową o haczykowatym nosie i jednocześnie pracownicą opieki społecznej na pół etatu, ale była świadoma, że jeśli Charlie zorientuje się w jej niskiej samoocenie, to też da nogę. Flower nauczyła się jednej rzeczy: jeśli ktoś udaje, że uważa się za wielkiego i normalnego, to w dziewięciu przypadkach na dziesięć ludzie mu wierzą. Tak właśnie starała się postępować. Często myślała o księżnej Dianie i Marilyn Monroe, zadając sobie pytanie, jak mogły nienawidzić same siebie, choć wiedziała, że jest to możliwe wbrew uporczywemu twierdzeniu Sary, że wszystkie te relacje o niskiej samoocenie to lipa i że ktoś, kto potrafi szaleć na zakupach jak Diana, nie może być nieszczęśliwy.

Kolejne pukanie do drzwi wystraszyło Martę w chwili, gdy opowiadała Flower o swoim dniu w pracy, i przyjaciółka zgodziła się, ze względów bezpieczeństwa, nie odkładać słuchawki, kiedy Marta pójdzie otworzyć drzwi, i zadzwonić na policję, gdyby nie wróciła do telefonu albo gdyby rozległy się mrożące krew w żyłach wrzaski. Marta wiedziała, że ponieważ ściany w bloku są cienkie jak bibułka od papierosa, jakiekolwiek odgłosy przemocy byłyby doskonale słyszane, ale zignorowane. By zwrócić czyjąkolwiek uwagę, trzeba było puścić płytę naprawdę głośno, a wtedy sąsiedzi rzucali się na człowieka niczym szarańcza.

Nim Marta zdążyła odłożyć słuchawkę na stolik, Flower, pewna, iż dojdzie do morderstwa, oznajmiła, że chyba nie zniesie jego odgłosów, a wtedy wtrącił się do rozmowy Charlie i powiedział, że będzie nasłuchiwał. Flower rozdarła się na niego i wybuchła kłótnia. Marta zostawiła ich samym sobie, dochodząc do wniosku, że i tak niczego by nie usłyszeli, nawet gdyby ktoś przez dwadzieścia minut wypruwał jej wnętrzności. Założyła łańcuch i otworzyła drzwi.

W czterocentymetrowej szczelinie ukazał się warczący wielebny Brian z twarzą ubrudzoną czymś, co przypominało psią kupę. Mimo wszystko była to jakaś odmiana w stosunku do tabaki, która zwykle wyciekała mu strużką z nosa, czego nie dostrzegał tylko on.

– Jest tu twoja matka? – wrzasnął.

– Nie – zaryzykowała Marta. Oczywiście, nie przeszło.

– Nie kłam, Marta – ostrzegł. – Byłem u Mary, nie ma jej tam, a bądźmy szczerzy, ta głupia krowa nie ma dość odwagi, żeby pójść gdziekolwiek indziej.

Marta zadawała sobie pytanie, jak nieraz przy innych okazjach, czy ludzie duchowni mają prawo tak się zachowywać, i postanowiła donieść na ojca, wygłaszając płomienną mowę na Synodzie Generalnym. Nagle przypomniała sobie coś, co przeczytała ostatnio w niedzielnym wydaniu gazety, uproszczoną analizę teorii Freuda zawartą w jednym zdaniu, według której mężczyźni przez całe życie starają się uciec od swych matek, a kobiety zwrócić na siebie uwagę ojców.

Chryste, jak cholernie można się mylić, pomyślała. Wyczuła za plecami czyjąś obecność. Była to jej mama w swym ulubionym szlafroku.

– Pat – rzucił wielebny Brian przez szparę w drzwiach. – Wracaj natychmiast do domu.

– Nie wrócę – rzuciła w odpowiedzi Pat, całkiem wyzywająco, jak przyszło do głowy Marcie. Ale gdy zamierzała się odwrócić i pogratulować matce postawy, w kierunku ojca popłynęły słowa: „No dobrze, niech będzie".

– Mamo – powiedziała Marta z cichą nutką prośby w głosie, by wielebny Brian nie wpadł w szał, że córka bierze stronę matki.

– Nie, kochanie. Już się zdecydowałam – odparła Pat.

I pięć minut później stała ubrana z torbą podróżną w ręku. Wielebny Brian wyglądał na zadowolonego z siebie. Marta czuła się przygnębiona.

Potem Pat Harris wyszła za próg mieszkania, walnęła wielebnego w nos łyżką i natychmiast wróciła do środka.

33

Była to łyżeczka do deseru, jak zauważyła Marta. Jedyna wiedza, jaką zachowała z lekcji na temat gospodarstwa domowego.

Wielebny Brian wrzasnął, wycofał się i zniknął w mroku korytarza. Po chwili ruszył w stronę swego samochodu z wściekłym wyrazem twarzy, który powinien dać do zrozumienia sprzedawcy Big Issue, który właśnie wracał do domu, by czym prędzej usunąć się z drogi, tak na wszelki wypadek. Człowiek w koloratce nie dał się ominąć; w tym momencie sprzedawca poczuł i powąchał wielką, cuchnącą serem dłoń, która wylądowała na jego twarzy, i po chwili stwierdził, że siedzi w rynsztoku. Ładny mi samarytanin, pomyślał.

Podchodząc do swego piętnastoletniego rovera, wielebny Brian dostrzegł, że karoseria upstrzona jest słowami, których widok nazajutrz przyprawił kilku mieszkańców wioski o wstrząs. Wielebny Brian przewodził parafii już od jakichś trzydziestu lat, choć wyrażenie „budził w niej śmiertelną grozę" byłoby bardziej trafne, więc nikt się nie dziwił, że prowokuje tego rodzaju uczucia.

Marta pogratulowała mamie, zastanawiając się, czy Pat znalazła małą butelkę wódki, którą trzymała w biurku. Będąc matką, Pat w naturalny sposób wykształciła w sobie zdolność wyszukiwania narkotyków, akcesoriów erotycznych i gorzały w pokoju córki. Gdyby wytrzeźwiała, wszystko mogłoby się zmienić.

– Nie będziemy już dzisiaj rozmawiać – zaproponowała Marta. – Zobaczymy się jutro.

Matka znów podreptała do siebie. Marta przeglądała pobieżnie kanały telewizyjne, a znajdując jedynie przyprawiający o myśli samobójcze chłam, który wypełniał zwykle nocny program, wyłączyła odbiornik, a potem siedziała w półmroku, rozmyślając. Zawsze gasiła światło w salonie, ponieważ miała tylko firanki w oknach, które w nocy stawały się przezroczyste i podsycały jej fantazje, że jest obserwowana przez armię oddających się samogwałtowi sfrustrowanych zboczeńców w podeszłym wieku.

Stopniowo zaczął do niej docierać nieznaczny, jednak gniewny dźwięk, przypominający brzęczenie komara, i zdała sobie sprawę, że płynie on z jej słuchawki telefonicznej. Była to Flower, niemal ochrypła od wrzasku. Trudno było zrozumieć, co próbuje powiedzieć, a Marta nie musiała się tym zbytnio przejmować, ponieważ w tej właśnie chwili pewien zbyt ambitny, odrobinę pobudzony i bardzo rozdrażniony młody policjant otworzył kopniakiem jej drzwi.

Rozdział 3

*F*lower zawsze pragnęła wyrażać siebie w jakiś artystyczny sposób, a będąc niechlujną starą hipiską, zamierzała początkowo zająć się żonglerką albo chodzeniem na szczudłach, póki jej nie zaświtało, że byłoby to ogłupiająco nudne, i zaczęła roztaczać wizję przyszłości, gdzie publiczność szaleje, oglądając jej numer na scenie.

Ostatecznie wybrała solowe występy komika na scenie, wychodząc z założenia, że wymaga to najmniej pracy, a przynosi najwięcej pieniędzy. Uważała też, że ludzie niesłusznie uważają takie występy za akt odwagi. No dobra, słowne zaczepki ze strony jakiegoś sadystycznego słuchacza wśród publiczności zawsze należało brać pod uwagę, ale Flower uważała, że istnieją gorsze rzeczy. Jej podejście do sprawy było pragmatyczne. Wiedziała, biorąc pod uwagę swój wzrost i ogólną dziwaczność, że będzie stanowić wdzięczny cel ataków ze strony widzów, tak więc starała się przewidzieć wszelkiego rodzaju odzywki, na jakie może być narażona, i przygotować sobie stosowną ripostę. Niestety, nie było to takie proste, jak początkowo sądziła. Tak więc jej lista błyskotliwych odpowiedzi i celnych ripost była bardzo bogata, od „Proszę, nie bądźcie dla mnie okropni, źle się dziś czuję" po „A może byś się tak odpierdolił", z których obie, jak sobie zdawała sprawę, należy jeszcze udoskonalić. Problem z rodzajem ludzkim i jego cudowną nieobliczalnością polegał na tym, że bezustannie wyjeżdżał z nowymi odzywkami pod adresem osobnika na scenie, których to odzywek Flower nie była w stanie przewidzieć i które rozwaliłyby jej występ.

Doświadczenie sceniczne Flower ograniczało się do jakichś dziesięciu pięciominutowych bezpłatnych numerów, dlatego starała się przekonać kilku równie sfrustrowanych komików płci męskiej, którzy zdecydowali, że jedyną szansą na sukces w tym zawodzie jest prowadzenie własnego klubu, by dali jej jakiś płatny numer. Problemy Flower w znacznym stopniu wiązały się z osobą Charliego, który siedział zwykle podczas każdego jej występu, gotów zaatakować potencjalnego prześladowcę na widowni, nim miała szansę wypróbować swój talent.

Flower starała się skierować energię Charliego gdzie indziej, prosząc go, by pomógł jej wymyślać riposty, i dzięki temu od jakiegoś czasu nie dochodziło między nimi do incydentów. Flower skrywała w swoim zanadrzu komika jeszcze jeden atut – to mianowicie, że była pracownikiem opieki społecznej. Pracownicy opieki społecznej są szczególnie niepopularni, ponieważ decyzje, jakie podejmują, nigdy nie podlegają rewizji, w przeciwieństwie do lekarzy, którzy w przypadku śmierci pacjenta natychmiast robią wszystko, by koledzy oświadczyli, że to nie ich wina. Flower pracowała w ośrodku dla ludzi mających problemy z nauką, choć dzieci z tej samej ulicy wolały określać ich mianem „kretynów". Słowo to, wypowiedziane głośno pod adresem mieszkańców ośrodka, przebywających akurat na spacerze, uważały za niezwykle zabawne.

Flower zaczęła doskonalić swoją technikę błyskotliwej riposty na tych małych draniach, nawet sobie tego nie uświadamiając, a jej ostatni zjadliwy atak werbalny, jak z dumą wierzyła, doprowadził pewnego dwunastolatka do łez, choć w rzeczywistości był wynikiem nie tyle jej pytania: „Jak byś się czuł, gdyby to ktoś w twojej rodzinie miał problemy z nauką, ty łobuzie?", co raczej dyskretnego działania Charliego, który mijając szczeniaka, wykręcił mu porządnie ucho.

Flower otrzymała pełen irytacji telefon od Marty po zakończonym fiaskiem nalocie policyjnym i musiała przepraszać kilka razy w ciągu pięciominutowej rozmowy, że wezwała gliny. Nie mogła się powstrzymać, jak oświadczyła, gdyż głos wielebnego Briana brzmiał w jej słuchawce niezwykle groźnie, a gdy usłyszała jego reakcję na cios wymierzony mu w nochal przez żonę, postanowiła zawiadomić policję, która zawsze znajdowała się w stanie podwyższonej gotowości, jeśli chodzi o osiedle przyjaciółki, bo zawsze coś się tam działo.

Według jej relacji kilku wyjątkowo napalonych młodych stróżów prawa zniszczyło jej drzwi i było bardzo wkurzonych, kiedy odkryli, że w środku jest tylko Marta i jej mama. Marta zaproponowała im filiżankę herbaty, ale policjanci, rzuciwszy okiem na mieszkanie i szlafrok Pat z wydrukowanymi nań dziesięcioma przykazaniami, wycofali się szybko, notując sobie w pamięci, by na przyszłość nie traktować wezwania pod ten adres zbyt poważnie.

Dziwnym zbiegiem okoliczności, parę dni wcześniej Flower pozwoliła sobie skontaktować się anonimowo z policją, chcąc sprawdzić, co się stanie, jeśli zadzwoni w przyszłości, by załatwić sprawę Billy'ego i Sary.

Dyżurny: Tak?

Flower: Uhm.

Dyżurny (bardziej zniecierpliwiony i opryskliwy niż za pierwszym razem, kiedy i tak był już dostatecznie opryskliwy): Tak?

Flower: Chcę się poradzić.

Dyżurny: W jakiej sprawie?

Flower: Chciałabym pomówić z kimś na temat przemocy domowej.

Dyżurny (z westchnieniem): Proszę chwilę zaczekać.

Zapada cisza na linii – dzięki Bogu, myśli sobie Flower. Przynajmniej nie słychać *Czterech pór roku* czy czegoś ponurego z listy przebojów. Tylko stara, dobra, przyzwoita cisza dla odmiany. Jeśli już o tym mowa, policja mogłaby wykazać się poczuciem ironii, gdyby zainstalowała sobie nagranie z rodzaju *Pieprzyć gliny*. W końcu jakiś męski szorstki głos, zdradzający tyle współczucia co kamień, odezwał się w słuchawce i natychmiast zdenerwował Flower pytaniem: „Tak?".

Flower: Mam przyjaciółkę, którą uderzył jej chłopak. Mogę coś w tej sprawie zrobić?

Szorstki męski głos: Chce wnieść oskarżenie?

Flower: Nie.

Szorstki męski głos: Nie?

Flower: Tak.

Szorstki męski głos: Hę?

Flower: Tak.

Szorstki męski głos: Co tak?

Flower: Nie pamiętam.

Szorstki męski głos: Zadzwoń do mnie, jak sobie przypomnisz, kotku.

Flower: W porządku. Dziękuję za pomoc.

Ostatnie zdanie zostało wypowiedziane w martwą ciszę eteru, choć oczywiście Charlie podsłuchiwał z drugiego aparatu, nie mógł jednak powiedzieć niczego, bo nie chciał zdradzić swej obecności. Zastanawiał się, czy Flower mówi o sobie. Próbował potem kilkakrotnie poruszyć ten temat, ale Flower była myślami gdzie indziej, ponieważ miała przed sobą spotkanie w sprawie angażu. Czekał ją pięciominutowy numer w małym kabarecie we wschodnim Londynie, który proponował występy amatorom i był znany wśród bardziej doświadczonych komików jako Dolina Śmierci, ponieważ nikt nie potrafił tam rozśmieszyć publiczności, nawet jeśli się jej zapłaciło. Tak więc niczego niepodejrzewający adepci zawodu komika dawali z siebie wszystko, absolutnie nieświadomi, że to robota głupiego przed widownią, której obecność na pogrzebie wielokrotnego mordercy nie dziwiłaby nikogo.

Tego wieczoru w lokalu zjawili się Marta, Sara i Billy, by zapewnić Flower „odrobinę wsparcia", choć jakiego rodzaju wsparcie mógł zapewnić damski bokser przyjaciółki, który był mocniej związany ze swoim komputerem niż z dziewczyną, trudno powiedzieć.

Na afiszu widnieli jak zwykle nieudacznicy i obiecujący geniusze sztuki komicznej, którzy jeszcze nie zdążyli zgłupieć do reszty, co groziło im w nieunikniony sposób za jakieś pięć lat.

Jako pierwsza występowała „Mufka Diva", wesoła lesbijka, której skecz obejmował słynne arie operowe i uwagi na temat kastrowania mężczyzn: „Dobry wieczór, miłe panie i pieprzone dupki...".

Następnie przyszła kolej na „Ediego Azzarda", damską wersję pewnego bardzo popularnego komika: „Hi, hi! Co by było, gdyby koń mógł otworzyć konto w banku...?".

I wreszcie „Wacek Fiut", który odstawiał różnych zboczeńców i morderców. Fiut był postacią budzącą grozę, a jego przyjaciele wyparowali jak kamfora, ponieważ miał skłonność testować na nich swoje numery, na przykład opluwanie albo przemoc fizyczną: „Przyciskałem dziś wieczór tę dziewczynę do podłogi...".

Pięć lat później jakiś uważny obserwator stwierdziłby, że Mufka Diva żyje w stałym związku z nauczycielem płci męskiej w Sussex i że pracuje jako wuefistka; Edie Azzard doczekała się trójki dzieci w małżeństwie z kotlistą z orkiestry i wariowała odrobinę w domu, kiedy jej mąż jeździł z występami po świecie; a Wacek Fiut ma swój własny show w telewizji australijskiej i jest uwielbiany przez swych rówieśników.

Flower występowała jako trzecia i publiczność była już mocno przerzedzona. Do jej zwolenników zaliczały się dwie dziewczyny z drużyny netballu, które nigdy nie wychodziły z domu, były więc zdrowo podekscytowane. Na widowni siedziała też grupa facetów wyglądających znacznie gorzej niż w świetle naturalnym, jak to faceci, poza tym para przyjaciół, którzy zjawili się w lokalu na drinka, mama Mufki Divy i chłopak Ediego Azzarda, jedyny człowiek na świecie, który żywił jakąkolwiek wiarę w sztukę komiczną swej wybranki.

Charlie krążył na tyłach sali, czekając, by ktoś wystartował do Flower, która właśnie wyszła na scenę. Odrobina aplauzu, jaki zdobyła, nie była szczególnie zachęcająca i choć wzmiankowani faceci nie wyglądali zbyt groźnie, wypili już kilka piw i czuli się w obowiązku przypuścić atak.

– Jak tam pogoda w górnych warstwach? – rzucił etatowy dowcipniś, czyniąc aluzję do wzrostu Flower, na co Charlie zaczął go ściągać z krzesła.

– Charlie, na litość boską! – wrzasnęła Flower. – Zostaw tego gościa w spokoju!

A potem skorzystała z okazji, by wygłosić swą najdłuższą w życiu przemowę.

– Spójrz na siebie wyglądasz jak cholerny pies ratowniczy za kogo ty się do cholery uważasz próbujesz mnie chronić jak jakiś stuknięty średniowieczny rycerz z porąbanym poczuciem lojalności pozwól mi działać po swojemu koniec z nami i przestań podsłuchiwać moje rozmowy telefoniczne ty dupku...

Odbiegało to nieco od zaplanowanego występu, który miał dotyczyć przeróbki odpadów i warstwy ozonowej. Publiczność wydawała się zadowolona, gdyż było to takie „realistyczne". Charliego zaskoczył aplauz i wiwaty towarzyszące przemowie Flower i zamiast wziąć sobie do serca to, co mu powiedziała, zaczął obmyślać jej nowy występ.

Później, w garderobie – no cóż, nie tyle w garderobie, ile raczej w małej kuchni, która cuchnęła zgniłymi warzywami i brudnymi rajstopami – Charlie przeanalizował z Flower krótką listę numerów. Potem udał się do toalety, a Flower, która została przez chwilę sama, odwróciła się, by wyjść na zewnątrz i dołączyć do grupy przyjaciół. Stwierdziła jednak, że jej twarz znajduje się w odległości około czterech centymetrów od oblicza Billy'ego, które straciło swój zwykły wyraz złego humoru i przybrało grymas zwierzęcej agresji ze sporą dawką jadu.

– Trzymaj swój wielki nochal z dala ode mnie i Sary, ty wyrośnięta góro hipisowskiego śmiecia – warknął. – Bo pożałujesz.

Rzecz charakterystyczna, ten jeden raz, kiedy Flower groziło prawdziwe niebezpieczeństwo, Charlie był nieobecny.

– Nie wiem, o co ci chodzi – odparła Flower tonem Celii Johnson z filmu *Spotkanie*.

Billy uśmiechnął się szyderczo jak kiepski aktor, a jego wyraz twarzy świadczył o tym, że nie żartuje.

– Wiem, że ty i ta ciężarna krowa chcecie się wtrącać w nie swoje sprawy, ale radzę wam o tym zapomnieć, bo zobaczycie, co znaczy prawdziwa przemoc.

Nagle jego uśmiech stał się miły.

– Hej, Charlie, kumplu – oznajmił, kiedy ten wszedł do garderoby. – Chyba poszukam Sarę i zabiorę ją do domu. Ma jutro ciężki dzień.

Zabrał Sarę od stolika, jakby miała pięć lat, i Marta miała już na końcu języka, by dał jej trochę luzu, ale się nie odezwała.

Flower nie wspomniała wcześniej Charliemu o incydencie z udziałem Sary i Billy'ego, więc nie wiedziała, jak teraz poruszyć ten temat, zwłaszcza że sprawa zaczęła wyglądać poważniej. A Charlie nie powinien był podsłuchiwać jej rozmowy, więc też musiał siedzieć cicho. Flower złapała Martę i odciągnęła na bok.

– Billy właśnie mi groził – oznajmiła.

– Nie bądź śmieszna – odparła Marta. – Co to znaczy groził?

– No, nie jestem pewna – przyznała Flower, która nie odznaczała się szczególną umiejętnością relacjonowania wydarzeń. – Oświadczył, że nie powinnyśmy wtrącać się w ich sprawy, ale skąd się o tym dowiedział? Jeszcze ci nawet nie powiedziałam!

– O czym mi nie powiedziałaś? – spytała Marta.

– No, zadzwoniłam niedawno na policję, bo chciałam się zorientować, jak wyglądałaby sytuacja Sary, gdyby Billy posunął się jeszcze dalej.

– No i? – zainteresowała się Marta.

– Prawdę mówiąc, nie okazali się zbyt pomocni. Nie wiem sama, czego się spodziewałam, ale ponieważ prowadzą sprawy o gwałt i tym podobne, miałam nadzieję, że skontaktują mnie z jakąś miłą, zorientowaną kobietą, kimś w rodzaju terapeutki, która wysłuchałaby mnie cierpliwie, a potem udzieliła mądrej rady.

– A potraktowali cię jak zwykle?

– Właśnie. Ale skąd Billy wiedział, że to zrobiłam?

– Domyślił się? – strzelała Marta.

Rozdział 4

Sara i Billy przeszli około kilometra w stronę rzeki, kiedy pojawiła się w pobliżu taksówka, którą udało im się zatrzymać. Gdy przejeżdżali przez Tower Bridge, kierując się w stronę mieszkania Sary, sprzeczka, która z początku przypominała maleńki ogieniek w koszu na śmieci, przekształciła się w istną pożogę, nim zdołali dotrzeć na miejsce.

– Daj fajkę – zażądał Billy.

– Nie mam – odparła Sara. – Kupimy w sklepie całodobowym.

– Dlaczego nie kupiłaś wcześniej? – denerwował się Billy.

– Zawsze je chyba kupujemy, no nie?

– Nie wiem. Przepraszam – tłumaczyła się Sara, ale w duchu spytała: „Dlaczego sam tego nie zrobiłeś, dupku?".

– Co mi po twoim „przepraszam"? Nie możesz na drugi raz pamiętać?

Sara zachichotała nerwowo, a myśli zaczęły się wymykać spod kontroli.

– Może ty powinieneś pamiętać – podsunęła.

– Och, jak mi przykro – rzucił ironicznie Billy. – Nie miałem pojęcia, że muszę robić pieprzone zakupy i jeszcze harować cały dzień.

– Ja też haruję cały dzień.

– Tak, to faktycznie ciężka praca: siedzieć przy biurku i powtarzać na okrągło jak jakaś durna papuga: „Halo, w czym mogę pomóc?".

Sara obliczyła, że Billy jest po ośmiu piwach, więc bezpieczniej będzie nie naciskać dalej. Ale ona była po sześciu wódkach...

– Owszem, mógłbyś jednak czasem wykazać więcej inicjatywy...

Umilkła, wyczuwając prawie namacalną zmianę w nastroju Billy'ego, co znaczyło, że powinna siedzieć cicho. Billy zacisnął wargi i zaczął wyglądać przez okno taksówki, Sara zaś zaczęła żałować:

Że nie znajduje się gdziekolwiek, byle nie w tej taksówce z Billym.

Że kocha Billy'ego.

Że nie zaliczyła kursu karate.

Że nie mieszka już z mamą.

Że nie ma broni.

Że wynaleziono alkohol.

Że nie przypomina bardziej Marty.

Że nie zrobiła sobie tego dnia paznokci.

Że Billy nie jest podobny do Charliego i że nie bije innych ludzi zamiast niej.

Zatrzymali się przy sklepie, żeby kupić papierosy. Poza Londynem wiele sklepów jest otwartych całą noc i można do nich po prostu wejść, ale Londyńczycy wykazują zbyt dużą skłonność do przestępstw, by można było otwierać przed nimi drzwi; sklepy więc chronione są kratami, jak w Nowym Jorku. Tego wieczoru przy kracie stała kolejka składająca się z osobników wszelkiej maści. Ćpuny po dawce prochów, młode samotne matki, które zapragnęły nagle czekolady, pozostawiwszy na pastwę losu swoje dzieci, wielki tłusty osobnik, który ryzykował wyjście z domu wyłącznie nocą i który zdążył już usłyszeć kilka niepochlebnych uwag od grupy bywalców nocnych klubów, kupujących wodę. Sara stanęła w kolejce, podczas gdy Billy siedział w taksówce jak chudy, nadąsany Budda. W innych okolicznościach Sara bałaby się stanąć w tej kolejce, która

45

prowadziła wprost do piekła, ale zważywszy na nastrój Billy'ego, pomyślała sobie, że to może być bezpieczniejsze.

Znękany sprzedawca rodem z Azji zmagał się z czekoladowymi wymaganiami samotnych matek, biegając tam i z powrotem po każdy artykuł z osobna, zamiast załatwić wszystko hurtowo. W rezultacie tłum przed sklepem ogarnął niepokój jak kolejkę staruszków na poczcie w dniu odbierania emerytury, i wszyscy zaczęli się wiercić i pomrukiwać. Jeden z chłopaków odznaczał się wyjątkowo wybuchowym charakterem. Londyńczycy dobrze znają takie typy i omijają je szerokim łukiem. Kolejka rozstąpiła się przed nim, gdy zbliżył się wolnym krokiem do lady, by nabyć swoje drobiazgi. Sara, której do zdecydowanego działania brakowało jeszcze dwóch kieliszków wódki, siedziała cicho, choć miała ogromną ochotę kopnąć go w tyłek. Po chwili była z powrotem w taksówce.

– Kupiłaś trochę czekolady? – spytał Billy.

– Nie prosiłeś – zauważyła Sara.

– Jezu Chryste. Czy mam za każdym razem gadać, czego do kurwy nędzy chcę? – wrzasnął, jakby niewerbalna komunikacja między nimi była czymś absolutnie normalnym.

Taksówkarz, który przysłuchiwał się tej rozmowie, pomyślał: „Biedna krowa, dlaczego nie znajdzie sobie porządnego faceta?", ale nic nie powiedział. Żałował, że tego nie zrobił, tak jak w wielu przypadkach, kiedy to nie mieszał się w sprawy swoich pasażerów, których biegu nie był w stanie zmienić, ponieważ nikt tego po nim nie oczekiwał. Mógł co najwyżej, gdy już dojechali na miejsce, wyrazić ojcowską troskę spojrzeniem, które Sara niestety odebrała jako nieco lubieżne łypnięcie okiem i cofnęła się zdegustowana.

Kiedy znaleźli się w mieszkaniu, Billy wyzbył się resztek cywilizowanego zachowania, jakie zwykle prezentował publicznie, i ujawnił prawdziwą twarz, którą widywała tylko jego mama, a którą coraz częściej dostrzegała też Sara. Billy i Sara byli razem od dwóch lat i ochronna warstewka romantyzmu, która zwykle zapobiega złemu zachowaniu, już dawno zniknęła. Zazwyczaj doprowadza to do przypadkowej kłótni albo trwałej irytacji, ale trzeba ze smutkiem zauważyć, że w przypadku Billy'ego otwierało to istną puszkę Pandory, pełną przeróżnych demonów.

Winą za niechwalebne zachowanie Billy'ego można by w dużym stopniu obarczyć jego matkę, która wychowała syna na małego drania w pełnym tego słowa znaczeniu. Był jedynym dzieckiem małżeństwa pod czterdziestkę, które próbowało przez lata począć latorośl i które w końcu, ku swemu zdumieniu, wyprodukowało Billy'ego. Jego matka nie była złą osobą, ale miała charakter poczciwiny, co to nie potrafi niczego synowi odmówić, gdyż nie znosi, gdy ten jest zdenerwowany. Ojciec starał się utrzymać pewien autorytet, ale bez powodzenia. Nim Billy ukończył trzy lata, dzięki atakom wściekłości potrafił uzyskać wszystko, czego zapragnął. Wszelkie ojcowskie próby interwencji spotykały się z takim wrzaskiem, że w końcu poproszono o pomoc psychologów, lecz ich rady zostały odrzucone zgodnie z poglądem, że wszyscy oni to duże świry, które próbują przerobić całkowicie normalne dzieci w małe świry.

Billy nie lubił kobiet. Nawet matka działała mu na nerwy. Dwadzieścia pięć procent dzieci w tym kraju ma ojców, którzy nie są ich naturalnymi rodzicami, ale niestety ojciec Billy'ego nawet na to nie mógł się powołać. Co prawda mama Billy'ego rzadko uprawiała z nim seks, ale z kim innym w ogóle nie wchodził w grę.

Jeśli chodzi o brutalne zachowanie, Billy był nieprzewidywalny. Sara sądziła, że za chwilę tego doświadczy, ale na szczęście się myliła. Wrzeszczał na nią, nazwał głupią cipą i oznajmił, że jej przyjaciółki to prawdziwy koszmar i że powinna poszukać sobie jakichś przyzwoitych znajomych. Dodał, że chętnie dołożyłby Marcie, gdyby nie była taka napompowana. Sara słuchała wszystkiego z rezygnacją, wiedząc doskonale, że jej odpowiedź albo uspokoi, albo wzburzy w Billym niespokojną krew.

Jeden z problemów, jakie się pojawiają, gdy chłopak poznaje dziewczynę, polega na tym, że nikt nie żąda od nas przedstawienia drugiej stronie prawdziwego CV na temat życia uczuciowego. Choć nasze prawdziwe osobowości prędzej czy później się ujawnią, może upłynąć trochę czasu, nim się zorientujemy, co nasz towarzysz życia skrywa w zanadrzu. Problemy z tym związane omawia się w magazynach dla nastolatek i kobiet pod nagłówkiem „Byli partnerzy". Pomijając pewien odłam gejów, którzy wydają się przejawiać niewyczerpany apetyt na seksualne przygody, mężczyźni nie chcą słyszeć, że nie biorą sobie dziewicy, a kobiety nie chcą słyszeć, że tak jest. Poza tym niewiele odkrywamy z przeszłości drugiej strony. Randki za pośrednictwem skomputeryzowanego biura matrymonialnego świadczą o tym, jak powierzchowni jesteśmy, jeśli chodzi o dobór partnera, i jest raczej kwestią szczęścia niż trafnego osądu skojarzenie szczęśliwej pary. Nie ma w rzeczywistości większego znaczenia, że jedno lubi country and western, drugie zaś muzykę lekką. Tego rodzaju różnice można zignorować. Co innego, gdy jedna osoba to brutal, a druga to nieświadomy prowokator. Jeśli prowokator bezustannie czepia się brutala, ten będzie wybuchał, co przerodzi się w rutynę. CV, którego Billy nigdy nie pokazał Sarze, przedstawiało się mniej więcej następująco:

„Nigdy nie lubiłem płci przeciwnej, uważając, że jest trochę głupia, ale lubiłem seks. Dziewczynę uderzyłem po raz pierwszy w szkole; wrzeszczała i działała mi na nerwy. Jej stary stłukł mnie na kwaśne jabłko, co tylko rozsierdziło mnie jeszcze bardziej. Moja pierwsza dziewczyna z prawdziwego zdarzenia odeszła z innym facetem, druga skończyła ze mną, kiedy ją pchnąłem, a trzecia wytrzymała bicie przez trzy lata, nim dała nogę. Lubię Sarę, ale jest głupia jak mnóstwo kobiet, i kiedy przesadza, staram się zachowywać poprawnie, często jednak nie mogę się powstrzymać.

Z nauką szło mi całkiem nieźle; rodzice posłali mnie do szkoły prywatnej, gdzie zawsze czułem się jak ubogi krewny i nigdy nie zaprosiłem nikogo do swego nieodpowiedniego domu. Zaprzyjaźniłem się z grupą chłopaków, których dewizą było nieposłuszeństwo, a ja nie chciałem uchodzić za frajera. Dlatego oblałem większość egzaminów i wylądowałem przy komputerach, ponieważ nie było to zbyt wymagające; mogłem sobie siedzieć wygodnie i nie przemęczać się zbytnio. Nie miałem tam do czynienia kobietami, które działałyby mi na nerwy, no i mogłem się pośmiać z kolegami".

Gdyby Sara kiedykolwiek prowadziła dziennik, może dostrzegłaby pewną prawidłowość, jaką ujawniała natura Billy'ego, i opracowała jakieś remedium za pomocą programu komputerowego.

24 stycznia
Spotyka Billy'ego w pubie, kiedy jest z Martą i Flower. Gawędzi z nim. Flower i Marta dają jej za jego plecami znaki „To palant".

23 lutego
Wpada na Billy'ego miesiąc później w tym samym pubie. Odwiedził go przez ten czas tylko raz. Sara zdążyła już zaciągnąć tam Martę albo Flower łącznie dwanaście razy. Billy prosi Sarę o numer telefonu.

2 marca
Billy dzwoni do Sary i umawia się na spotkanie. Sara oświadcza z dumą Flower i Marcie, że nie siedziała wcale przez cały ten czas przy telefonie jak mięczak, tylko prowadziła „normalne" życie. Nie zdradziła przyjaciółkom, że gdy

tylko wychodzi, przełącza wszystkie rozmowy z aparatu stacjonarnego na komórkę.

8 marca
Billy i Sara wybierają się do pubu. Billy dolewa jej wódki do drinków przy barze. Sara wylewa drinki do doniczki, kiedy Billy idzie po następne do baru, ponieważ wie, że jeśli się urżnie, to wyląduje z nim w łóżku.
Ląduje z nim w łóżku.

Od 9 marca do 10 września
Billy i Sara znajdują się na wstępnym etapie związku – ogarnia ich mgła radosnych uczuć, śmieją się z drobnostek, bawią się w gry, w które nigdy więcej nie będą się bawić, myją się znacznie częściej niż zwykle i spryskują ciała przeróżnymi chemikaliami, oddając się nieskrępowanemu seksowi, którego katalizatorem jest alkohol i który charakteryzują liczne orgazmy; zarówno niepokoje Sary, jak i gburowatość Billy'ego pozostają przez wiele miesięcy w stanie uśpienia.

10 września
Billy odczuwa irytację z powodu kiepskiego dnia – jest zmęczony, poza tym wdał się z kimś w awanturę w metrze; odsuwa od siebie szorstko Sarę, gdy ta próbuje pokazać mu w jakimś magazynie sofę, którą mogliby kupić. Sara wybucha płaczem, a Billy wychodzi z mieszkania.

14 grudnia
Billy był na gwiazdkowym przyjęciu w firmie. Wraca do domu zalany w trupa. Rozbija w kuchni dwie filiżanki i kopie niechcący kota Sary. Kiedy ta protestuje, wali ją w twarz mokrą ścierką do naczyń.

Billy nie wie, jak ma przepraszać; nieprawdopodobnie skacowany wlecze się po kwiaty. Sara jest wzruszona i wybacza mu. Lecz kiedy wyznaje, że schrzaniła coś przy wideo i nagrała odcinek *Inspektora Morse'a* zamiast programu o zespole The Jam, Billy każe się jej, kurwa, zamknąć i dać mu święty spokój.

Pewnego wiosennego dnia dwa lata po pierwszym spotkaniu Billy wali Sarę mocniej niż za pierwszym razem, ona zaś dzwoni do Marty i Flower. Nie był pijany.

Sara usługiwała Billy'emu przez cały wieczór i atmosfera nieco się poprawiła. Zdawała sobie sprawę, że zachowuje się trochę jak gejsza, przyrządzając mu drinki i jedzenie, podsuwając wszystko pod nos, odnajdując wśród sterty gazet program telewizyjny i zachowując spokój. Mogła sobie niemal wyobrazić, jak odziana w jedwabie drepcze na paluszkach i wychodzi co chwila z pokoju po kuszące przekąski i napoje. Nic nie mówiła, ponieważ była w nim zakochana w jakiś psychotyczny sposób, co oznacza, że człowiek zniesie prawie wszystko, i leżąc tej nocy w łóżku, próbowała się zorientować, co w jej przypadku znaczyło, że jest w nim zakochana. Czy to, że nie mogła sobie wyobrazić, by kiedykolwiek mogła być z kimś innym? Nie, to oznaczało, że był miły przez większość czasu, więc musiała się tym do cholery zadowolić. Marta wyrażała się ironicznie o jej dawnych nieudanych związkach – ale czy razem z Flower śmiały się z niej teraz?

Obudziła się i zdała sobie sprawę, że Billy'ego nie ma w łóżku. Włożyła stary T-shirt i wyszła na korytarz. Dostrzegła jego sylwetkę na tle okna.

– O co chodzi, Billy?

Rozdział 5

Marta dzwoni do Flower, 11.30

Marta: Rozmawiałaś dzisiaj z Sarą?

Flower: Tak, miała dziwny głos.

Marta: To znaczy?

Flower: Jakby poważny... trochę niski.

Marta: To dlatego, że pracuje w tej dziurze... muszą nawet zapisywać, kiedy wychodzą na siku. Zmierzy się potem częstotliwość wyjść do kibla i na jej podstawie ustali konieczne minimum.

Flower: To tak jak z Charliem, kiedy go aresztowali w Newbury. Musiał sikać w celi do nocnika.

Marta: Miał przynajmniej w celi nocnik.

Flower: Zadzwoń do niej wieczorem, jak wróci do domu. Będzie miała półgodzinne okienko, nim zjawi się palant.

Marta: Dlaczego sama do niej nie zadzwonisz?

Flower: Netball.

Marta: Pogadamy później. Cześć, Charlie.

Flower: Nie, nie ma go... coś się szykuje w Suffolk. Spotykają się w parku. Jak Gula?

Marta: Świetnie, rusza się jak diabli.

Flower: Ucałuj ją ode mnie.

Marta: Gdybym była tak zwinna jak ona, dostałabym robotę w tym klubie, gdzie dziewczyny strzelają piłeczkami pingpongowymi ze swoich... Cześć.

Charlie dzwoni do Flower, 24.03

Charlie: Halo! Słyszysz mnie? Dzwonię z komórki, Dumbo mi pożyczył. Wszystko w porządku? Jakiś pieprzony farmer kopnął mnie w tyłek.

Flower: Nie słyszę cię... kocham... pogadamy później.

Marta dzwoni do Sary

Marta: To ja, wszystko w porządku?

Sara: Trudno powiedzieć... tak, nic mi nie jest.

Marta: Billy zachowuje się dobrze?

Sara: Marta, on jest absolutnie okej, proszę, nie martw się. Dajmy spokój... u nas już wszystko w porządku.

Marta: Na pewno?

Sara: Tak, naprawdę. Powiedziałabym ci, jakby były jakieś problemy.

Marta: To dobrze. Możesz wpaść w czwartek wieczorem do King's Head?

Sara: Nie wiem... zadzwonię jutro. Okej?

Marta: Okej. Uważaj na siebie, nie pozwól mu...

Sara: Tak, wiem, na razie.

Flower dzwoni do Com Club, 17.54

Flower: Halo, czy to Martin?

Martin: Tak.

Flower: Występowałam ostatnio w twoim klubie i właśnie się zastanawiałam, czy nie zechciałbyś mnie zaangażować.

Martin: Przypomnij mi, jak wyglądałaś.

Flower: Wysoka, hipisowata, jak mi się wydaje... Poczekaj, dzwoni drugi telefon.

Charlie: Z kim rozmawiasz?

Flower: Wyłącz się, Charlie. Rozmawiam z kimś na temat pracy. Halo? Martin? Właśnie dzwonił Tim z klubu Żartownisie w Croydon z ofertą dwudziestominutowego występu.

Martin: No dobra, niech będzie. Dwudziestego szóstego kwietnia.

Flower: Dzięki.

Flower dzwoni do Żartownisiów w Croydon.

Automatyczna sekretarka: Halo, tu automatyczna sekretarka klubu Żartownisie w Croydon. W tej chwili nie ma nikogo. Proszę podać nazwisko, numer telefonu i liczbę biletów. W tym tygodniu występują Wacek Fiut i Terry Hunter.

Flower: Halo, tu Flower Gardener. Zgłosiłam się do was na przesłuchanie, to było trzy tygodnie temu. Czy możecie zaproponować mi jeden numer? Proszę, to bardzo ważne.

Billy dzwoni na pogotowie, 19.31

Billy: Proszę przysłać karetkę, szybko.

Dyżurny: Co się stało?

Billy: Moja dziewczyna jest nieprzytomna. Potknęła się i przewróciła... uderzyła się w głowę. Szybko!

Dyżurny: Adres?

Billy: Denbigh Mansions 17, Denbigh Road SE 17.

Dyżurny: Wysyłam karetkę.

Siostra przełożona z oddziału pomocy doraźnej dzwoni do Marty, 22.23

Siostra: Halo, czy mogę rozmawiać z Martą Harris?

Marta: Przy telefonie.

Siostra: Dobry wieczór, mówi siostra przełożona, oddział pomocy doraźnej w King's Hospital. Mamy u siebie niejaką Sarę McBride.

Marta: Jezu, nic jej nie jest?

Siostra: Wyzdrowieje, ma tylko lekkie wstrząśnienie mózgu.

Marta: Wstrząśnienie mózgu! Chryste, co się stało?

Siostra: No cóż, nie jesteśmy pewni... przypuszczam, że spadła ze schodów. Mówi, że może pani zadzwonić w jej imieniu do pracy i... coś o jakichś kwiatach.

Marta: Tak, chodzi o Flower, to nasza przyjaciółka, pomówię z nią.

Siostra: Prosi tylko, żeby nic nie mówić mamie.

Marta: Okej. Mogę ją odwiedzić?

Siostra: Jutro.

Marta: Dziękuję, do widzenia.

Marta dzwoni do Flower, 22.24

Charlie: Halo?

Marta: Cześć, tu Marta. Mogę rozmawiać z Flower?

Charlie: Poczekaj chwilę.

Flower: Halo?

Marta: To ja. Sara jest w szpitalu.

Flower: O Boże, co jej się stało?

Marta: Chyba wstrząśnienie mózgu. Spadła ze schodów.

Flower: Ach tak? Chyba rzadko to się zdarza w mieszkaniu? Billy?

Marta: Nie byłabym zdziwiona, ale niczego dziś nie ustalimy.

Flower: Ma przy sobie komórkę? Mogłabym przesłać jej SMS-a.

Marta: Byłoby miło... Pójdę do niej rano i zorientuję się w sytuacji.

Flower: Jak długo już jest z Billym? Około dwóch lat... Pamiętam, że tak samo było z Charliem, to się zaczęło, jak przestał łazić za mną do pracy. Dwa lata – ludzie znają się już tak dobrze, że odpuszczają sobie wszelką romantyczność.

Marta: Walenie kogoś z całej siły trudno zakwalifikować jako brak romantyczności.

Flower: Ale wiesz, o co mi chodzi.

Marta: Chyba tak, choć nie powiem, żebym była ostatnio ekspertem w tych sprawach.

Flower: Jak Gula?

Marta: W porządku.

Flower: Co zamierzasz z tym zrobić? Chodzi mi o Sarę i Billy'ego. Myślisz, że mogłaby go teraz spławić? Nie wydaje mi się, żeby była do tego zdolna. Ma fioła na jego punkcie i będzie pozwalać na takie rzeczy przez całe lata. Trzeba mu chyba pomóc.

Marta rzuciła okiem na karteczkę, na której cały czas bazgrała, i zaczęła analizować punkt po punkcie następującą listę:

- Powiesić go i upozorować samobójstwo.
- Wynająć płatnego zabójcę.
- Zepchnąć go do rzeki.
- Pomajstrować przy hamulcach jego wozu.
- Nadziać na rożen od kebabu.

Marta: Wydaje mi się, że trzeba go zachęcić, by się odpieprzył.

Rozdział 6

Gdy Marta przekraczała próg miejscowego szpitala, powitał ją lekko wyczuwalny odór uryny, woń odzieży z lumpeksów i mdło-słodki zapach, który czepia się choroby i śmierci, a który prawdopodobnie znalazł się w palecie perfum oferowanych przez Joan Collins. Zlokalizowany w południowo-wschodnim Londynie, w samym centrum parszywej obskurności, szpital był codziennie świadkiem napadów z użyciem noża, pobić i innych aktów przemocy. Marta miała wrażenie, że wypaliła całą paczkę fajek, mijając po drodze zbiorowisko szkieletów i włóczęgów, którzy zawsze plączą się pod szpitalami, wciągając ostatniego sztacha z papierosów, jakie akurat są do kupienia w kiosku, by znaleźć się po chwili z powrotem na oddziale onkologicznym i dalej leczyć swe wypalone płuca. Nie były one jednak na tyle dziurawe, by powstrzymać ich właścicieli od kilku rzuconych mimochodem uwag na widok Marty.

– Tłusta krowa – zauważył od niechcenia jakiś gruby facet o czerwonej gębie. Marta już dawno przestała wykazywać fundamentalną nietrafność takiego stwierdzenia ze strony grubego faceta pod adresem grubej kobiety. Inni palacze, w tym dwie kobiety, zachichotały flegmowato. Marta poczuła, jak pali ją twarz. Było irytujące, że po latach wysłuchiwania publicznic tego rodzaju sądów, wciąż nie potrafi puszczać ich mimo uszu. Kusiło ją, by zaryzykować uwagę w rodzaju: „Przynajmniej nie jestem śmiertelnie chora", ale wydawało się to przesadą. Zadowoliła się tylko ripostą „Pieprz się", wypowiedzianą głosem, którego nawet psie ucho by nie wychwyciło, i ruszyła dalej.

Strzałka na ścianie wskazywała drogę na liczne „ddziały" – początkowe „o" zostało wymazane w pijackim zwidzie przez jakiegoś klienta izby przyjęć, który, nie do końca zadowolony z udręczenia personelu, ruszył na szybki obchód szpitala, sikając do doniczek, wypisując słowo „kutas" na ścianach i czyniąc zadziwiająco przenikliwą uwagę, że założyciel szpitala był palantem.

Graffiti tego rodzaju zawsze budziło w Marcie wściekłą konserwatystkę; wyobrażała sobie często, że jedną ręką dusi sprawców, drugą zaś wyciera obraźliwe słowa wielką ścierką. Wierzyła, że przyzwoite otoczenie sprzyja przyzwoitemu zachowaniu, co dla Flower stanowiło tylko kolejny dowód, że w duszy przyjaciółki drzemie niepoprawna reakcjonistka.

Oddział VII, gdzie wylądowała Sara, znajdował się na końcu długiego korytarza, upstrzonego zużytymi opatrunkami, kłaczkami kurzu i ludzkim zewłokiem, który jęczał na przenośnym łóżku. To przypomina brytyjski lazaret z wojny krymskiej, pomyślała Marta, podążając wraz z Gulą przed siebie, i nagle zamiar wydalenia z siebie tej drugiej w tym samym szpitalu wydał się istnym szaleństwem, poród zaś w domu, nawet w takim siedlisku kurzu jak jej mieszkanie, zaczął się jawić jako znacznie lepsza alternatywa.

Jedynym plusem kiepskiej opieki szpitalnej jest to, rozmyślała, że zniechęca symulantów, ponieważ trzeba być naprawdę chorym, by chcieć z niej skorzystać. Przyszło jej do głowy, że tę samą technikę stosują nastoletni sprzedawcy z West Endu, którzy liczyli głównie na ludzką determinację kupowania, gdyż zawsze patrzyli na Martę tak, jakby narobiła im do drugiego śniadania, ilekroć wypowiadała pierwsze z wielu grzecznych pytań, chcąc wiedzieć, czy mają coś odpowiedniego do ubrania dla osoby bez zaburzeń żywieniowych.

Oddział, na którym umieszczono Sarę, miał szarą barwę, podobnie jak leżący tam pacjenci. Jego główną klientelę stano-

wiły starsze, najwyraźniej zdezorientowane kobiety, wśród których Sara wyglądała jak dziecko po zbyt długim pobycie u babci.
Sara miała podbite oczy i siniaki na szyi. Poza tym wyglądała świetnie, jak z zazdrością zauważyła Marta, która
w podobnej sytuacji przypominałaby bałkańskiego chłopa,
pozbawionego przez kilka lat wszelkich „wygód".

Kobieta na sąsiednim łóżku, która wyglądała jak matka
Matuzalema, okazała się niewidoma; umieszczona bez kon-
kretnej przyczyny w nogach łóżka, darła się bezustannie:
„Błagam, zabijcie mnie! Błagam, zabijcie mnie!".

– Zrobię to, kurwa, jeśli się nie zamknie – oznajmiła ponuro Sara, gdy Marta przysuwała sobie krzesło do jej łóżka.

– Co jej jest? – spytała cicho Marta.

– Nie musisz mówić szeptem – odparła Sara. – Jest nie
tylko ślepa, ale i głucha, rozumiesz.

Marta zaczęła płakać.

– Te twoje cholerne hormony – westchnęła Sara. – Daj
spokój, zwykle nie dajesz się tak łatwo wyprowadzić z równowagi.

– Przepraszam. Ale to biedna kobieta… – Wyczuła, że Sara chce mówić o Sarze, więc zapytała, czując się jak detek-
tyw: – Jak to się stało?

– Spadłam ze schodów, kiedy wychodziłam z mieszkania
– wyjaśniła Sara, czując się jak podejrzana.

– Daj spokój – powiedziała Marta.

– Nie, naprawdę, przysięgam – zapewniła Sara.

– To Billy cię zepchnął?

– Nie.

– Podstawił ci nogę?

– Nie.

– Chwycił za włosy, wywinął tobą młynka, a kiedy nabra-
łaś odpowiedniego przyspieszenia, żeby polecieć, puścił cię?

– Nie – wybuchnęła śmiechem Sara. – Posłuchaj, to był
naprawdę nieszczęśliwy wypadek.

– Wierzę ci – oznajmiła Marta. Nie wierzyła.

– Dzięki – westchnęła Sara, wiedząc, że przyjaciółka jej nie wierzy. – Wiesz, Bill i ja mieliśmy wczoraj taką małą sprzeczkę, żadnej bijatyki ani nic takiego, tyle że się pożarliśmy i Bill wypadł jak burza z mieszkania. Przypuszczałam, że poszedł po fajki, więc wyszłam na piętro, żeby sprawdzić, czy wraca, i przewróciłam się przez stos książek telefonicznych, które jakiś idiota tam zostawił. Mogłam skręcić sobie pieprzony kark! Bill mnie znalazł, kiedy wrócił ze sklepu.

Marta uświadomiła sobie, że kobieta naprzeciwko słucha z uwagą każdego słowa i konspiracyjnie potrząsa głową, co miało dowodzić, że i ona nie wierzy w opowieść Sary. Marta próbowała przybrać minę, która mówiłaby: „Tak, jestem pewna, że ma pani rację", ale osiągnęła tylko to, że jej wyraz twarzy sugerował zatwardzenie.

– No więc – zwróciła się do Sary – jak długo zamierzają cię tu trzymać?

– Tylko dzisiejszą noc.

– Chcesz, żebym podwiozła cię jutro do domu? – spytała Marta, choć nie miała nawet samochodu.

– Nie, nie trzeba, Bill mnie zabierze – odparła Sara.

– Och, to miłe z jego strony. – Marta siliła się na szczerość.

Sara zaczęła dźwigać się ostrożnie z łóżka i sięgnęła po torebkę, nabytek kosztujący ją trzysta funtów, który jednak poprawiał jej samopoczucie, gdy wymachiwała nim, idąc po Oxford Street w sobotni ranek, podczas gdy starszych ludzi i słabsze dzieci spychał pod koła samochodów nieprzerwany strumień kupujących.

Sara, przechodząc obok nóg łóżka niewidomej kobiety, trafiła ją torebką w głowę, co wywołało kolejną serię błagalnych próśb. Sara poczuła zakłopotanie, wymamrotała bez sensu przeprosiny i przyspieszyła kroku. Marta podeszła, ujęła dłonie kobiety i poklepała je, jakby chcąc przekazać, że jest jej przykro.

– Kto to? – spytała kobieta. – Jack, to ty?

Pytanie kazało Marcie powątpiewać w pozytywne cechy Jacka, skoro jego przybycie zwiastowało walnięcie w głowę.

– To jej syn – wyjaśniła kobieta leżąca naprzeciwko. – Nigdy jej nie odwiedza. Lepiej, jakby umarła, biedaczka, jeśli rodzina tak ma ją traktować. Często rozmawiamy o tym, żeby załatwić ją wieczorem, rozumie pani, kiedy zaczyna wrzeszczeć na całego, a personel z nocnego dyżuru macha na to ręką. Może udałoby się namówić jej chłopaka. – Zrobiła oko, patrząc na łóżko Sary.

Marcie spodobała się idea zbrodniczej koterii siedemdziesięcioletnich kobiet na oddziale szpitalnym, stosujących spontaniczną eutanazję.

– Tak czy inaczej – odezwała się inna kobieta dwa łóżka dalej – co zamierzacie zrobić z jej facetem? Musicie dać mu nauczkę. Tak uważamy, no nie, dziewczyny?

Wschodniolondyńska elita zahartowanych siwowłosych kobiet z warstw pracujących nie była skłonna do wyrozumiałości – wszystkie skinęły zgodnie głowami.

Marta, ku swemu zaskoczeniu, znalazła się na pozycjach obronnych.

– Wiecie, wcale nie powiedziane, że to zrobił – tłumaczyła.

– Och, bujać to my, kotku – powiedziała kobieta leżąca obok, która wyglądała jak facet przebrany za babę. – Widziałyśmy tego podejrzanego gościa wczoraj wieczorem. To jego robota, bez dwóch zdań.

Czy te kobiety też są ofiarami?, zastanawiała się Marta. Doznała nagłej wizji, w której mężowie, bez wyjątku, jawili się jako chudzi, mali, ospowaci anorektycy, kulący się pod ścianą i osłaniający jądra, a ich potężne kobiety szalały w swoich kuchniach. Próbowała zastąpić tę wizję obrazem przerażających zbirów, ale na próżno.

W drzwiach sali pojawiła się Sara, która zdołała umalować się szybko w toalecie i przywrócić nieco kolorów policzkom, a oczom błysku.

– Och, kochanie, nie musiałaś tego dla mnie robić – strofowała ją Marta.

– Nie chodzi o ciebie – odezwał się jakiś głos za jej plecami. Marta odwróciła się i zobaczyła uśmiechniętego Billy'ego, który trzymał w ręku dość krzykliwy bukiet kwiatów. Dlaczego ludzie mieliby sobie kupować rozgrzane do czerwoności pogrzebacze?

Oczy kobiet z oddziału VII od razu zaczęły przewiercać go swymi spojrzeniami i nakłaniać do zrobienia właściwej rzeczy, czegoś niewypowiedzianego, z użyciem miksera i jego jąder, jak przyszło do głowy Marcie. Była niemal pewna, że panie zaraz zaczną go wygwizdywać albo rzucać w niego zużytymi opatrunkami, i zastanawiała się, dlaczego w samą porę nie ostrzegły jej o jego obecności okrzykiem: „Z tyłu!".

– Dobry wieczór paniom – przywitał się Billy i nagle wszystkie przestały tworzyć podstarzały szwadron śmierci i zamieniły się w grupkę zalotnych, rozchichotanych dziewcząt.

– Dobry wieczór – odpowiedziały chórem, mówiąc nieco głośniej niż jeszcze przed pięcioma minutami, i z wielkim zainteresowaniem powróciły do lektury prasy kobiecej.

Billy spojrzał w stronę wrzeszczącej kobiety na sąsiednim łóżku, która opadła bezwładnie z rozchylonymi ustami.

– Nic jej nie jest? – spytał z tak absolutnym brakiem troski, że równie dobrze mogło chodzić o egzemę królika jakiegoś przyjaciela.

– O Boże – zaniepokoiła się Sara. – Wezwij pielęgniarkę.

Nim Marta zdołała się powstrzymać albo zastanowić nad własnymi słowami, zwróciła się do Sary: „Zabiłaś ją torebką", a potem wybuchnęła śmiechem.

Zjawiły się pielęgniarki, które zaciągnęły zasłony wokół łóżka, zapewniając biednej pannie Lucas prywatność i poczucie godności, jakich wcześniej w tym przybytku nie doznała, ale wciąż było słychać, że starają się przywrócić kobietę do życia, nie wysilając się jednak zbytnio ze względu na jej wiek i kłopoty, które wszystkim sprawiała. Marta wyszła z sali pod jakimś pretekstem, świadoma dziwnych spojrzeń, jakimi ją żegnano, gdy wraz z Gulą starały się stłumić śmiech.

Po powrocie do domu zadzwoniła do Flower i zrelacjonowała wizytę ze szczegółami. Poniekąd śmierć biednej starej panny Lucas, co prawda wiekowej, a zatem i tak bliskiej zejścia, usunęła w cień pobyt Sary w szpitalu i powody, dla których się tam znalazła. W końcu jednak Flower poruszyła temat.

– Jaki wydał ci się Billy? – spytała.

– No, bardzo opanowany – wyjaśniła Marta.

– Co, nie wyglądał na babskiego prześladowcę? – drążyła Flower.

– A co to znaczy? – chciała wiedzieć Marta.

– Nie wiem – wyznała Flower. – Więc zrobił to?

– Och, tak sądzę – odparła Marta. – Ale Sara nie chce tego powiedzieć.

– Co więc możemy zrobić? – zaczęła się zastanawiać Flower. – A gdyby ściągnąć moich braci?

– Nie jesteśmy mafią. Takie historie uchodzą tylko w *Ojcu chrzestnym* – zauważyła rozsądnie Marta. Poza tym chciała dodać, że bracia Flower są równie groźni jak słabowite członkinie koła gospodyń wiejskich.

– No cóż, popracujmy najpierw nad Sarą, kombinując jednocześnie, co zrobić z Billym – zaproponowała Flower, która sprawiała wrażenie osoby bystrej. – Co powiesz na kurs samoobrony?

Marta doznała wizji – emocjonalnie wygłodzone kobiety otaczające wianuszkiem umięśnionego tępaka. Zerknęła na Gulę i pomyślała sobie, że lepiej uważać.

– Idziemy – rzuciła Flower, jakby chodziło o wycieczkę w dniu wolnym od pracy.

Rozdział 7

Ale wyglądasz, kotku. Wpadłaś na drzwi, co? Owa słowna perełka wyrwała się z zaopatrzonych w papierosa ust pana Raka, grubego i rumianego czempiona wśród palaczy, kiedy Sara wymykała się chyłkiem ze szpitala, ściskając torebkę, która rzekomo zabiła pannę Lucas, i reklamówkę z rzeczami osobistymi, noszącą logo pewnego bardzo drogiego sklepu przy Bond Street, ponieważ Sara wciąż uważała, że takie rzeczy mają duże znaczenie.

– Pieprz się – odparła dostatecznie głośno, by nawet biedna, droga, zmarła panna Lucas mogła usłyszeć.

Billy czekał w miejscu, gdzie ustawiono zakaz parkowania, wciskając od czasu do czasu pedał gazu w takt muzyki.

– W porządku? – spytał czule, gdy Sara wsiadła do wozu, żałując, że nie może nagrać tej sceny na wideo i pokazać Flower i Marcie, które, jak była przekonana, zaczęły tworzyć sobie profil psychologiczny Billy'ego, typowy dla seryjnego zabójcy.

– Tak, świetnie – zapewniła.

Billy ścisnął jej dłoń i ruszył od krawężnika.

– Odwiozę cię do domu – powiedział. – Zobaczymy się po pracy. Potrzeba ci czegoś?

– Nie, dzięki – odparła Sara, rozmyślając o tym, że przyjaciółki obdarzone krótką pamięcią byłyby bardzo pomocne i oszczędziłyby jej składania gołosłownych deklaracji i pomysłu z załatwieniem Billy'ego.

Billy zatrzymał się pod domem, obdarzył Sarę jednym z tych pocałunków, jakimi wymieniają się między sobą dziadkowie, co uznane byłoby za rzecz obsceniczną, gdyby w grę wchodziły języki. Kiedy odjechał, zerkając w lusterko wsteczne, zauważył Martę i Flower, które wyłaniały się niczym niechlujne Feniksy zza dwóch wielkich donic obok wejścia do budynku. Uśmiechnął się.

– O Boże, chyba nas zauważył – jęknęła Flower.

– I co z tego – odparła Marta, stękając. Gdy tylko przypadała do ziemi, wydawało jej się, że nie wstanie bez pomocy zespołu ratowniczego.

– Co wy tu robicie? Chcecie mnie namówić na jakiś kurs samoobrony czy cholerną grupę terapeutyczną? – spytała Sara ironicznie.

Marta i Flower spojrzały na siebie zakłopotane.

– Gadacie jak trzepacze kapucyna – zauważyła Sara, która uważała, że ubogi zakres słów uznanych za wulgarne nie powinien ograniczać się wyłącznie do jednej płci.

– Nie można trzepać kapucyna jak się jest dziewczyną – sprostowała Flower.

Wywiązała się bezsensowna dyskusja o tym, czy kobiety wyglądają równie śmiesznie jak mężczyźni, gdy ci trzepią kapucyna, i czy ktoś oddaje się temu procederowi, ponieważ nie ma z kim uprawiać seksu, albo wygląda niewłaściwie podczas miłosnego aktu.

Flower nie chciała przyznać, że kobiety w ogóle sobie dogadzają, na co Marta wybuchnęła ogłuszającym śmiechem, a po chwili, widząc minę Sary, zmieniła temat.

– Zapisałam nas na kurs samoobrony – wyznała.

– I oczywiście nie wzbudzi to żadnych podejrzeń u Billy'ego – powątpiewała Sara.

– Nie mów mu – poradziła Marta, która umiała wygrzebać się z trudnej sytuacji wyłącznie za pomocą kiepskiego kłamstwa. – Chodzi nam o ciebie, Sara. Dlaczego ktoś w ósmym miesiącu ciąży miałby oddawać się rygorystycznym ćwiczeniom w jakiejkolwiek formie z osobą, którą właśnie zrzucił ze schodów chłopak…

– Mówiłam już setki razy – przerwała jej gniewnie Sara.

– Potknęłam się.

– „Dama zbyt mocno zaprzecza".

– Tylko nie wyjeżdżaj z cholernym Szekspirem – uprzedziła Sara.

– Posłuchajcie – wtrąciła się Flower. – Wyszukałam naprawdę dobry kurs samoobrony w Internecie, Sar, i wcale nie twierdzę, że Billy zepchnął cię ze schodów, ale raz już ci przyłożył, więc chyba warto… poza tym może ci się przydać w jakiejś innej sytuacji.

– Pewnie w przypadku pacjentów z nowotworem – odparła w zadumie Sara.

– Dlaczego ten facet jest taki gruby, skoro ma raka? – zastanawiała się Marta.

Flower nie miała bladego pojęcia, o czym mówią, i doszła do wniosku, że chodzi o kogoś z magazynu poświęconego sławnym ludziom.

– No to kiedy są te zajęcia? – spytała Sara.

– Dziś wieczorem – poinformowała Flower.

– I co mam powiedzieć Billy'emu? Że dokąd idę?

– Do pubu, a jak zacznie się pieklić, każ mu poczekać pięć godzin, a po powrocie do domu znokautuj go, wykorzystując świeżo nabyte umiejętności – doradziła Marta.

Niektórzy ludzie, zależnie od stopnia zaburzeń osobowości, są mistrzami kłamstwa, a inni pod tym względem są do niczego. Sara zaliczała się do drugiej kategorii i dlatego musiała nastawić radio i odwrócić się do okna, kiedy mówiła Billy'emu o swych planach na wieczór, by nie dosłyszał drżenia w jej głosie i nie dostrzegł nagłego rumieńca na twarzy.

– Okej – mruknął, nie odrywając wzroku od telewizora.

Sara poczuła się tak, jakby go w jakiś sposób zdradzała, i dlatego chciała powiedzieć: „Posłuchaj, idę na kurs samoobrony, żeby nabyć umiejętności, dzięki którym będę mogła sobie z tobą poradzić, jak się wkurzysz, bo masz odrobinę porywczy charakter; nie podejrzewam, byś miał uderzyć mnie jeszcze raz, ale wolę się przygotować tak na wszelki wypadek, bo przecież nie chcesz zabić mnie niechcący i pójść na resztę życia do więzienia, prawda?".

Ale w rzeczywistości spytała tylko:
– Mam nastawić wodę na herbatę?

Michael Randall, który prowadził zajęcia z samoobrony w college'u w Vauxhall, był naprawdę przyzwoitym facetem i miał dwie córki po dwudziestce, obie zaś czasami bały się panicznie nielicencjonowanych taksówkarzy i wracały do domu roztrzęsione jak galareta, w stanie głębokiej rozpaczy, wywołanej nieumiejętnością odpowiedniej reakcji na zaczepki kierowców, pomimo feministycznego ducha czasu, który można by zwięźle ująć słowami: „Spierdalaj, nie ze mną te numery".

Michael, choć był miłym gościem, wiedział doskonale, jak funkcjonuje umysł takich niezbyt sympatycznych gości, a tym samym zdawał sobie sprawę, że większość mężczyzn, którzy zaczepiają kobiety albo pokazują im wacka, liczą na przerażenie ofiar, dzięki czemu nie muszą się specjalnie wysilać. A zatem pragnął przede wszystkim podczas swoich zajęć z samoobrony nauczyć młode kobiety kilku prostych reakcji, które pozwolą im uniknąć kłopotów i zwiać. Niestety, zabrałoby mu to jedynie dwadzieścia minut, musiał więc niemiłosiernie przeciągać, zamieniając zajęcia w dość nudny, tygodniowy kurs, wzbogacony o dodatkową nudę, jaką była teoria agresji.

Na niekorzyść Michaela Randalla przemawiało to, że wyglądał jak portret pamięciowy miejscowego prowodyra gangu pedofili – ziemisty, żylasty, okulary o grubych szkłach, tłuste włosy. Obie córki odznaczały się niezwykłą urodą i gdy wychodził z nimi gdzieś razem, ludzie podejrzewali, że to zboczeniec, który za nimi łazi.

Zajęcia z samoobrony zaczynały się o siódmej, więc Marta, Flower i Sara zajrzały przed dziewiętnastą do pubu na szybkiego drinka, spodziewając się, że czeka je przez dwie godziny rozwalanie ciosami karate szyj manekinów.

Flower, jak zwykle, została podwieziona przez Charliego, który nabył tymczasowo furgonetkę cuchnącą psami i kapustą; ubrała się zupełnie nieodpowiednio jak na tę pogodę, to znaczy zimną, wilgotną noc, w sam raz dla Kuby Rozpruwacza krążącego po swej ulubionej dzielnicy Whitechapel. Miała na sobie T-shirt, rozpinany sweter, dżinsy i klapki. Sara wyglądała z wierzchu jak arystokratka rosyjska z przełomu wieków, pod spodem zaś jak amerykański raper, Marta natomiast, która z powodu ciąży znajdowała się w stanie bezustannego wrzenia, włożyła obszerną, przezroczystą szatę, w ciemnym kolorze, a na nogi wielkie męskie buty.

W zajęciach uczestniczyło niewiele osób, co stanowiło źródło niepokoju dla Michaela Randalla, który każdego dnia z rosnącą desperacją przeglądał lokalną gazetę, mając przed oczami istny katalog gwałtów, napadów i morderstw. Wiedział doskonale, że chodzenie po domach w poszukiwaniu potencjalnych kandydatek na kurs nie wypali: co druga kobieta spojrzałaby tylko na niego i natychmiast wezwała policję.

Tego wieczoru napotkał wyczekujący wzrok ośmiu kobiet, gdy wkroczył do sali gimnastycznej wyłożonej gumowymi matami, które mają amortyzować upadek, ale tego nie robią. Tylko Marta, Flower i Sara były nowicjuszkami na zajęciach, więc przedstawiły się pozostałym pięciu paniom – dwóm nastoletnim przyjaciółkom, kobiecie, która pisała doktorat na temat przemocy wobec płci pięknej, eleganckiej pani w średnim wieku, której grożono przy bankomacie, wreszcie młodej Azjatce po dwudziestce, która pracowała w kiosku i była świadkiem przerażających ataków, słownych i fizycznych, jakich doświadczali jej bracia i ojciec.

– Doskonale – oświadczył Maichael Randall, wlepiając ojcowskie spojrzenie w trio nowicjuszek. – Co panie tu sprowadza?

Marta miała na końcu języka: „Chcemy się dowiedzieć, jak dokopać porządnie jej chłopakowi", ale rzuciła w zamian coś neutralnego: „No cóż, ulice są w dzisiejszych czasach niebezpieczne, chcemy bronić siebie i naszych sióstr".

– Wiem doskonale, że zabrzmiało to absolutnie kretyńsko – szepnęła do pozostałych.

Nie uszło uwagi Michaela Randalla, że Marta jest w ostatnich miesiącach ciąży, że Sara wygląda tak, jakby ktoś niedawno ją pobił, i że trzecia z przyjaciółek wydaje się niezdolna zareagować agresywnie na cokolwiek. Zwrócił się łagodnie do Marty:

– Oczywiście, nie możesz tu przesadzać z ćwiczeniami fizycznymi, kochana.

– Och, proszę się o mnie nie martwić – uspokoiła go Marta. – Dopilnuję, żeby Gula nam nie przeszkodziła.

– No a ty – zwrócił się do Sary jak najbardziej życzliwym tonem – czy byłaś ostatnio ofiarą jakiegoś groźnego ataku?

– Spadłam ze schodów – odparła kategorycznie Sara, wiedząc doskonale, że prędzej Billy podłączy w domu odkurzacz i zacznie sprzątać, niż ktokolwiek na zajęciach z samoobrony uwierzy w takie oświadczenie.

– No cóż, zacznijmy zajęcia – zaproponował Michael. – W zeszłym tygodniu, na pierwszym spotkaniu, mówiłem o złych doświadczeniach moich córek, omawialiśmy też parę możliwych scenariuszy postępowania. Dzisiaj możemy przedstawić kilka potencjalnych sytuacji i zastanowić się wspólnie, jak sobie w tych sytuacjach poradzić.

– A grupa kilkunastoletnich chłopaków obrzucająca cię okropnymi wyzwiskami? – spytała Marta.

– Co masz na myśli? – spytał Michael, sprawiając wrażenie zaskoczonego.

– No, pieprzona zdzira... tłusta dupa... – wyjaśniła Marta.

– Nie, nie, chodziło mi o to, jaki jest konkretnie problem obrony w tym scenariuszu?

Marta przyznała, że nie ma żadnego, ale że przydałaby się jej rada, jak fizycznie zaatakować sprawców i uciec bez szwanku.

Wszystkie pozostałe uczestniczki zajęć wykazały zrozumienie dla Marty, ale nie były zaskoczone, kiedy Michael wyjaśniał, że przestępstwem jest zaatakowanie kogoś, kto człowieka nie tknął, a na dodatek jest głupotą, jeśli ten ktoś to grupa dziesięciu kilkunastoletnich chłopaków.

W tym momencie Flower wystąpiła z opowieścią o demonstracji, w której uczestniczyła razem z Charliem, i opisała, jak kopnął ją pewien policjant. Zastanawiała się, czy istnieje zgodna z prawem procedura, dzięki której mogłaby się bronić, nie naruszając przepisów. Michael musiał jeszcze raz przypomnieć, że atakowanie policji nie jest tematem tego spotkania.

– A ty? – zwrócił się do Sary.

– No, nie wiem – odparła, a jej niechęć do uczestnictwa w kursie samoobrony zdążyła się już przekształcić w narastającą antypatię do tego niskiego człowieka o dziwnym wyglądzie.

– W porządku – skinął głową Michael. – Przyjrzyjmy się temu, co spotkało Dianę, i zastanówmy się, jakich rad moglibyśmy udzielić jej na przyszłość. Przypomnij nam, Diano, co ci się przytrafiło.

– No cóż – zaczęła elegancka kobieta w średnim wieku. – Kilka miesięcy temu, o siódmej wieczorem, stałam przy bankomacie. Właśnie wyjmowałam pieniądze, kiedy poczułam, jak coś dźga mnie w plecy, i usłyszałam głos – pominę wulgarne słowo, jeśli nie macie nic przeciwko temu – „Oddawaj pieprzone pieniądze".

– I co się potem stało? – spytała Marta, nieodmiennie zafascynowana wszystkim, co wiązało się z przemocą.

– No, powiedziałam mu bez ogródek, żeby się odwalił.

– I poskutkowało? – zainteresowała się Marta.

– Niezupełnie. Dźgnął mnie. Chryste, to było okropne!

– Możesz nam o tym opowiedzieć? – poprosiła Marta.

– No, mój mąż nie opłacił prywatnego ubezpieczenia, więc wylądowałam w miejscowym szpitalu na sali, gdzie leżało mnóstwo zalatujących nieświeżo starszych pań i jedna koszmarna wiedźma, która wrzeszczała bez przerwy: „Zabijcie mnie!". Istna speluna. Pielęgniarki były leniwe i w większości pochodziły z zagranicy. Nie rozumiałam, co do mnie mówią.

Marta zaczęła odczuwać głębokie zadowolenie, że Diana została pchnięta nożem.

– A więc – włączył się w tym miejscu Michael – jak Diana mogła uniknąć zranienia?

– Oddając mężczyźnie pieniądze? – zaryzykowała Flower. – W końcu musiał być bardzo zdesperowany, skoro uciekł się do czegoś takiego.

– Zdesperowany, żeby wstrzyknąć sobie crack, jeśli już – sprostowała Diana.

Flower chciała wyjaśnić, że crack się na ogół pali, ale dała sobie spokój.

– W sytucji zagrożenia życia takiej jak ta oddałbym pieniądze – wyznał Michael.

– Rozczarowałeś mnie – oświadczyła Diana. – Wydawało mi się, że powinieneś mieć więcej ikry, zwłaszcza po tym, co spotkało twoje córki.

Nastolatki zachichotały, a Michael powiedział:

– W tych czasach trzcba być realistą, gdy ktoś ma nóż, zwłaszcza jeśli przystawia ci go do pleców...

– Wobec tego tracę tu cholerny czas – oznajmiła Diana i rzeczywiście tak było, ponieważ gdy wstała, włożyła płaszcz i wybiegła wzburzona, nikt nie starał się nawet jej zatrzymać.

Sesja potoczyła się dalej już w bardziej przyjacielskiej atmosferze, a Michael tłumaczył, jak uczestniczki kursu mogą zapewnić sobie bezpieczeństwo, a jednym ze sposobów jest zachowanie bezustannej czujności.

Jeśli chodzi o repertuar konkretnych działań, jakie Michael Randall przedstawił tego wieczoru, Marcie najbardziej spodobał się cios w krtań, o wiele bardziej skuteczny od kopniaka w jądra. Postanowiła wypróbować go na kolejnym obmacywaczu.

Grupka kobiet doskonale bawiła się tego wieczoru i wyszła z zajęć radosna i pełna optymizmu co do przyszłości, w której miały unikać niebezpieczeństwa, posługując się argumentem słownym, ciosem albo unikiem. Nawet Sara, która wcześniej wmówiła sobie koszmarny nastrój, po wyjściu z budynku ujrzała w wyobraźni, jak to jej zdecydowanie kładzie kres brutalności Billy'ego i wzmacnia ich miłość. Ta noc jednak miała się okazać dla niej nieprzyjemna i przygnębiająca. Billy akurat przejeżdżał obok i widział, jak Sara wychodzi wraz z przyjaciółkami z bramy uczelni.

Charlie, który przyjechał po Flower, też tam był. Billy widział, jak się śmieją, i zaczął się zastanawiać, tak jak już wielokrotnie, czy aby nie on jest przedmiotem żartów. Zatrzymał samochód, zaparkował nieprawidłowo i ruszył w stronę grupy. Było ciemno i Sara nie poznała go początkowo, więc nie zastygła w pierwszej chwili z przerażenia. Wszyscy patrzyli na Billy'ego jak na jakiegoś wyrzutka.

– Cześć, myślałem, że macie iść do pubu – oznajmił, przyglądając się spod zmrużonych powiek Sarze.

Cała czwórka straciła mowę. Nikt nie wiedział, kto ma skłamać pierwszy. Marcie przyszło do głowy, że najbardziej popłaca uczciwość.

– Postanowiłyśmy w ostatniej chwili, że pójdziemy na zajęcia z samoobrony. Wiesz, zrobiło się w okolicy niebezpiecznie, no i... – umilkła skonsternowana.

Billy jeszcze bardziej zmrużył oczy, chwycił dość szorstko Sarę za ramię i przyciągnął do siebie.

– Chodź – rozkazał. – Idziemy do domu.

– Hej – zawołała Sara, starając mu się wyrwać.

Flower stwierdziła z większym zaskoczeniem niż ktokolwiek, że jej ciało panuje nad mózgiem, i nim zdołała się powstrzymać, walnęła Billy'ego w krtań. W rzeczywistości, dość nieporadnie, wymierzyła cios niezbyt mocno zaciśniętą pięścią w okolice grdyki Billy'ego i ostatecznie zadrapała mu policzek pierścionkiem, który kupiła kilka lat wcześniej podczas jakiegoś umysłowego zaćmienia. Flower pomyślała więc, że spróbuje jeszcze raz. Billy'emu przyszło do głowy coś przeciwnego, dlatego uniósł dłoń, by ją powstrzymać, i chwycił za nadgarstek, który trzasnął, gdyż Flower szarpnęła się gwałtownie. Upadła na ziemię, łkając histerycznie: „Złamał mi rękę, złamał mi rękę!". Flower nie była dobrą aktorką.

Charlie włączył się do akcji na swój swobodny i niespieszny sposób.

– Hej, człowieku – zwrócił się do Billy'ego. – Co ty wyprawiasz?

Chryste, pomyślał Billy, nie wierzę, że to się dzieje naprawdę... już od dawna uważają mnie za damskiego boksera, a teraz jeszcze złamałem tej hipisce nadgarstek.

– Przepraszam – zaczął się tłumaczyć. – Nie chciałem.

– Hitler też nie chciał zabić kilku milionów Żydów – odparł gniewnie Charlie.

– No, ale zabił – wtrąciła Marta, jak zwykle wprawiając Charliego w irytację.

– Wezwijcie pierdoloną karetkę – wrzasnęła Flower, która dzięki adrenalinie mogła do repertuaru świeżo nabytych umiejętności dodać przeklinanie.

Rozdział 8

Nikotynowy gang pod szpitalem rozpoznał z grubsza Martę, Sarę i Billy'ego, ale jego członkowie nie mieli jeszcze okazji zobaczyć niechlujnej istoty, jaką była Flower. Gruby astmatyczny facet pomyślał sobie, że jej nos zasługuje na odrobinę jego miejskiej poezji, ale dał sobie spokój, kiedy dostrzegł wykrzywioną twarz Billy'ego tuż za Flower, i niemal poczuł, jak gość wali go z czoła, co niewątpliwie by się stało, gdyby tylko otworzył usta.

Cała grupa przeszła na oddział pomocy doraźnej, spodziewając się, jak to zwykle bywa, że natychmiast zjawi się lekarz, pomimo informacji na tablicy świetlnej, że potrwa to raczej pięć godzin.

Charlie miał niewiele czasu, by zapałać oburzeniem w związku z wydarzeniami tego wieczoru, i gdy Billy poniżał się, co prawda tylko w swoich oczach, przynosząc wszystkim herbatę, Charlie wyładował frustrację na ścianie w korytarzu i złamał sobie przy okazji palec.

Marta zapisała go w rejestracji na badanie, a pielęgniarka nawet nie mrugnęła okiem. Prawdę mówiąc, gdyby przez dach wdarła się do środka grupa żołnierzy i załatwiła napalmem żakiet z krempliny przewieszony przez oparcie jej krzesła, wciąż miałaby ten sam tępy wyraz twarzy, który oznaczał, że współczucie czy zainteresowanie wygasło na długo przed upływem jej pierwszego roku w tej robocie.

Billy tymczasem ćwiczył sobie w głowie przemowy, które stanowiłyby ripostę na coraz silniejszą tendencję przyjaciółek Sary, by zaliczać go do robactwa. Przez krótką chwilę pragnął naprawić wszystko, ale doszedł do wniosku, że i tak już został potępiony, więc po cholerę robić dobre wrażenie na dwóch głupich babach i chłopaku hipiski. Kolejny raz ten miły osobnik, który próbował wyleźć z Billy'ego, stanął na pierwszym szczeblu drabiny, nie mogąc za żadne skarby świata ruszyć dalej.

Flower złamała sobie nadgarstek, a że przy upadku na ziemię walnęła głową o chodnik, tracąc na kilka sekund przytomność, lekarz stażysta, któremu w ciągu minionej godziny zmarło dwóch pacjentów, był bardzo zaniepokojony i polecił siostrze przełożonej poszukać łóżka, gdzie Flower poddana zostałaby całonocnej obserwacji. Jak zwykle wszystkie łóżka okazały się za krótkie, ale w końcu znaleziono jedno odpowiednie i Flower została przewieziona na ten sam oddział, gdzie Sara spędziła tak radosną noc z grupą starszych zastępczyń szeryfa, które nie mogły uwierzyć własnym oczom, widząc Billy'ego, jak człapie za kolejną kontuzjowaną kobietą.

– Chryste, Ivy – odezwała się jedna z pań do swej sąsiadki. – Ledwie sobie poszedł, od razu załatwił drugą. Popatrz (wskazując na Martę), myślisz, że tej zrobił brzuch?

– Nie byłabym zdziwiona, Glad – odparła tamta. – Niektórzy faceci w dzisiejszych czasach mają setki kobiet.

Starały się patrzeć złym okiem na Flower, która doszła do wniosku, że ich dezaprobatę wywołał jej strój.

Charlie wciąż przebywał na radiologii, co tylko wzmacniało błędne przekonanie pań, że Billy jest także chłopakiem Flower. Ten drugi czuł wzrok kaprawych oczu, przewiercający mu plecy, a kiedy tylko się zorientował, w co tak naprawdę się wpatrują, zwiał jak najszybciej. Sara już wcześniej zdążyła się zorientować i przezornie pozostała na korytarzu, nie wspominając nic Billy'emu, którego chciała ukarać, nawet jeśli miało się to dokonać za sprawą kilku siwowłosych pań.

Billy pozostawił Martę przy łóżku Flower; trzymała przyjaciółkę za nieuszkodzony nadgarstek.

– Ten facet to pieprzona zmora – oświadczyła, gdy Billy opuścił salę. – Musimy coś zrobić.

– To był wypadek – tłumaczyła Flower, poruszona całym wydarzeniem. Jej miłujący pokój rodzice nigdy nie dali jej klapsa, nigdy nie okazali choć odrobiny gniewu, więc jakakolwiek agresja, słowna czy fizyczna, budziła coraz częściej jej niepokój, choć Londyn uczył ją szybko, że każdy jego mieszkaniec to mały szybkowar, który tylko czeka, żeby obryzgać współobywateli wszelką złośliwością.

Charlie pojawił się w polu widzenia, szczerząc w uśmiechu zęby i wysuwając do góry palec owinięty czymś, co wyglądało jak parodia opatrunku założonego niefachowo przez pozbawioną nadzoru stażystkę, która, opuściwszy w szkole pielęgniarskiej zajęcia z bandażowania, czerpała wiedzę na ten temat z kreskówki oglądanej w dzieciństwie. Gdyby Charlie cierpiał na ból zęba, owinęłaby mu głowę chustą z wielką kokardą na czubku głowy.

Miał przemoczone spodnie. Skorzystał z toalety, która od miesięcy wymagała naprawy i w końcu trysnęła gejzerem uryny pod niebo, zachlapując mu nie całkiem dziewicze dżinsy siuśkami. Przynajmniej to mój własny mocz, pomyślał Charlie, który co prawda nie był wyznawcą obsesyjnej czystości, ale uważał, że co za dużo, to niezdrowo.

Marta zdecydowała, że lepiej jak wyjdzie od razu, kiedy Charlie się zjawił, gdyż była pewna, że mają sobie z Flower mnóstwo do powiedzenia.

– Posłuchaj – zwróciła się na odchodnym do przyjaciółki – musimy przedyskutować kilka spraw. Możesz wpaść do mnie jutro?

– W porządku – odparła Flower. – Chyba wezmę sobie wolne w pracy, więc zajrzę do ciebie około drugiej, okej?

– Świetnie – skinęła głową Marta. – Do zobaczenia.

Marta wiedziała, że palacze już czekają, próbowała więc wymknąć się tylnym wyjściem, ale stwierdziwszy, że jest zamknięte ze względu na późną porę, przygotowała sobie stosowną ripostę.

Jak można się było spodziewać, ktoś odchrząknął i wymamrotał coś pod nosem, kiedy wychodziła ze szpitala. Marta odwróciła się i z jak największą jadowitością wypaliła: „Przynajmniej moje płuca nie wyglądają jak pudding bożonarodzeniowy z flegmy, ty dupku", wprawiając w osłupienie osobnika, który zjawił się w odwiedziny i który tylko spytał, jak daleko jest parking. Marta też paliła i jej płuca wyglądały prawdopodobnie identycznie jak wspomniane ciasto. Przejawiała jednak optymizm większości palaczy, że chroni ich klauzula gwarantująca ucieczkę przed rakiem i że loteria płucna będzie łaskawa tylko i wyłącznie dla nich.

Siwowłosa grupa zdecydowała już, że Charlie to brat Flower i że został ranny podczas mężnej próby ocalenia siostry przed pobiciem przez Billy'ego, który miał wiele partnerek, był gangsterem i recydywistą. Wydawało się to bardziej ekscytujące niż prawda, ale nie za bardzo.

Flower podziękowała za zwierzęcą kanapkę, zaoferowaną jej przez uczennicę szkoły pielęgniarskiej, odmówiła też spożycia innego stworzenia w bułce z frytkami mięsożernemu sanitariuszowi, który właśnie zmierzał do niedawno otwartego barku szpitalnego, dostarczającego doskonałe, wywołujące skręt kiszek potrawy i od czasu do czasu coś, co przelotnie przypominało warzywa.

Charlie oświadczył, że pojedzie do domu i przywiezie jej coś kiełkowatego, ale Flower odmówiła, gotowa wygłosić tyradę na temat problemów, jakie sprawiało mu panowanie nad sobą.

Charlie wiedział, co się szykuje, i zaczął od uwagi:

– No cóż, przynajmniej tłukę obiekty nieożywione, a nie kobiety.

– Tak, wiem – przyznała Flower. – Ale skończy się tym, że połamiesz sobie po kolei wszystkie kości. Może spróbujesz coś zrobić z tym problemem?

– Daj spokój – przekonywał Charlie. – Nad wszystkim panuję.

Flower przeszła do kwestii Billy'ego.

– Co mamy zrobić?

– No cóż, ten gość na pewno powinien kontrolować swój gniew – zauważył Charlie.

– Posłuchaj – zwróciła się do niego Flower. – Z pewnością możesz zapisać się do jakiejś grupy terapeutycznej i omawiać z nią problem własnej porywczości i jak sobie z nią radzić. Może byś to zrobił dla mnie i przy okazji dowiedział się, czy coś takiego mogłoby pomóc Billy'emu? Musimy coś zrobić.

– O, w mordę – jęknął Charlie.

– Proszę – upierała się Flower. – Uderzył mnie, a wcześniej Sarę. Została jeszcze tylko Marta, która nie powinna w swoim stanie narażać się na ciosy, w każdym razie nie w brzuch.

– Biorąc pod uwagę jego rozmiary, dzieciak na pewno będzie przypominał nadmuchiwanego słonia w ludzkiej skórze – oświadczył Charlie. Po chwili dostrzegł błagalny wzrok Flower. – No dobra – westchnął.

Nazajutrz, pomimo zabandażowanego nadgarstka, Flower doszła do wniosku, że da radę pojechać do Marty na rowerze, ponieważ było trochę za daleko, by iść na piechotę, poza tym autobus mijał na swej trasie poprawczak, co oznaczało, że będzie wiózł jakiegoś pryszczatego minipsychopatę, któremu właśnie skonfiskowano fajki i który w przypływie złości zamierza naszczać do wiaty na przystanku albo obrabować emeryta, obrzucając wcześniej Flower wyzwiskami.

Tego konkretnego dnia Flower udawało się unikać ataków podczas jazdy, dopóki nie skręciła w ulicę Marty, kiedy to zrównała się z nią jakaś furgonetka z dwoma facetami w środku.

– Może numerek, nochalu? – rzucił siedzący na miejscu pasażera tłustowłosy osobnik, którego oddech można było z powodzeniem wykorzystać do tępienia szkodników w ogrodzie. Flower spuściła głowę i z determinacją pedałowała dalej.

– Hej, Kinol! – dorzucił drugi, który miałby wielkie szanse na Oscara w kategorii „Niezdrowa bladość i cuchnący sweter". – Nie olewaj nas!

W tym momencie Flower skręciła, czując przy okazji, jak pod wpływem londyńskich doświadczeń ogarnia ją coraz większe zniechęcenie.

Muszę zrobić prawo jazdy, pomyślała. Będę mogła przynajmniej zasunąć szyby.

Zjawiła się u Marty w złym humorze i nie wspomniała o pechowym spotkaniu, ponieważ była odrobinę zawstydzona, że mieszkańcy Londynu tak często robią aluzje do jej nosa, nie zdając sobie w pełni sprawy, że Marta z tego samego powodu zaniża liczbę obraźliwych uwag na temat swej grubości.

Marta wprowadziła Flower do swego bardzo niechlujnego i cuchnącego mieszkania, przepraszając za bałagan.

– Jestem taka zmęczona z powodu Guli, sama rozumiesz. Nie chce mi się nawet sprzątać.

Flower wiedziała, że Gula nie ma z tym nic wspólnego i że lenistwo Marty, a także ogólny brak higieny, to najstarsi towarzysze przyjaciółki.

– Kiedy ma się pojawić Gula?

– Za trzy tygodnie.

– Chcesz, żebym ci pomogła posprzątać mieszkanie i stworzyć z tego składowiska odpadów odpowiednie miejsce dla dziecka?

– Tak, byłoby wspaniale.

– W takim razie do roboty. Jednocześnie możemy układać listę pomysłów, jeśli chodzi o Billy'ego.

Marta wzięła do ręki starą kopertę i wsunęła dłoń pod poduszkę na kanapie, gdzie leżało zawsze kilka długopisów, po czym napisała na górze słowo „Billy".

– Wynająć zawodowego zabójcę? – spytała. – A może po prostu same przygwoździmy mu jaja do ściany jakiegoś klasztoru?

Flower roześmiała się odrobinę skrępowana.

– Myślę, że powinnyśmy z nim pomówić – wrzasnęła, starając się przekrzyczeć odkurzacz, który grzechotał i pluł jakimś groźnie wyglądającym dymem, prawdziwie oburzony, że każą mu wciągać brudy z całego miesiąca.

– Co, powiedzieć mu, żeby przestał, i czekać, aż posłucha jak mały grzeczny chłopiec? – odpowiedziała krzykiem Marta; wsparta na dłoniach i kolanach, przyciskając do dywanu Gulę, której musiało być niewygodnie, zbierała gazety, filiżanki pokryte przypominającym penicylinę nalotem o różnorodnej grubości i parę bardzo nieatrakcyjnych majtek, z powodu których ukamienowano by ją na śmierć w klubie tańca erotycznego.

– Nie ma powodu do sarkazmu – powiedziała Flower. – Jestem przekonana, że coś byśmy osiągnęły, gdyby udało się z nim pogadać – poprawka, ja bym coś osiągnęła. Ty pewnie zyskałabyś tylko tyle, że wyszedłby z tej rozmowy wściekły i rozwalił kilka małych piesków z broni automatycznej, tak go wkurzasz.

– No dobra – zgodziła się Marta. – Ty z nim utniesz sobie pogawędkę, wyprostujesz go i jeśli wyleczy się dzięki tobie ze swoich brutalnych skłonności, obiecuję, że posprzątam łazienkę.

Determinacja Flower, by zrobić porządek z Billym, rosła jeszcze bardziej.

– Jak myślisz, co Sara powie, jeśli się wtrącimy? – spytała.

– Nie powiemy jej – oznajmiła Marta, która zawsze miała skłonności do podstępnego działania.

– Naprawdę? – zdziwiła się Flower, która doznałaby załamania nerwowego, gdyby musiała skłamać.

– Posłuchaj, nie byłaby z tego zadowolona, a on jej nie powie, że z nim rozmawiałyśmy, bo będzie zbyt zakłopotany. Najlepiej załatwić to po cichu.

– O Boże! – krzyknęła Flower.

– Co się stało? – zapytała Marta i odwróciwszy się, zobaczyła, jak Flower krztusi się na widok starego talerza z niedojedzonym obiadem, który odkryła pod stosem magazynów o problemach macierzyństwa.

– Słuchaj, może pójdziemy do kawiarni i damy sobie na dziś spokój ze sprzątaniem? – podsunęła Marta, obrzucając wzrokiem ledwie tknięte mieszkanie.

– Z chęcią – odparła Flower.

Potem siedziały w miejscowej restauracyjce, którą – rzecz dziwna jak na okolicę – prowadziło dwoje bardzo zdrowych ludzi, serwujących zdrowe jedzenie, co oznaczało, że mało kto tu przychodził.

Lista pod hasłem „Załatwić Billy'ego" zaczęła się wydłużać. Obok rozmowy, jaką z Billym miała przeprowadzić najpierw Flower, a potem Marta, pojawiły się nieco dziwniejsze, by nie powiedzieć całkowicie szalone sugestie.

– A może ich rozdzielić? – zaproponowała Marta.

– Ale przecież się kochają – zauważyła Flower.

– Kochają? Jak Henryk VIII z Anną Boleyn, chciałaś powiedzieć. Słuchaj, walnął ją już dwa razy i na tym się nie skończy, więc jeśli podejście łagodne się nie sprawdzi, musimy mieć w zanadrzu plany awaryjne.

– No dobra, jak ich rozdzielić? Nie bardzo to widzę – wyznała Flower.

– Łatwizna – oznajmiła Marta. – Któraś z nas mogłaby się z nim przespać.

– Ale Sara nigdy więcej by się do nas nie odezwała – przekonywała Flower.

– Tak, ale przynajmniej byłaby w stanie w ogóle mówić... bo wciąż by żyła.

– Och, nie dramatyzuj – żachnęła się Flower. – Nie zabije jej, to tylko życie.

– Owszem, a ludzie w życiu robią sobie nawzajem takie rzeczy – przypomniała ponuro Marta.

– A może byśmy tak znalazły dla Sary nowego faceta – podsunęła Flower.

– Sara nie chce nowego faceta, ona chce Billy'ego.

– Okej, a może znajdziemy kogoś, kto go postraszy?

Była to niezwykła i nieco odważna sugestia ze strony tak zajadłej pacyfistki jak Flower.

– Hm, niezły pomysł – przyznała Marta. – Ale musimy znaleźć kogoś super, żeby wystraszył go na śmierć.

– Kogoś, kto nie jest taki jak...

– No, Charlie albo mój ojciec – dokończyła Marta.

– A może po prostu kupimy broń, zamkniemy się z nim w pokoju, wycelujemy do niego i powiemy: „Daj spokój naszej przyjaciółce, bo stracisz swoje pieprzone klejnoty".

Popatrzyły na siebie i wybuchnęły ogłuszającym śmiechem.

Rozdział 9

Ostatecznie postanowiono, że zarówno Marta jak i Flower zapoczątkują proces ratowania Sary, to znaczy porozmawiają z Billym, a pierwsza, jako urodzona mediatorka, próbę podejmie Flower. Postanowiła, że zadzwoni do Billy'ego do pracy, tak aby Sara nie dowiedziała się o niczym, ale potem uświadomiła sobie, że nie ma bladego pojęcia, gdzie Billy pracuje.

Zadzwoniła do Marty.

– Och, to jakaś firma w Whitechapel. Wszyscy zabójcy stamtąd pochodzą.

– Hę? – nie zrozumiała Flower.

– Taka aluzja do Kuby Rozpruwacza – wyjaśniła Marta.

– Nie, on zabijał w Whitechapel, ale stamtąd nie pochodził.

– Skąd wiesz?

– No, przede wszystkim nikt nie ma pojęcia, kim był, więc jakim cudem ktoś miałby wiedzieć, skąd pochodził, a po drugie…

– Nie zawracaj sobie głowy żadnym „po drugie" – przerwała jej Marta. – Nie bawią mnie historie o mordercach prostytutek.

– Och, ty wielka, gruba, feministyczna buntowniczko – skomentowała Flower.

– Tak czy owak, mam numer Billy'ego. Zapisujesz?

Flower zacisnęła zęby i wykręciła numer. Miała nadzieję, że połączy się z telesekretarką Billy'ego, ale odebrał osobiście.

– Halo, tu Bill Taylor.

– Bill, tu Flower – powiedziała.

Nastąpiła krótka pauza, podczas której Billy oswajał się z faktem, że jedna z przyjaciółek jego dziewczyny zadzwoniła do niego do pracy. Przez ułamek sekundy spekulował, że albo chce z nim pójść do łóżka, albo donieść na niego do kierownictwa.

– I co mogę dla ciebie zrobić? – spytał.

Flower nienawidziła tego sformułowania. W myślach odpowiedziała: „Nie możesz nic zrobić, ty cholerny pojebańcu, rzecz w tym, co ja mogę zrobić, żeby zmienić cię w przyzwoitego członka społeczeństwa". W rzeczywistości oznajmiła:

– Chcę z tobą o czymś pogadać. Możesz się ze mną spotkać?

– Jesteś bardzo tajemnicza – zauważył Billy.

– Przedstawiam numer w barze Frogs Wine we środę – poinformowała Flower. – Możemy spotkać się przed występem, około siódmej?

– Powiedz mi, o co chodzi – poprosił Billy.

– Nie, powiem, jak się zobaczymy – odparła Flower i odłożyła słuchawkę.

– Kto to był? – spytał Charlie, który, kierując się swoim radarem, wyszedł przedwcześnie z łazienki.

– Och, nikt – zapewniła go Flower. – Pomyłka.

Charlie zastanawiał się, dlaczego Flower w ogóle zawraca sobie głowę tym kłamstwem, skoro nikt już nie wierzył w tekst z pomyłką, ale tym razem dał sobie spokój i poczłapał do kuchni, żeby zrobić herbatę o koszmarnym wyglądzie, koszmarnym zapachu i równie koszmarnym smaku.

Flower była nieco rozczarowana, że Charlie nie drąży tematu. Może oszczędza się na zajęcia z tłumienia agresji i gniewu, pomyślała, gdyż tam właśnie miał się udać tego samego wieczoru, kiedy ona zaplanowała swoje spotkanie z Billym.

Flower czuła, jak serce podjeżdża jej do gardła na myśl, że rozmowa z Billym skończy się fiaskiem, numer się rypnie, a Charlie się dowie, że gadała z Billym z własnej woli. Dlaczego życie zawsze musiało być pełne zmartwień? Dlaczego nie mogło być wiecznym odprężeniem, zabawą i brakiem wyzwań? Jakże prościej nic nie robić, niż angażować się w sprawy innych ludzi. Flower przypomniała sobie powiedzonko, jakie bezustannie trąbił jej w dzieciństwie do ucha ojciec, ciągnąc na kolejną demonstrację w stronę Hyde Parku. Mawiał: „By zło zatriumfowało, wystarczy, że dobrzy ludzie nic nie będą robić". Okropność. Dlaczego nie: „By dobro triumfowało, wystarczy, że dobrzy ludzie będą siedzieć na tyłkach i tylko się wkurzać"? Dlaczego wsadzanie nosa w problemy innych zawsze odbywało się tak wysokim kosztem?

Środa nadeszła z niepokojącą szybkością nieletniego bandyty, jak to zwykle się dzieje w przypadku dni, które niosą ze sobą jakiś niepokój. Flower, zmierzając w stronę baru, przyłapała się na tym, że powtarza tekst swojego numeru na gościnne występy.

Człowiek, który władał imperium Frogs Wine Bar, składającym się z jednego smutnego i pustego klubu, postanowił niegdyś spróbować swych sił na niwie komediowej, nie mając większego pojęcia, na co się porywa; zaplecze, jak zwykle, prezentowało się niezbyt ciekawie. Nie było garderoby i Flower nie mogła uwierzyć, że ma do wyboru damską toaletę – pojedynczą cuchnącą kabinę – albo chodnik przed wejściem.

Spostrzegła w toalecie Marty Mavers, niezwykle ambitną artystkę komediową z Australii, która rejestrowała starannie swoje własne zarobki i wszystkich innych i która tak właziła w tyłek odpowiednich ludzi z telewizji, że gdyby miała nos równie wielki jak Flower, to zmiażdżyłaby ich wątroby i nerki na dobre. Flower więc postanowiła zostać na chodniku z Dunkiem, absolwentem uniwersytetu w Cambridge, który wierzył, że londyńskie kluby oferują znacznie więcej niebezpieczeństw i ekscytacji niż jakaś wyprawa do Ameryki Południowej, ku rozczarowaniu jego rodziców, gdyż mieli mnóstwo pieniędzy, a ich wyobraźnia była wprost nieproporcjonalna do posiadanego bogactwa.

Billy zastał Dunka i Flower pogrążonych w rozmowie, właśnie kiedy zaczęło padać, więc oboje schronili się w barze, który był względnie ciepły, choć Flower odkryła później, że publiczność odznacza się temperaturą poniżej zera.

– A więc przyszłaś, żeby się ze mną umówić? – zaczął Billy.

– Chciałbyś! – odparła Flower, która wykazywała się tym większą odwagą, im bliżej sceny się znajdowała.

– No to o co chodzi?

– Chcę pomówić z tobą o Sarze – wyjaśniła.

– Ja i Sara to nie twój pieprzony interes – zauważył Billy.

Świadoma, że mówi jak jakaś naprawdę irytująca i niepoprawna feministka z lat siedemdziesiątych, Flower powiedziała:

– Posłuchaj, Sara jest naprawdę moją dobrą przyjaciółką i nie chciałabym, by cokolwiek jej się stało.

Czekała na wybuch, ale Billy tylko się roześmiał.

– O czym ty mówisz? – spytał. – Chyba żarty sobie robisz. Jakim cudem mogłoby się jej coś stać?

– No – zaczęła tłumaczyć Flower – tamtego wieczoru… – umilkła, nie chcąc wypowiedzieć tego, co miała na myśli.

– Kiedy zahaczyłem ją niechcący ręką, kiedy próbowałem… – Billy też urwał, szukając odpowiednich słów.

No dalej, myślała Flower. Ciekawe, co powiesz.

– … trzepnąć kota.

Och, kota, który fruwa w powietrzu na wysokości ludzkiej głowy, pomyślała Flower, ale nie powiedziała tego głośno.

– Posłuchaj, przeprosiłem cię za nadgarstek – przypomniał Billy. – Nic nie zrobiłem tamtego wieczoru Sarze, tylko się wygłupiałem, a ty wszystko źle zrozumiałaś.

Flower, jak setki razy wcześniej, zaczęła wątpić, czy ma rację. Czuła się głupio – i czuła się głupio, że czuje się tak głupio. Jej rozmowa z przyjaciółką o tym, czy Billy potrzebuje pomocy i czy musi opanować swój gniew, stała się nagle absurdalna.

– To wszystko? – spytał Billy. – Bo muszę iść do domu.

– Tak mi się zdaje – odparła Flower, teraz wkurzona i przygnębiona, absolutnie nie w nastroju do komedii. Miała nadzieję, że szkaradna Marty Mavers wyszła już z toalety, i skierowała się do klubu. Flower występowała w połowie programu. Nie chciała oglądać innych, ponieważ czuła się zdeprymowana i miała wrażenie, że nie jest zabawna.

Marty Mavers zaczęła od traktatu o rozmiarach swojej waginy i rozważań, jaka konkretnie ciężarówka się w niej zmieści. Przygnębiona publiczność londyńska od razu ją polubiła i nie dostrzegła, że artystka z uwagą wodzi wzrokiem po widowni, szukając kogokolwiek bardziej wpływowego od konferansjera, z którym spała kilka lat wcześniej.

Kiedy Marty skończyła, wystąpił Des Plumpton. Był rutyniarzem, aktorem z dawnych czasów, który doszedł do wniosku, że trzeba zdobyć przychylność młodzieży, i porzucił swój numer pełen rasistowskich i seksistowskich akcentów na rzecz takiego, gdzie było mnóstwo przekleństw i dowcipów o reklamach, choć w ciągu kilku ostatnich lat zauważył, że jego dawny repertuar cieszy się coraz większą akceptacją w nieustannie zmieniającym się świecie komedii. Flower i Dunk występowali gościnnie. Gdyby Flower nie lubiła tak bardzo Dunka, byłaby zadowolona, że mu nie idzie, gdyż oznaczało to zwykle, że następny wykonawca będzie miał łatwiejsze zadanie.

Dunk był miłym, skromnym arystokratą, bardzo zażenowanym z powodu rodzinnego bogactwa; podejmował bez większego entuzjazmu próby odseparowania się od familijnego łona, mieszkał na dziko i protestował przeciwko polowaniom z nagonką. Spotkał kilka razy swoich rodziców podczas gonitw za lisem, raz nawet ściągnął z konia swego własnego ojca, nim się zorientował, kto to jest.

Widowni nie spodobał się jego łagodny humor spod znaku szkoły prywatnej.

„Dlaczego się nie odpieprzysz, ty cipo" – brzmiało pytanie, które zbyt często zadawali Dunkowi obecni na sali, więc i tym razem wycofał się zraniony, nie mogąc zdobyć się na zabójczą ripostę.

Flower nigdy nie umiała zaplanować sobie odpowiednio siusiania przed występem i teraz też usłyszała, jak ją wywołują, kiedy sięgała po papier toaletowy. Nastąpiła dzika szarpanina i w rezultacie, zmierzając ku scenie, Flower próbowała doprowadzić się do porządku, sprawdzić, czy wszystko jest odpowiednio podciągnięte, i ukryć ściągawkę w kieszeni spodni. Przyrzekała sobie od wieków, że zrobi coś z tym problemem, ale zawsze musiała się wysikać w ostatniej chwili. Było to lepsze niż popuszczanie w czasie występu, które groziło jej przy byle fałszywym ruchu. Wciąż paliło ją wspomnienie chwili, gdy wyszła na scenę z kawałkiem papieru toaletowego tkwiącego za paskiem spodni i odsłoniętym fragmentem koszmarnych majtek, które dostała na gwiazdkę; do tej pory czuła rumieniec wstydu. Zbyt niedoświadczona, by podczas występu wykorzystać epizod na swoją korzyść albo udawać, że zrobiła to celowo, pozwoliła publiczności nasycić swe pragnienie śmiechu, a potem w milczeniu opuściła scenę.

– Witam wszystkich – zaczęła, wstępując na prowizoryczne podium. – Naprawdę…

– Kurczaczku, chciałbym usiąść ci na twarzy – dobiegło z widowni.

Tłum zarechotał.

– Ee… – brnęła dalej.

– Ale rozgniótłbym sobie o twój nochal jaja – ciągnął anonimowy głos.

Tłum znów wybuchnął śmiechem.

Cholera, sama powinnam to powiedzieć, pomyślała Flower, nie zdając sobie sprawy, że samo wygłoszenie tej uwagi zyskałoby jej odrobinę sympatii i aplauzu w świecie widowni.

– Ale masz niezłe cycki – dorzucił nękacz.

Publiczność ponownie zareagowała wesołością.

Gdzie jest Germaine Greer, papieżyca ruchu feministycznego, kiedy człowiek jej potrzebuje, pomyślała Flower, znów nie wykorzystując tego, co pojawiło się w jej głowie.

Mam nadzieję, że Charlie bawi się lepiej na psychoterapii.

Charlie nie bawił się lepiej.

Miał wrażenie, że grupa kontroli gniewu to tylko wymówka, by zgromadzić w jednym pomieszczeniu jak najwięcej psychopatów z kreskówek, i trząsł się ze strachu. Czuł, że jego jedynym sprzymierzeńcem ze świata względnie zrównoważonych ludzi bez skłonności morderczych jest komik, Matt Okrutnik, który złamał nos zbyt entuzjastycznemu nękaczowi z widowni, i tym samym sprawił, że jego agent posłał go na psychoterapię, bojąc się o swój procent z zysków klienta, jeśli ten zacznie masakrować widownię. Oprócz Matta w pokoju znajdowali się recydywiści, osobnicy tłukący żony i jeden gość, który zawsze walił kierowców autobusów, jeśli – a zazwyczaj tak się działo – przyjeżdżali na przystanek w asyście dwóch innych piętrusów o tym samym numerze. Niestety, facet ten był przez wielu postrzegany jako Robin Hood z South Norwood i liczni pasażerowie często go dopingowali, kiedy dobierał się do pechowców, których jedyną zbrodnią było to, że zmitrężyli nad kawą.

Zajęcia prowadziła drobna pani psycholog o imieniu Sian, która wyglądała tak, jakby nie była w stanie poradzić sobie z rozgniewaną wiewiórką, a co dopiero z tymi bandziorami. Musiała więc polegać na ich zdolności kontrolowania samych siebie, wsparciu innych członków grupy na wypadek jakiegoś incydentu, wreszcie na swych krótkich nogach, gdyby trzeba było wiać. Skład grupy ulegał często zmianie, niektórzy przychodzili i odchodzili, inni odsiadywali wyrok w więzieniu, albo po prostu nie dało się ich za cholerę namówić na powrót, gdyż uważali swój problem za zaletę, a nie za uleczalny symptom zaburzenia osobowości.

Charlie był jedynym nowicjuszem w tym tygodniu i pozostali musieli wytężać wzrok, kiedy ujrzeli, jak ta dość niechlujna łajza wchodzi przygarbiona do pokoju.

– Mógłbym załatwić tego zboczeńca małym palcem – rozmarzył się Dave, zawodowy przestępca z Balham, który tłukł żonę w ramach zajęć ubocznych, nie mając pojęcia, że uczęszcza regularnie na kurs samoobrony Michaela Randalla i tylko czeka, aż zdobędzie odpowiednie umiejętności, by dać swemu mężowi wycisk życia. Sąsiad Dave'a, do którego była skierowana ta uwaga, przytaknął i warknął pod nosem, co w jego przypadku stanowiło jedyną formę komunikacji. Nie lubił hipisów i lepiej, żeby ten nowy nie był jeszcze na dodatek palantem.

– No dobrze – oznajmiła pogodnie Sian wysokim głosem, który pasował do jej wyglądu. – Widzę, że mamy nowego uczestnika zajęć. Jeśli każdy z obecnych zechce przedstawić się Charliemu, to on z kolei będzie mógł powiedzieć, dlaczego się tu znalazł.

Jeden za drugim, ci osobnicy skażeni genetycznie brakiem kontroli nad odruchami, mamrotali swoje imiona i po kilku sekundach zaczęli sobie ostrzyć zęby na Charliego, który cały czas myślał o tej chwili ze strachem.

– Hej. – Uniósł rękę, ale zdając sobie sprawę, że wygląda jak pracownik opieki społecznej, natychmiast ją opuścił. – Jestem Charlie.

Ku swemu zdumieniu zaczął mówić o sobie, o tym, jaki z niego zazdrosny typ, jak trudno mu zaakceptować, by Flower żyła swoim własnym życiem, o tym, jak nie stosował wobec niej przemocy, ale nie mógł się doczekać, kiedy weźmie udział w jakimś marszu i dołoży policjantowi. Ku jego jeszcze większemu zdumieniu, ten tłum budzących grozę facetów przytakiwał z rozmysłem jego słowom, a po chwili wywiązała się dyskusja o zazdrości, niepewności i ich długofalowych skutkach, i czy jest to w ich przypadku dziedziczne.

Charlie był zdumiony. Sądził początkowo, że po tym wstępie stłuką go na miazgę i zawiozą do szpitala, ale teraz widział, że ci goście naprawdę próbują uporać się ze swoimi problemami. Siedział tam z nieco ckliwym uśmiechem na ustach, kiedy nagle oberwał w głowę krzesłem.

Rozdział 10

Krzesło, które trafiło Charliego, zostało rzucone z pewnej odległości przez żonę Dave'a, Dawn, która zostawiła dzieci pod opieką przyjaciółki i przyjechała autobusem, zdecydowana zrobić i powiedzieć, co myśli, zwłaszcza że Dave uczęszczał na zajęcia tej żałosnej grupy od tygodni, a mimo to jego zachowanie nie zdradzało najmniejszych oznak poprawy. Właściwie chodziło nie tyle o brutalność Dave'a, która, szczerze mówiąc, była jak ich pożycie intymne – rzadka i pospieszna – ile o bezustanne zrzędzenie na wygląd współmałżonki, gotowanie, umiejętności domowe, zachowanie jako matki i istoty ludzkiej, które wykańczało Dawn. Pewnego razu Dave nie zjawił się w domu na kolację i Dawn w ataku furii udała się do pubu, niosąc żarcie na tacy. Podeszła do stołu, gdzie siedział bardzo zaskoczony Dave i jego trzech rozbawionych kumpli, postawiła przed nim posiłek i opuściła lokal. Reakcja męża była inna od tej, której oczekiwała. Dave przyniósł sobie z barku sól i pieprz i z zadowoleniem zaczął wcinać, nie przerywając rozmowy na temat sportu.

Na nieszczęście, trudno wycelować krzesłem z jakąkolwiek dokładnością, a zatem szanse trafienia Dave'a były minimalne, gdy tylko ów mebel opuścił dłonie Dawn.

Dave nie pomógł rozładować sytuacji, wybuchając głośnym śmiechem, kiedy sobie uświadomił, że krzesło przeznaczone dla niego trafiło głupkowatego hipisa, co rozwścieczyło Dawn i, rzecz ciekawa, sąsiada Dave'a, Phila, który z wielką radością myślał o tym, żeby dołożyć temu i owemu, ale siedział tylko w tym cholernym pokoju od tygodni i czuł, jak ciśnienie krwi stopniowo mu się podnosi, kiedy słuchał opowieści o żonie Dave'a, obijanej we wszystkich pokojach domu, i przypominał sobie swoją mamę. Phil nie zdawał sobie sprawy, że Dave przesadza z opisami własnej brutalności dla osiągnięcia większego efektu. Tak więc do spółki z Dawn rzucili się na Dave'a i zaczęli okładać go z całych sił.

Sian nie była wcześniej świadkiem rozróby, a stwierdziwszy, że jej głos nie ma szans w starciu z wrzaskiem Dawn i warczeniem Phila, przyłożyła komuś w głowę podręcznikiem psychiatrii w twardej oprawie, tak na próbę, niszcząc go przy okazji. Pechowo był to Charlie, który zaczął się czuć jak kozioł ofiarny, więc odwrócił się i oddał, uderzając Sian w policzek. W tym momencie Phil, który dostrzegł, że ta drobna, podobna do dziecka kobieta została zaatakowana, stracił panowanie nad władzami umysłowymi i rzucił Charliego na podłogę, waląc jego głową o deski, podczas gdy biedny Charlie starał się rozpaczliwie przeprosić Sian i wytłumaczyć wszystko Philowi.

Inni członkowie grupy – z których większość, trzeba uczciwie wspomnieć, nie poczuła jeszcze przypływu adrenaliny, jaki gwarantuje porządna krwawa rozróba – też postanowili włączyć się do akcji i zajęcia psychoterapeutyczne mające na celu opanowanie gniewu zamieniły się w rozszalałą plątaninę rąk i nóg rodem z Królika Bugsa.

Walka dobiegła końca dopiero wtedy, gdy ochroniarz, który liczył sobie około dziewięćdziesiątki i był niemal przezroczysty w swej starczej wątłości, wsunął głowę przez uchylone drzwi, po czym ruszył chwiejnym krokiem w stronę rozszalałej grupy, by sprawdzić, co mógłby zrobić, rozkoszując się wspomnieniami płatnych walk na gołe pięści, które toczył jako nastolatek na East Endzie.

Nawet ja mogłabym go znokautować, pomyślała Sian widząc, jak się zbliża, a że była osobą szczerą, postanowiła spróbować, gdyż nigdy jeszcze nikogo w życiu nie uderzyła, a pragnęła się przekonać, jak się wtedy człowiek czuje. Kiedy jednak trzeba było wprowadzić zamiar w czyn, nie mogła się po prostu zdobyć, by walnąć ten żyłkowany nos, tkwiący w środku ściągniętej ze starości twarzy, tak więc bójka skończyła się jeszcze szybciej, niż się zaczęła.

Wszyscy podnieśli się z podłogi i otrzepali z kurzu, jakby nigdy nic, pomijając Charliego, który leżał na samym dnie ciżby walczących, tracił oddech i martwił się, że złamał sobie kolejny palec.

W tym samym czasie Flower złamano serce, gdyż została zmuszona przez nękacza do zejścia ze sceny, a nie było dokąd uciekać z wyjątkiem toalety damskiej, gdzie stała Mary Mavers, której pełen zadowolenia uśmiech kontrastował z tragicznym brzmieniem głosu, przepojonego fałszywym współczuciem dla Flower.

– Wszystko wymaga czasu – oznajmiła jak nauczyciel, którego Flower nienawidziła w szkole, więc zaczęła odczuwać narastającą chęć, by walnąć koleżankę po fachu w głupią gębę. Powiedziała jednak tylko beznamiętnie: „Dzięki, Marty", po czym się odwróciła, by wyjść.

W drzwiach toalety stanął jakiś człowiek z widowni i oznajmił:

– Uważam, że byłaś wspaniała!

– Dziękuję – odparła Marty, wyciągając dłoń.

– Przepraszam – powiedział widz. – Nie chodziło mi o ciebie, tylko o nią.

Flower była tak wdzięczna, że mogłaby się popłakać, i z podniesioną głową, nieco podbudowana, opuściła toaletę, pozostawiając Marty Mavers z głupim wyrazem twarzy i niemym pytaniem, dlaczego jedyny widz, który wolał numer Flower od jej występu, musiał akurat zawędrować do damskiej toalety.

Właściciel klubu, Tom, zatrzymał wychodzącą Flower, która przez jedną radosną chwilę sądziła, że chce dać jej angaż. Okazało się, że nie. Wręczył jej karteczkę.

– Spodobałaś się komuś – oznajmił.

Flower rozwinęła karteluszek. List pochodził od nękacza, jak bystro wydedukowała, gdyż był podpisany „Nękacz" i zawierał następujące słowa: „Tym razem ja odniosłem zwycięstwo, ale jeśli będziesz bardzo, bardzo, bardzo miła dla mnie, zostawię cię w spokoju. Czekaj na dalsze instrukcje". Flower poczuła dreszcz. Och, wspaniale, pomyślała. Tego mi trzeba. Wyrzuciła karteczkę, przypuszczając, że gdyby Charlie ją znalazł, mogłoby to przekreślić postępy osiągnięte podczas grupowej terapii z kontroli gniewu.

Gdyby tylko.

Wszelkie rezultaty terapeutyczne w przypadku Charliego sprowadzały się do rozkwaszonego nosa, posiniaczonych pleców i podartych spodni. Kiedy oboje kuśtykali do domu z dwóch przeciwnych kierunków geograficznych, zdruzgotani w odmienny sposób, z poczuciem całkowitej klęski, nad ich głowami przepływał po drucie telefonicznym głos Marty do Sary, która, rozkoszując się samotnym wieczorem, wolna od strachu, że powie coś niewłaściwego, zrobi coś niezgrabnie albo przypali kolację, gawędziła zadowolona z przyjaciółką o chaosie, jaki stanowiło ich życie romantyczne.

– Posłuchaj, Marta, kocham go, więc nie zamierzam odejść, jasne? – oznajmiła Sara głosem donośnym jak śpiew girlsbandu.

– Ależ Sar, musisz pomyśleć o sobie – przekonywała Marta. – Wiem, że wszystko bagatelizujesz, bo się wstydzisz, ale powiedz szczerze – nie boisz się go?

– Czasem – przyznała Sara, zmieniając „niemal cały czas" na coś bardziej możliwego do przyjęcia.

– Czy można na tym budować jakikolwiek związek? – spytała Marta.

– Lepszy taki niż żaden – odparła Sara, dotykając tym samym jednego z życiowych problemów w przypadku wielu kobiet, które czują się jak osoby zbędne i jednocześnie trędowate, kiedy nie towarzyszy im przez cały czas posiadacz penisa.

– O, dzięki – odparła Marta. – Dzięki, że mi przypomniałaś.

– Masz Gulę – przekonywała Sara, która szczerze wierzyła, że dziecko może zrekompensować brak mężczyzny i wypełnić lukę.

– Nie mogę się pieprzyć z dzieckiem – zauważyła Marta ze złością, a potem pomyślała sobie: jak to dobrze, że ojciec nie może już podsłuchiwać moich rozmów.

– To okropne, co mówisz, Mart – oznajmiła Sara.

– Przepraszam – powiedziała z niechęcią Marta. Tak bardzo przywykła do wkurzania swojego ojca, że nawyk ten przeniosła na innych.

Sara zauważyła z wahaniem:

– Posłuchaj, Marta, nie powiedziałaś nikomu, kim jest ojciec Guli. Chcemy pomóc, rozumiesz. Dlaczego nam tego nie zdradzisz?

Marta znajdowała się akurat w okresie hormonalnym i jej determinacja, jak w przypadku jakiejś heroiny wiktoriańskiej, by zachować milczenie o pochodzeniu Guli, runęła niczym domek z kart. Marta zaczęła wydawać z siebie potężne łkania.

– Och, przepraszam – tłumaczyła się Sara. – Nie chciałam cię wyprowadzić z równowagi.

– Nie wiem! – zajęczała Marta, siorbiąc nosem.

– Czego nie wiesz? – spytała Sara. – Co robić?

– Nie, nie wiem, kto jest ojcem – skłamała Marta.

– No dobra, ile jest możliwości? – drążyła przyjaciółka.

– Trzy – odparła.

– Rany Boga! – zawołała Sara. – Nigdy bym nie pomyślała.

– Jestem taka zażenowana – wyznała Marta, wciąż łkając.

– Nie możesz zrobić testów? – zapytała Sara. – Kim oni są, tak na marginesie?

– Posłuchaj, nie mogę teraz rozmawiać – odparła Marta. – Koniecznie muszę się wysikać. Spotkamy się w pubie, ty, ja i Flower, i wtedy wam powiem.

– Nie martw się, wszystko będzie dobrze – pocieszała ją Sara, choć mogła być w tym wypadku równie pewna jak tego, że Flower zrobi karierę na scenie, o czym zapewniała ją wielokrotnie.

– Będę kończyć – powiedziała Marta. – Zobaczymy się jutro wieczorem?

Sara nie chciała powiedzieć: „Jeśli Billy zgodzi się", ale Marta wyczuła, w czym rzecz, i zaproponowała: „Jeśli nie jutro, to może w piątek", wiedząc, że Billy wychodził w piątek wieczorem z kolegami.

Sara poszła tej nocy do łóżka, mając w głowie listę nazwisk najbardziej prawdopodobnych kandydatów i stwierdziła, że, o dziwo, nieco zazdrości Marcie jej trudnej sytuacji.

Zasypiając, zredukowała listę do czterech osobników i bardzo pragnęła się dowiedzieć, czy któryś z nich to ten właściwy. Myślała między innymi o dawnym chłopaku Marty, Alanie Planeta, nazywanym tak dlatego, że jego głowa zawierała więcej faktów niż w przypadku kogokolwiek innego. Przeprowadził się i związek stracił rozpęd, gdyż jego wizyty stały się rzadsze. Czy mógł to być sąsiad Marty, czternastoletni Junior, z którym flirtowała bezwstydnie, gdy tylko miała okazję? A może Ted, jej szef z pracy, którego nieatrakcyjność rekompensował gruby portfel i złośliwe poczucie humoru, a może ten facet, którego imienia Sara nie pamiętała, a którego poznały w jakimś klubie we wschodnim Londynie?

Stawiała na Teda.

Rozdział 11

Charlie i Flower siedzieli w domu niczym dwoje nieszczęśliwych emerytów, którzy właśnie się dowiedzieli, że wprowadzono reglamentację żywności. Pochylali się nad małym elektrycznym kominkiem, ponieważ centralne ogrzewanie siadło, a facet od pogody podniecał się jak skończony idiota, opisując nadchodzące ochłodzenie.

Charlie, podobnie jak większość mężczyzn prowokujących kobiety do złośliwych komentarzy, był w takim stopniu hipochondrykiem, że w swym przekonaniu wielokrotnie już oszukał śmierć; teraz siedział owinięty gorącymi ręcznikami, popijając środek na przeziębienie i popalając marihuanę by złagodzić ból fizyczny będący rezultatem zajęć terapeutycznych.

Flower natomiast cierpiała ból bardziej wzniosłego rodzaju, mianowicie upokorzenie emocjonalne przegadanego komika, które człowiek odczuwa tak, jakby ktoś wyrwał mu wnętrzności i wystawił je na aukcji pod lokalnym kioskiem z prasą, by wrogowie mogli zrobić sobie z nich dekoracje na stół.

W tym momencie Hitler („Byśmy nigdy nie zapomnieli, że ten parszywy drań istniał..." – Charlie, 1992), ich czarno-biały kot, wkroczył do pokoju kuśtykając, z tylną nogą w gipsie, tworząc tym samym smutne trio pokiereszowanych istot przebywających w domu. Gdyby Charlie i Flower nie byli tak zdołowani, kot stanowiłby niezły powód do śmiechu z samych siebie, rzecz nieczęsta w wypadku wielu polityków i znakomitości życia publicznego.

Charlie zdążył już uraczyć Flower swą pieśnią żałosną ze spotkania grupy kontroli gniewu i starał się wyjaśnić ukochanej, że wysłanie tam Billy'ego nie jest najlepszym pomysłem. Flower zrewanżowała mu się tragiczną opowieścią o swym wieczorze, pomijając epizody z Billym i nękaczem, ponieważ zdenerwowałyby Charliego; oznaczało to, że nie mógł za cholerę zrozumieć, dlaczego był to dla niej tak nieudany wieczór.

– Och, zróbmy to – zaproponował Charlie, co w jego przypadku stanowiło remedium na każdą właściwie traumatyczną sytuację, i Flower pomyślała z sympatią o chwilach, kiedy leżała przygwożdżona przez niego do ziemi w samym środku jakiegoś chaosu – nieudanej demonstracji w Stonehenge, pod policyjną furgonetką, u jej rodziców po kolacji i wreszcie, co było chyba najbardziej niezwykłe, o szybkim numerku w supermarkecie Sainsbury's o drugiej nad ranem, w dziale mrożonek. Trudno było w tym wypadku udawać, że nie wiedzą, co wybrać – wegetariańskie krokiety czy indyka, który nabiegał się po błocie w hrabstwie Essex, nim go zmielili na papkę. Zazwyczaj w każdym związku potrzeby seksualne obu stron maleją w różnym tempie, ale jeśli chodzi o Charliego i Flower, nawet po wielu wspólnie spędzonych latach, oboje przejawiali identyczną chęć nie tylko do długiego i powolnego aktu, ale i do galopady z dźwięcznym kurantem Big Bena w tle, oznaczającym wiadomości o dwunastej w południe.

Tym razem rzecz rozegrała się na podłodze w ich niechlujnym salonie i gdyby oboje wykazali zainteresowanie, dostrzegliby błysk lornetki, kiedy to sąsiad z naprzeciwka, od dawien dawna milczący uczestnik ich pożycia intymnego, podziękował gwiazdom za znakomity punkt obserwacyjny. Charlie i Flower posiadali jeszcze jedną umiejętność – mogli dyskutować o jakimkolwiek, najbardziej nawet trywialnym, aspekcie swego życia podczas pieprzenia, tak więc rozmowa na temat tego, czy Billy sprawdzi się jako uczestnik terapii, toczyła się przy akompaniamencie jęków i cichych pomruków, co w uszach kogoś po drugiej stronie ściany brzmiałoby tak, jakby puszczono jednocześnie pornosa i wiadomości. Ktoś także nasłuchiwał po drugiej stronie ściany: ich sąsiadka, zasuszona namiastka kobiety, która uznała za cel swego życia pozbycie się z domu Charliego i Flower, więc miała w zwyczaju odnotowywać każdy ich dźwięk inny niż szept i zasypywać wydział lokalowy informacjami o trzaskach, piskach, tupnięciach, brzdękach i westchnieniach towarzyszących życiu Charliego i Flower. Tego jednak, że musiała w tym celu posługiwać się staromodną słuchawką, nie ujawniła władzom.

Charlie i Flower wiedzieli, że próbuje się ich pozbyć, i na swój hipisowski, chrześcijański sposób starali się być mili. Wywołało to reakcję przeciwną do oczekiwanej i kobieta, pani Edith Challoner, była dla nich tak nieprzyjemna, że nie mieli wyboru, jak tylko ją znienawidzić, i to w najbardziej nieżyczliwy sposób. Nazywali ją Babcia Napięcie Przedmiesiączkowe z powodu wybuchowego zachowania, które raz w miesiącu zdradzała także Flower i proponowała wtedy, że zajrzy do pani Challoner i przydusi jej twarz poduszką, skłaniając tym samym Charliego, by do jej porannej filiżanki herbaty dolał dodatkową porcję wyciągu z wiesiołka.

– Ja pieprzę – oznajmił Charlie, doznając wytrysku i przechodząc bez problemu do dalszej kwestii: – Damy sobie chwilowo spokój z proponowaniem Billy'emu terapii, dobra?

– Okej – zgodziła się Flower piskliwym głosem, zasypiając, gdyż z nich dwojga to ona zawsze błyskawicznie zapadała w sen.

Billy tymczasem był całkowicie nieświadomy, że ktoś o nim myśli, kiedy siedział ze stopami wspartymi o krzesło w jakimś pubie i analizował rozmowę, którą przeprowadziła z nim Flower wcześniej tego samego wieczoru. Zastanawiał się, w jakim stopniu te cholerne dziewuchy zechcą się wtrącać w jego życie. Przypuszczał, że kolejne podejście zrobi Marta, i czekał z ciekawością, co ta stara ciężarna maciora mu powie. Zadawał też sobie pytanie, czy Sara wie o wszystkim i czy aprobowała działania koleżanek, ale zakładał, i to słusznie, że byłaby całkowicie załamana, gdyby o tym wiedziała, gdyż dostrzegał w niej wysokie poczucie własnej wartości i zdawał sobie sprawę, że nie zdradzi się niczym, co mogłoby sprowokować zainteresowanie i troskę przyjaciół czy rodziny. Rodzina nie wchodziła raczej w rachubę, ponieważ Sara nie widziała się z mamą od co najmniej pięciu lat, a ojca nie znała w ogóle; jej przyjaciółkom więc przypadło w udziale okazanie wsparcia, jakie jest obowiązkiem rodziny.

Flower miała właśnie romans z samochodem. Zapisała się na kurs prawa jazdy. Nie powiedziała nic Charliemu, bo nienawidził samochodów i uważał, że całkowicie wystarczą im rowery i od czasu do czasu jazda okropnym cuchnącym furgonem. Ale Flower miała już dość roweru. Czuła się jak na pasie transmisyjnym, który przebiegał przez krainę nękaczy, poza tym oczekiwanie słownych zaczepek rodziło w niej niepokój, ilekroć siadała na cholerny wehikuł. Popełniała przez to głupie błędy i zdążyła już wpakować się na latarnię w obecności kilku nastolatków, którzy, co było do przewidzenia, posikali się ze śmiechu. Staranowała także starszą panią na przejściu dla pieszych (niestety, nie była to pani Challoner) i przejechała własnego kota, co skończyło się założeniem mu gipsu na nogę.

Instruktor Flower miał mentalność kaprala, który ponosi odpowiedzialność za samobójstwo kilkunastu rekrutów. Odznaczał się głosem tak donośnym, że przebywanie z nim w jednym wozie stanowiło torturę. Flower chętnie zmieniłaby instruktora, ale nienawidziła obrażać kogokolwiek, choć w przypadku tak gruboskórnego osobnika wymagałoby to przytwierdzenia materiału wybuchowego do jego slipów. Nie dało się wepchnąć nawet bibułki z papierosa między tyłek Erniego Bollanda i plastikowe siedzenie fotela w tym maleńkim wozie. Wyszczekiwał polecenia i denerwował Flower, która podczas każdej lekcji bezustannie coś chrzaniła.

Pan Bolland zawsze zabierał Flower spod pracy, tak aby Charlie ich nie widział, i tego ranka już czekał, tkwiąc swym galaretowatym zewłokiem na siedzeniu pasażera. Była to trzecia lekcja Flower i mieszkańcy Primrose House wyszli bez wyjątku do ogrodu, kiedy wsiadała do samochodu.

– O, popatrzcie – rzuciła Rene, jedna z pracownic. – Flower ma jazdę.

Wszyscy się odwrócili, żeby popatrzeć na Flower, która poczuła, jak jej twarz oblewa się rumieńcem zażenowania. Stopę trzymała na pedale gazu.

– No ruszaj, ty głupia krowo! – huknął Ernie Bolland.

Flower przyspieszyła gwałtownie i zapominając o takiej drobnostce jak kierownica, ruszyła prosto ku okrągłej wysepce na podjeździe, którą porastały pierwiosnki. Mieszkańcy Primrose House byli pod ogromnym wrażeniem, kiedy Flower przejechała przez kwietnik, wylądowała po drugiej stronie i zniknęła z podjazdu, nawet nie zwalniając. Rozległ się głośny aplauz, gdy skręciła z wyciem silnika na rogu, siedzący zaś obok Ernie Bolland miał na twarzy zdziwienie, które miało się objawić jeszcze raz tego samego tygodnia, kiedy to młody chłopak, którego poderwał w toalecie publicznej, wykazał pewne zainteresowanie jego życiem.

Flower stwierdziła, że jej umysł zupełnie zanikał, ilekroć szła na lekcję jazdy, czyli w najmniej odpowiedniej chwili. Ścięła koszyk na zakupy jakiejś staruszce na przejściu dla pieszych i nawet przenikliwy baryton Erniego Bollanda nie mógł wedrzeć się w świat jej myśli. Niepokoiła się o swój kolejny występ i niechybne pojawienie się nękacza, zastanawiała się także, co właściwie może oznaczać karteczka od niego. Jej treść sugerowała, że chce się z nią przespać, ale może tylko tak jej się wydawało. Czymkolwiek miało się to wszystko skończyć, lepiej nic nie mówić Charliemu, gdyż najmniej potrzebowała kolejnych kłopotów.

Tymczasem Marta była „za-Mary-nowana", jak zwykła to nazywać, innymi słowy tkwiła uwięziona na kanapie, a jej żałosna siostra raczyła ją szczegółami swego równie żałosnego życia. Zazwyczaj na koniec, kiedy Marta próbowała coś powiedzieć, Mary wstawała z miejsca i szła do domu. Tym razem, dla odmiany, prowadziły coś w rodzaju rozmowy o rodzicach; jak zwykle Marta trzymała stronę matki, a Mary stronę ojca. Mary nie znosiła, gdy ktokolwiek okazywał cień słabości, co było dziedzictwem wielu lat w roli najstarszego dziecka w rodzinie, które przysposabiał do uległości wielebny Brian, wlokąc na wycieczki górskie, zmuszając do kąpieli w lodowatym morzu angielskim i przebywania na świeżym powietrzu bez względu na pogodę, co było dla niego tak naprawdę wymówką, by zwiać z domu i sprzed żałosnych, błagalnych oczu swej żony, która pragnęła mieć tylko normalną, szczęśliwą rodzinę.

– Kiedy to ma się pojawić? – spytała bez cienia serdeczności Mary, spoglądając na Gulę Marty, jakby to była gula smarków na jej haftowanej chusteczce do nosa. – I czy powiedziałaś już tacie, kto jest ojcem?

– Po co? Żeby mi wygłosił kolejne pieprzone kazanie?

Mary wzdrygnęła się wyraźnie na dźwięk słowa „pieprzone", podobnie jak inni ludzie, którzy w skrytości ducha pragną go używać. Mary uważała, że jej mąż to pieprzony palant, jej sąsiedzi to pieprzeni kretyni, a dzieci pieprzone głupki. Niech Bogu będą dzięki za chrześcijańskie wychowanie.

– Za jakieś trzy tygodnie – wyjaśniła Marta. – Przyjedziesz, żeby być świadkiem wielkiego wydarzenia?

– Chyba nie – odparła Mary. – Tak czy owak, przyjechałam pogadać o matce i ojcu, a nie o jakimś cholernym worku

103

skóry i kości, którą wydalisz ze swojej dziurki. (Mary na dobrą sprawę nie wyrosła z dziecinnego podejścia do seksu).

Marta nigdy jeszcze nie słyszała, by Mary wyraziła to tak uroczo, i doszła do wniosku, że diabeł potrafi podsunąć niezwykle trafne wyrażenia.

– No więc co z mamą i tatą? – spytała Marta, rozdarta nieco między pragnieniem, by rodzice się rozstali, tak aby jej matka mogła przyjechać do niej i pomóc jej przy dziecku, nawet jeśli oznaczało to powrót do obowiązujących zasad… a pragnieniem, by trzymała się z daleka.

– No cóż, wydaje mi się, że od czasu tej głupiej ucieczki sprawy mają się nieco lepiej – odparła Mary. – Musimy mieć ich jednak na oku, bo tata jest bliski tego, by ją wyrzucić, a ona – by odejść, rozumiesz. Ojciec ma już prawie dość.

– Och, biedaczysko – powiedziała Marta. – Naprawdę musi być mu bardzo ciężko, kiedy ktoś mu gotuje, sprząta dom i pieprzy się z nim, kiedy tylko tego zażąda.

Mary, słysząc to, niemal zwymiotowała.

– To jest ch… obrzydliwe – oznajmiła, opuszczając słowo „cholernie".

– Och, daj spokój – machnęła ręką Marta. – Chyba wiesz, że ten człowiek to zwierzę? Nadziewa ją na swoją końcówkę co najmniej trzy razy w tygodniu.

Mary wydała z siebie zduszony krzyk.

– Zamknij się! – wrzasnęła na Martę, która świetnie się bawiła, ale też była po prostu zupełnie szczera.

– Och, dorośnij – poradziła zniecierpliwiona Marta. – Myślisz, że zrobili to dwa razy w naszym przypadku i odstawili jeszcze kilka numerków, żeby zmajstrować Łazarza? Jest niewyżyty seksualnie ten nasz Brian. To pieprzony jurny pastor, głupia krowo, tyle że nie robi tego z nikim innym prócz biednej matki.

– Nie będę tego słuchała! – wrzasnęła skrzekliwie Mary i ruszyła do drzwi. Kiedy dotarła do nich, odwróciła się i wsunęła dłoń do torebki, wyciągając puszkę szynki. „Dla ciebie i dziecka!", wydarła się i cisnęła konserwą, a ponieważ w szkole uprawiała rzut oszczepem i nie zdawała sobie sprawy ze swej siły, puszka poszybowała obok ucha Marty, wyleciała przez okno balkonowe i wylądowała na dachu samochodu jakichś dilerów narkotykowych, którzy odmierzali na dole działki cracka.

Z samochodu buchnął strumień przekleństw i dzięki Bogu, że Mary nie słyszała, na ile sposobów może umrzeć; dilerzy postanowili między innymi wyrywać po kolei kończyny z ciała osoby, która naruszyła ich godność i pojazd.

Och, jaka szkoda, pomyślała Marta. Dziecku zasmakowałaby kanapka z szynką, gdy tylko wysunęłoby się z mojej dziurki.

Należało żałować, że puszka nie wleciała przez okno do mieszkania Sary i Billy'ego, gdyż w tej właśnie chwili Sara pragnęła mieć pod ręką jakiś ciężki przedmiot, którym mogłaby się bronić. Billy sunął na nią groźnie; wcześniej krytykował wszystko, co tylko się dało, a teraz sprawiał wrażenie, jakby znów chciał ją uderzyć.

– Cholerna, bezużyteczna, gruba, żałosna, próżna, śmieszna – przymiotniki jeden za drugim płynęły niepowstrzymanym strumieniem z jego ust, gdyż wcześniej skosztował alkoholu.

A teraz czas na działania fizyczne, pomyślała ponuro Sara. A wszystko dlatego, że Marta zadzwoniła i zaprosiła ją na drinka w czwartkowy wieczór.

Rozdział 12

*F*lower, Marta i Sara umówiły się na spotkanie w piątek wieczorem, ponieważ ta ostatnia zadzwoniła w radosnym nastroju, jak przesadnie optymistyczni zakładnicy, i powiedziała przyjaciółkom, że nie da rady we czwartek – ale oczywiście Flower i Marta wyczuły w jej nienaturalnej radości nutkę przemocy domowej i założyły słusznie, że Billy znowu pokazał pazury. Marta, w ferworze hormonalnego ataku, kopała w ścianę i płakała, a Flower, zbliżając się nieubłaganie do przedmiesiączkowego napięcia, kopała Charliego i w tym wypadku to on płakał.

Sara za wszelką cenę starała się uniknąć rodzinnego piekła, które gotował jej Billy. Od dłuższego już czasu sytuacja robiła się paskudna; przerywał ją jedynie dzwonek do drzwi, kiedy jakiś zaniepokojony sąsiad pytał, czy wszystko w porządku. Wkurzało to Billy'ego, który tłumaczył, że telewizor grał zbyt głośno, a straciwszy wreszcie panowanie nad sobą, kładł kres rozmowie, wrzeszcząc: „Pilnuj swoich spraw, ty hałaśliwa krowo!".

Hałaśliwą krową w tym wypadku była Maxime, która mieszkała po sąsiedzku i miała męża o imieniu Sean, miłego i wrażliwego faceta, ten zaś nie przepadał za widokiem Billy'ego i unikał wszelkich rozmów w komunalnym holu. Billy miał to gdzieś, ponieważ uważał, że Sean jest pantoflarzem.

Jednak przed piątkiem i wielkim wyznaniem Marty, czyli Starej Panny w tej gminie, Flower miała kolejny występ, tym razem w klubie na obrzeżach południowego Londynu,

w jednej z tych zadbanych, zamożnych okolic, charaktery-
zujących się bardzo wysokim współczynnikiem prymity-
wów z klasy średniej, którzy w życiu nie zjawiliby się w klubie, ale wysyłali tam swoich starszych braci i siostry. Flower
znów była pozbawiona towarzystwa Charliego, który cierpiał na bezustanny ból głowy podczas jej dwudniowego se-
ansu napięcia przedmiesiączkowego.

Flower zaczęła odczuwać ciężar wszelkich problemów, jakie przynosiło jej życie: lekcje jazdy szły źle, praca była ciężka, Charlie robił się zbyt podejrzliwy, Billy uosabiał istny
koszmar. Na dodatek pełna lęku oczekiwała następnego spotkania z nękaczem, mając przy tym mnóstwo czasu, by wyobrażać sobie jakiś hollywoodzki hit o mordercy kobiet,
w którym na końcu zostaje zawleczona do opuszczonego
klubu i poćwiartowana na kawałki.

Tym razem Flower występowała z Chasem Lawrence'em,
bardzo miłym człowiekiem po czterdziestce, któremu przyjaciele mówili, że genialnie opowiada dowcipy; zachęcony
pewnego wieczoru alkoholem, wystąpił pięć minut w klubie
w Hastings, ale jego numery okazały się całkowitym fiaskiem. Potem spróbował szczęścia w Londynie i jego kariera
nabrała rozpędu, ale ludzie z telewizji ignorowali go, ponieważ fakt, że ktoś jest zabawny, to jeszcze nie wszystko.

Obok Flower i Chasa występował Billson Tillson, młody
człowiek, cierpiący niegdyś na chorobę umysłową, który miał
w zwyczaju relacjonować swoje myśli widzom i uważał, że to
wystarczy, wreszcie Lulu West, prawniczka. Jej numer polegał na opisywaniu słynnych morderstw i wykonywaniu pieś-
ni na ich temat przy akompaniamencie ukulele. Gdyby jej
cycki były o dwa rozmiary większe, miałaby już własny program w telewizji.

Billson zawsze zaczynał swój występ tak samo – wlepiał
posępny wzrok w publiczność przez jakąś minutę, to znaczy
cholernie długo.

Tego wieczoru zaczął od kwestii: „Mój lek działa kiepsko w tym tygodniu", a ponieważ wyglądał jak źle ubrana sowa, jego słowa odniosły pewien skutek i widzowie wybuchnęli śmiechem, kilku nawet zaklaskało. Billson kontynuował zachęcony:

– Kiedy ja i moja bliźniacza siostra Elektra mieliśmy po osiem lat, matka zabiła ojca, ponieważ nie chciał skosić trawnika, a kiedy już pokroiła go na kawałki, każde z nas musiało tego wieczoru zjeść po siedemdziesiąt paluszków rybnych do herbaty, żeby zrobić dla niego miejsce w zamrażarce.

Tym razem roześmiało się już mniej widzów.

– Nazajutrz nie miałem co wziąć do szkoły na lekcję gotowania, więc wziąłem kawałek nogi mojego taty.

Publiczność wyczuła, że teraz będzie coś o kanibalizmie, i zaczęła się zastanawiać, czy to strawi.

– Kłopot w tym, że noga mojego taty tak się przypiekła w piecyku, że nie byłem w stanie jej zjeść.

Zaczęło się wiercenie i kasłanie, paru widzów podejrzewało nawet, że ten dziwaczny typ wcale nie zmyśla. Jakiś siedzący z tyłu psychoterapeuta, bardziej z troski o to, czym taki występ może się skończyć, niż z sadyzmu, zaczął wołać: „Zejdź ze sceny, zejdź ze sceny!".

Billsonowi nie trzeba było tego dwa razy powtarzać i wycofał się nieco urażony, gdyż jego straszliwie zawiła puenta o tym, że spisał się w szkole jak noga, do tego martwa, nie została wygłoszona podczas tego występu.

Z kolei na scenie pojawił się Chas i opowiedział mnóstwo dowcipów, które zbierał od dzieciństwa, więc publiczność odetchnęła z ulgą, że nie musi robić nic, tylko siedzieć i się relaksować. Osobiście Flower uważała, że Chas ma w swoim repertuarze zbyt wiele żartów seksistowskich, ale siedziała cicho, ponieważ tak to już było. Kiedy zaczął opowiadać kawał o pogromcy lwów, który wsadził wacka w paszczę ogromnego kota i zaczął walić go w łeb młotkiem, nie uzyskując ze strony bestii żadnej reakcji, musiała przyznać, że było to zabawne, i zaczęła się śmiać, gdyż pogromca spytał publiczność zebraną w cyrku, czy ktoś chce spróbować, i jakaś starsza pani odparła: „Tak, spróbuję, ale nie uderzy mnie pan zbyt mocno młotkiem w głowę, dobrze?".

Chas szedł jak burza i po dziesięciu minutach publiczność wznosiła radosne okrzyki i wiwatowała. Zdenerwowało to Flower, ponieważ wiedziała, że jej występ nie jest odpowiedni dla tej publiczności.

Ale o to chodzi właśnie w tym zawodzie, pomyślała sobie, o zdobycie jak największej widowni – więc w maksymalnie bojowym nastroju wyszła na scenę.

– Nieco tu obskurnie, co? – zaczęła, wywołując całkiem przyzwoity śmiech, prawdopodobnie o sile sześciu stopni w skali Richtera, więc odrobinę się rozluźniła. – Ale co tu dużo mówić, sama mieszkam w Nunhead, a ogrody w mojej okolicy nie są tak dobrze utrzymane jak wasze. Spójrzcie!

Wyciągnęła zza pleców bukiet kwiatów i powąchała je z lubością... a publiczność roześmiała się i zaczęła bić brawo.

Flower niezbyt rozsądnie pozwoliła sobie na refleksję, że ten jedyny raz jej występ zaczął się całkiem nieźle.

– Mam nadzieję, że zerwałaś je w moim ogrodzie – krzyknął jakiś głos. – Bo naszczałem na nie, żeby je podlać.

Publiczność wybuchnęła bardzo głośnym śmiechem, dając Flower jedenaście i pół sekundy na dowcipną odpowiedź.

– Odpieprz się – zaryzykowała.

Ogłuszający śmiech.

– Możc byś lepiej usiadła, ślicznotko? – ciągnął głos. – Zapach tych kwiatów zwali cię z nóg, jak wciągniesz go przez ten wielki nochal.

Śmiech był jeszcze bardziej ogłuszający, a Flower poczuła, jak jej pewność siebie spływa prosto do butów, za to cała pokrywa się potem.

– Idź się pieprzyć – wyrwało jej się z ust i już wiedziała, że jest pokonana.

– Może to zrobię, jeśli będziesz jedyną kandydatką – padła odpowiedź.

Flower walczyła jeszcze przez chwilę, ale w końcu zrezygnowała i zeszła czym prędzej ze sceny. Dec, szef klubu, okazywał współczucie, ale Flower mogłaby przysiąc, że potrzebuje ludzi, którzy potrafią dać sobie radę z publicznością; wiedziała, że z jakichś powodów pewność siebie kobiet plasuje się na innym poziomie niż w przypadku mężczyzn; przeistoczenie się w dziewczęcą kupę nieszczęścia przychodzi im bardzo łatwo. Przynajmniej nie było tym razem żadnego liściku od nękacza. Niedługo jednak miało się okazać, że jego osoba odciśnie się w mózgu Flower dużym N.

Kiedy wychodziła z klubu, usłyszała łagodnie irytujące tony ukulele Lulu West, które płynęły od strony okna, i wychwyciła fragment jakiejś piosenki.

Wybuch śmiechu.

Kiedy Flower wracała na rowerze do domu, odezwała się jej komórka. To był Charlie.

– Jak poszło?

– Kiepsko – odparła. – Chyba Bromley to nie jest moje ulubione miejsce.

– Mniejsza z tym – skomentował. – Wracaj szybko, to się zabawimy.

Flower zaczęła pedałować mocniej, bojąc się, że Charlie zrobi to sam, jeśli ona nie dotrze szybko na miejsce. Jej komórka zaczęła popiskiwać, co oznaczało SMS, więc Flower, podobnie jak dziewięćdziesiąt procent populacji podczas prowadzenia pojazdu kołowego, uznała, że jest w stanie odczytać bezpiecznie wiadomość, pędząc jednocześnie przez ponurą noc południowego Londynu. Oczywiście, wcisnęła niewłaściwy guzik w telefonie, próbowała dostrzec cokolwiek na wyświetlaczu i skręciła niechcący, wjeżdżając na krawężnik; wyrzuciło ją z siodełka i wylądowała tyłkiem na chodniku. Bardziej zażenowana niż poturbowana, przeklinając Charliego, który najwidoczniej postanowił przynaglić ją do miłosnego spotkania, odczytała w końcu wiadomość. „Dwa zero", brzmiał SMS opatrzony wielką literą N. Flower miała wrażenie, że to kostucha położyła swą dłoń na jej sercu i ścisnęła porządnie, gdyż uświadomiła sobie, że to wiadomość od nękacza. Jak zdobył jej numer telefonu? To już zaczynało wyglądać nieciekawie. Może będzie lepiej, jeśli wyzna wszystko Charliemu. No cóż, mogłaby przynajmniej powiedzieć dziewczynom i przekonać się, co one na to, choć ich rada, począwszy od ciężarnej i buzującej hormonami Marty po emocjonalną galaretę, jaką była Sara, nie musiała przedstawiać w tej chwili szczególnej wartości.

– W porządku, kochanie? – zawołał jakiś głos. – To nie krzesło!

Podniosła wzrok i zobaczyła chytrą, tłustawą twarz, która wychylała się z okna jakiegoś kombi. Cholera, pomyślała. Wciąż ktoś mnie nęka.

– Odwal się, bo ci wpakuję nogę w tyłek – rzuciła w odpowiedzi i aż się wzdrygnęła, uświadamiając sobie granice własnej kreatywności.

Kierowca sprawiał wrażenie śmiertelnie urażonego, jak to się dzieje z ulicznymi nękaczami, kiedy odpłaca im się pięknym za nadobne... no cóż, może się zdarzyć, że dziabną człowieka nożem, ale dzięki Bogu była to szczęśliwa noc dla Flower.

Erekcja Charliego zdążyła nieco złagodnieć, potem została reaktywowana dzięki pięciominutowej projekcji ulubionego filmu Charliego na wideo, czyli *Mary Poppins*, a na koniec znów zanikła, kiedy Flower zadzwoniła z wiadomością, że spadła z roweru. Tego wieczoru poszli spać wcześnie.

W piątek wieczorem King's Head przyjął w swe zawilgocone podwoje Martę, Flower i Sarę niczym małe plemniki w wielkie łono. Wnętrze cuchnęło, a w powietrzu wisiał dym, ale one uwielbiały to jak starego wyliniałego psa, który uparcie nie chce zdechnąć.

Flower i Sara drżały z niecierpliwości, jako że lada chwila miały się dowiedzieć, kto jest ojcem Guli; zupełnie się tego nie spodziewały, zakładając, że nic nie wyjdzie na jaw, dopóki Gula nie skończy pięciu lat i ktoś nie chlapnie czegoś po pijaku w czasie jakiejś imprezy.

Marta wzmocniła się kilkoma drinkami, wiedząc, że nie powinna pić, ale była to sytuacja alarmowa w skali czterech papierosów, poza tym nie załamała się i nie zapaliła; kiedy jednak krwawa Mary spływała jej gładko do gardła, dumała o tym, że przynajmniej wprowadza do organizmu odrobinę witaminy C wraz z płodowym syndromem alkoholowym. Żałowała, że musi powiedzieć Sarze i Flower prawdę, ponieważ bardzo odpowiadała jej rola tajemniczej kobiety, jaką grała od ośmiu miesięcy, podczas gdy przyjaciółki i krewni rozważali, kto mógł ją zapłodnić; należy też wspomnieć o podejrzeniu, jakie wielebny Brian żywił wraz z Pat, a mianowicie, że być może ktoś wziął ich córkę siłą.

W żadnym poradniku nie opisano, jak należy się zachowywać, kiedy ktoś ujawnia dwóm najlepszym przyjaciółkom tożsamość ojca swego nienarodzonego jeszcze dziecka, więc żadna na dobrą sprawę nie wiedziała, co robić.

Powinnam od razu przystąpić do rzeczy? – zastanawiała się Marta. Nastawić odpowiednią płytę w szafie grającej? Zabębnić palcami po stole? Pokazać na migi i niech zgadują?

– No dalej – ponagliła ją Sara. – Nie każ nam czekać. To Ted, prawda?

– Rany, jak mogłaś? – spytała z oburzeniem Marta. – Miałby mi zrobić dzieciaka ten psi gnojek? Mam nadzieję, że żartowałaś?

– Ale ma fajne poczucie humoru – zauważyła Flower. – I nie jest znów taki brzydki.

– Och, dzięki – rzuciła z przekąsem Marta. – A więc tak wygląda według ciebie klasyfikacja idealnego partnera? „Nie taki brzydki". Już widzę oczami wyobraźni samą siebie podczas randki w ciemno obok dwóch innych starych i zjechanych suk, walczącą o względy Pana Nie Tak Brzydkiego!

– Nie zgrywaj wrażliwej – broniła się Flower. – Tylko się wygłupiałam. No dobra, gadaj. To Alan Planeta?

– Chyba żeby mi przysłał pocztą kurierską własną spermę w zestawie „Zrób to sam" – odparła Marta. – Nie widziałam go od wieków.

– Więc musi to być facet, którego spotkałyśmy w tym klubie we wschodnim Londynie... jak miał na imię?

– Mohammed – wyjaśniła Marta. – Jezu, to nie on. Nawet z nim nie spałam.

– Mówiłaś coś innego – przypomniała Flower.

– To dlatego, że nie lubię uchodzić za nudną – tłumaczyła Marta.

– W takim razie kto? – zapytały jednocześnie Flower i Sara, które zaczęły się już trochę irytować.

– To... och, muszę iść do kibla – oznajmiła Marta, a widząc miny przyjaciółek, dodała: – Nie, nie zgrywam się. Chyba wiecie, że muszę biegać co najmniej czternaście razy na godzinę, bo Gula skurczyła mi pęcherz do rozmiaru orzeszka.

Marta siedziała uśmiechnięta w toalecie, nie spiesząc się; żałowała, że nie wstąpiła wcześniej do jednego z tych sklepów na West Endzie i nie kupiła pióra, które można włączyć, by nagrać rozmowę, jak się wychodzi z pokoju. Doszła jednak przytomnie do wniosku, że usłyszałaby wyłącznie rzeczy denerwujące, i miała rację.

– No cóż, to mógł być Junior – mówiła właśnie Flower. Junior miał czternaście lat i mieszkał z rodziną po sąsiedzku, ale odznaczał się już rozmiarami małego drzewa i zaczął uprawiać seks w wieku dziewięciu lat.

– Nie, nawet Marta nie upadłaby tak nisko – powątpiewała Sara.

– Chcesz się założyć? – upierała się Flower, która widziała raz Martę na imprezie w Southend tak zalaną, że próbowała uwieść jakiegoś nieprzytomnego faceta pod stołem.

Marta w końcu wyłoniła się z damskiej toalety i przystanęła przy barze, żeby wziąć sobie trochę czipsów, przedłużając jeszcze bardziej mękę przyjaciółek.

– No więc kto to jest? – spytała Flower z nutką co najmniej rozdrażnienia w głosie.

– To Ted – odparła Marta.

– Ale mówiłaś, że to nie on!

– No, wydawało mi się nie w porządku, że od razu zgadłyście... przepraszam. Myślałam, że lepsza będzie odrobina tajemniczości – wyznała Marta.

– Wiesz, czy to będzie chłopiec, czy dziewczynka? – spytała Flower.

– Wiem tylko, że będzie grube i szalone jak cholera – odparła Marta. – I nie takie brzydkie, w dodatku z zamiłowaniem do marynowanych cebul.

Sara, doznawszy wcześniej wizji, w której stały wszystkie przy chrzcielnicy, bardziej atrakcyjne niż zazwyczaj, zaczęła przejawiać coraz mniej zapału do roli matki chrzestnej.

– Więc jak to się stało z Tedem? – spytała Flower, która spotkała go tylko raz i uważała, że wygląda tak, jakby popełnił w bocznych alejkach wiele mrocznych i nieprzyjemnych uczynków do spółki z przerażającymi kobietami.

– Wiem, że to zabrzmi okropnie – przyznała Marta – ale odstawiliśmy pewnego wieczoru numer w uliczce za klubem, kiedy pracowałam do późna i oboje trochę wypiliśmy.

Sara, która miała obsesję na punkcie atrakcyjności i higieny swych seksualnych partnerów, poczuła lekkie mdłości, podczas gdy Flower stwierdziła, że jest dziwnie podniecona.

– Mów dalej – poprosiła.

– To wszystko na dobrą sprawę – wzruszyła ramionami Marta. – Zaszłam w ciążę.

– Powiedziałaś mu?

– Nie.

– Dlaczego?

– Nie chciałam denerwować dziecka – wyjaśniła Marta.

– Musiał się przecież czegoś domyślać? Nie pamięta, jak cię posuwał w tej uliczce? – dziwiła się Sara. – A tak na marginesie, dlaczego nie poszłaś na zabieg?

– To zawsze brzmi ładnie, „zabieg", prawda? Pozbawia wszystko aspektu uczuciowego, podczas gdy „aborcja"... to już pachnie tym, czym jest – krwawą jatką pod każdym względem – skomentowała Flower.

– Nie, to nie takie proste. Oczywiście, dzieciak to dość kłopotliwy produkt uboczny, ale mam swoje lata i niedługo byłoby już za późno – wyjaśniła Marta.

– I nieodpowiedzialnie – dorzuciła Flower, uznając, że mówi jak osoba w pełni dorosła.

– Och, do dupy z odpowiedzialnością – odparła Marta, powtarzając pieśń godową tych samotnych matek, które chcą dziecka tylko po to, żeby je kochać, i nie zdają sobie sprawy z bolesnych więzów, jakie trwają całe życie, jeśli latorośl jest niezbyt udana.

– No dobra, twoje zdrowie – powiedziała Flower, wznosząc kieliszek. – Powodzenia.

– Tak, powodzenia, ty durna krowo – dorzuciła z szerokim uśmiechem Sara.

W pomieszczeniu zrobiło się nagle ciemno, gdyż w drzwiach, na podobieństwo szeryfa ze spaghetti westernu, stanął Billy.

Rozdział 13

*F*lower przełknęła, Marta zaś próbowała uśmiechnąć się szyderczo, ale zdawała sobie sprawę, że jej policzek tylko zadrgał nerwowo. Billy wyglądał na rozgniewanego, ale kiedy zbliżył się do stołu, jego twarz wykrzywił grymas wesołości.

– Wszystko w porządku, dziewczęta? – spytał tonem, który miał być w założeniu ironiczny i żartobliwy, ale nic z tego nie wyszło i brzmienie głosu Billy'ego przywodziło na myśl alfonsa.

– Cześć – odpowiedziały zgodnym chórem.

– Co ty tu robisz? – spytała niespokojnie Sara z przyklejonym do twarzy uśmiechem.

– Och, skończyłem z chłopakami wcześniej – oznajmił Billy. – Pomyślałem, że was tu znajdę, intrygantki.

Jak udało mu się wymówić to słowo tak, aby zabrzmiało jak „głupie dziwki", zastanawiała się Marta i uświadomiła sobie, że jest na niego naprawdę zła.

– Dlaczego nie dasz biednej dziewczynie spokoju i nie odpieprzysz się od nas? – spytała.

Po twarzy Sary przebiegł cień przerażenia; nadepnęła pod stołem nogę Marty. Ta zaczęła się śmiać histerycznie.

– Ha, ha! Tylko żartowałam! – oznajmiła. Flower jej zawtórowała, siląc się na naturalność, ale niewiele z tego wyszło.

Odezwała się jej komórka. Być może jedyny raz w idealnym momencie.

– Przepraszam – powiedziała.

Był to Charlie, który informował, że dzwonił do niej ktoś z Nightcap i pytał, gdzie jest.

– O, cholera – jęknęła Flower. – Muszę lecieć. Zapomniałam, że mam dzisiaj występ.

Zaczęła zbierać swoje rzeczy w tumanie dymu papierosowego i perfum o zapachu jaśminu, po czym wybiegła w panice na zewnątrz, rzucając na odchodnym: „Do zobaczenia w czasie weekendu!".

– Rozumiem, że nie jestem tu mile widziany... babskie pogaduchy i tak dalej – oznajmił Billy. – Do zobaczenia. Nie wracaj zbyt późno, okej, Sara?

Zniknął w mroku.

– Po co to zrobiłaś? – zwróciła się do Marty Sara.

– Co? – spytała zdziwiona Marta, której krótka pamięć zostałaby zdiagnozowana przez każdego geriatrę jako ewidentny dowód pierwszych objawów alzheimera. Po chwili rzuciła wściekle: – Och, czasem mam dość udawania, że z wami wszystko w porządku. To brutalny drań.

– Ma swoje własne problemy – tłumaczyła Sara.

– Tak? Opowiedz mi o nich – poprosiła Marta.

– Lepiej już pójdę – oznajmiła Sara.

– Daj spokój – przekonywała Marta. – Mamy jeszcze pół godziny i nie ma sensu się kłócić o jakiegoś faceta.

– Nie kłócimy się – skłamała Sara. – Ale muszę lecieć.

Marta ujrzała w wyobraźni wielki klin wbijany w drzwi pubu.

– W porządku – oświadczyła wesoło. – Pogadamy podczas weekendu?

Było to na poły pozbawione wątpliwości stwierdzenie, a na poły pytanie.

Sara ruszyła niespiesznym krokiem w stronę domu, mając nadzieję, że Billy nie jest w złym nastroju. Dotarła na miejsce, ale Billy'ego nie było.

Marta została ze swoją wodą mineralną, którą wypiła duszkiem, krzywiąc się przy tym ze wstrętem, i wyszła.

Flower dotarła do Nightcap stosunkowo szybko, ponieważ przelatywała w pędzie przez wszystkie skrzyżowania na czerwonym świetle, prowokując wielu nabuzowanych kierowców do nieprzychylnych uwag, które posyłali w ślad za jej znikającą sylwetką. Chciała się zatrzymać i wyjaśnić, że zwykle się tak nie zachowuje, ale musiała wprowadzić się w straszliwie sarkastyczny nastrój komediowy, więc odwracała się, próbując posłać im wściekłe spojrzenie, co niespecjalnie udaje się niektórym kobietom, zwłaszcza jeśli są miłe i pochodzą z klasy średniej. Flower z takim samym prawdopodobieństwem uraczyłaby ich głośnym przekleństwem, co zastrzeliła z broni palnej.

Tego wieczoru w Nightcap występował z Flower Wacek Fiut i Will Hatchard. Wacek Fiut miał numer na końcu, a Flower przed nim. Will Hatchard radził sobie nieźle, kiedy się zjawiła. Pochodził z Liverpoolu; jego obwisła twarz z sumiastym wąsem pasowała do sztuki komediowej, a celne riposty pod adresem widzów uchodziły za tak dobre, że wszyscy je powtarzali.

– Miałeś kiedyś ochotę zamordować kogoś? – spytała Flower Wacka, kiedy siedzieli w obskurnej garderobie, spoglądając przez brudne okno. Widzieli jedynie stopy i kostki przemierzające późnym wieczorem Soho.

– Tylko dwunastolatkę, która nie chciała mi obciągnąć – odparł Wacek, który często mówił tak, jakby był akurat na scenie.

– Nie, nie, pytam poważnie – zastrzegła Flower.

– A o co chodzi? Chcesz kogoś zabić? – spytał nadzwyczaj domyślny Wacek.

– Miałam ochotę wcześniej – wyjaśniła Flower. – Czasem naprawdę chciałabym mieć broń... żeby ich postraszyć, rozumiesz.

– Ich to znaczy kogo? – zainteresował się Wacek.

– Och, dupków, tego rodzaju gości – odparła Flower.

– Załatwię ci spluwę, jeśli o to chodzi, kotku – zapewnił Wacek, który chciał odstawić Humphreya Bogarta, ale wyszedł mu tylko stary Amerykanin po wylewie.

– Żartujesz – oświadczyła z otwartymi ustami.

– Wcale nie – zapewnił. – Jak wybierzesz się ze mną jutro do Canning Town, to pogadam z kumplami.

Flower poczuła się trochę nierealnie, jakby to nie ona prowadziła tę rozmowę.

– Nie, nie trzeba – pospieszyła z wyjaśnieniem. – To byłoby szaleństwo.

– Nie wygłupiaj się – przekonywał Wacek. – Będzie ubaw. Odstrzelisz Charliemu głowę.

– To nie Charlie mnie wkurza – wyjaśniła Flower.

To z kolei wkurzyło Wacka, ponieważ Flower podobała mu się od wieków, choć różniła się zasadniczo od kobiet, które zwykle rwał, wyzywających i niewybrednych.

– To bez znaczenia – zapewnił Wacek.

– No, nie wiem – odparła Flower, czując lodowaty chłód.

– Dobra, zadzwoń do mnie jutro na komórkę, jeśli się zdecydujesz – oznajmił.

Rozdział 14

*O*ch, niech ktoś ją zastrzeli, błagam!

Po zaciemnionej widowni przetoczył się grzmot śmiechu, uświadamiając boleśnie Flower, że nie ma tego wieczoru szczególnie ciętego języka, że jej poczucie własnej wartości umknęło gdzieś do Australii i że Nękacz powrócił. Tak, Nękacz przez duże N, i teraz poczytywał sobie za obowiązek dręczyć ją mentalnie, nim – w ostatecznym starciu – ona uwolni świat od niego jako nękacza, a nie osoby z krwi i kości, dodała pospiesznie w myślach. Bycie zabawnym nie jest czymś, co większości ludzi towarzyszy bezustannie. Każdy ma gorsze dni, a komicy najbardziej boją się tego, że muza komedii opuści ich, gdy będą leżeć w swych niepościelonych łóżkach, pocąc się ze strachu, i poleci wprost do głowy największego rywala, podnosząc jego umiejętności na jeszcze wyższy poziom.

Flower straciła wenę i widzom naprawdę zrobiło się jej żal, ona jednak nie nauczyła się wykorzystywać tego współczucia i po dwóch nieudanych próbach celnych odzywek, które brzmiały tak, jakby zwracała się do nieco poirytowanego uczestnika kółka hafciarskiego, zrezygnowała i zeszła ze sceny.

– Dorwę w twoim imieniu tego piździelca – oznajmił jak zawsze rycerski Wacek Fiut, kiedy mijali się w wąskim korytarzu.

– Dzięki – odparła żałośnie Flower.

– No dobra, gdzie jest ten nękacz? – spytał Wacek, wchodząc na scenę. – Już dawno nie spenetrowałem dupy jakiegoś dupka.

Tłum westchnął z rozkoszą. Publiczność czuła, że gość panuje nad sytuacją, a Flower przekradła się na tyły widowni, by obserwować mistrza w akcji, mimo faktu, że jego liczne pedofilskie aluzje obudziły w niej świętoszkę, której nie poznawała.

Z boku sceny, od strony baru, pojawił się jakiś nieszczęsny spóźnialski, kobieta. Flower zacisnęła zęby, wiedząc, że Wacek Fiut wypali do niej z grubej rury. Kobieta nawet przy tak skąpym świetle wyglądała na pulchną i Wacek zaczął się szykować do frontalnego ataku.

– Pomyłka, kochanie – zwrócił się do niej. – Spotkanie Anonimowych Anorektyków odbywa się kilka domów dalej.

Męski śmiech.

– Nie jestem anorektyczką – odparła kobieta z odpowiednią ironią w głosie. Tłum zachichotał. Po chwili dodała:

– Nie jestem anorektyczką, bo umiem przełknąć chamskie uwagi, czyli odwrotnie niż w twoim przypadku.

Śmiech kobiet. Męski pomruk z nutą podziwu. Wacek Fiut sprawiał wrażenie zdumionego.

– Kiedy rozwiązanie? – spytał, uciekając się do klasyki w przypadku grubych kobiet.

– Za jakieś pięć minut – poinformowała kobieta. – Pomóż mi, w końcu to twój bękart.

Tłum był zachwycony, śmiał się i klaskał. Flower uświadomiła sobie nagle, że to Marta, i poczuła lekkie ukłucie zazdrości wywołane swobodą, z jaką jej przyjaciółka odpowiada Wackowi. Ten sypał coraz bardziej wulgarnymi odzywkami, a potem wycofał się z wdziękiem kogoś, kto jest regularnie ścigany przez straż obywatelską tropiącą pedofili.

– Dobra robota – zawołała Flower, obejmując Martę.

– Małe piwo – machnęła ręką Marta. – Szczęśliwy przypływ hormonów w odpowiednim momencie.

– Co ty tu robisz? – spytała Flower.

– Nie miałam ochoty wracać do domu po tym przygnębiającym spotkaniu z Billym. Potrzebowałam rozrywki. Zajrzałam do Standard, zobaczyłam, że występujesz i tak dalej.
– Widziałaś tego faceta, który mi dogadywał? – zainteresowała się Flower.
– Nie, a o co chodzi?
– Nie wspominałam o tym wcześniej, ale przyszedł na kilka moich występów i mi dogadywał.
– Och, jakież to rozkosznie perwersyjne – oświadczyła Marta, która odznaczała się wyrafinowaniem jedenastolatki, kiedy chodziło o groźbę natury seksualnej.
– Nie rozkoszne – zauważyła Flower. – To niebezpieczne. Zostawił mi liściki i wysłał SMS-a.
– Poczekaj, aż go zobaczysz – doradziła Marta. – Może jest super.
– Och, nie żartuj, Marta! – wybuchnęła Flower. – Co mam robić? Na scenie jestem bezbronna, a ludzie zawsze wiedzą, kiedy występuję, bo zamieszczają to w gazecie.
– Przepraszam – tłumaczyła się Marta. – Ale w pobliżu zawsze jest mnóstwo twoich kolegów po fachu płci męskiej, więc na pewno cię obronią.
– Nie liczyłabym na to – uprzedziła Flower. – Jeśli Nękacz ruszy na mnie z nożem do chleba, mogę ci zagwarantować, że wszyscy bez wyjątku królowie komedii znikną w drzwiach, by nie ryzykować swych olśniewających karier.
– Wobec tego załatw sobie broń – poradziła Marta.
– Wiesz co… – zaczęła Flower, której przerwał hałas od strony widowni, kiedy to Wacek Fiut znowu oberwał od kogoś, posuwając się za daleko, i zaczął starą opowiastkę o gwałceniu kurczaków i o tym, jak to wpływa na ich smak podczas niedzielnego obiadu.
Flower i Marta wyszły z klubu i postanowiły pójść do jakiejś nocnej knajpki, by zafundować sobie kawę i bajgle.

Lokal był pełen, jak to w piątek, i wokół stolików krążyło kilku pijaków, oferując zaprawione alkoholem rady każdemu, kto nie wyglądał tak, jakby mógł im zdrowo dołożyć.

– Mogę się przysiąść, kochanie? – spytał jeden z wyżej wspomnianych, owiewając Martę i Flower aromatem wymiocin i piwa.

– Raczej nie – odparła Flower, zapominając, że jest komikiem. – To prywatna rozmowa.

– Odwal się, palancie – poradziła Marta, próbując mniej empatycznego podejścia.

– Och, nie bądź taka, grubasko – odparł, waląc się na kant ich stolika i rozbijając sobie przy tym nos, który zaczął tryskać obficie, co skłoniło Martę do niezbyt przyjemnej refleksji, że ta krwawa fontanna naszpikowana jest Bóg jeden wie iloma zarazkami. Podniósł się, ściskając swój broczący organ.

– Powiedziałam „spadaj"! – wrzasnęła na niego Marta i na wpół pchnęła, na wpół uderzyła faceta w ramię, ten zaś poleciał jak wystrzelony z katapulty na sąsiedni stolik i walnął o podłogę.

– Chodźmy stąd – poradziła Flower. – Jest tu dziś okropnie.

Zostawiły pieniądze na stoliku i skierowały się w mrok nocy, nie zdając sobie sprawy, że pan Krwawy Nochal nie podniósł się ze swego drugiego upadku i że wydawał się zimny jak trup.

– Wezwijcie karetkę – powiedziała jakaś klientka, w której żyłach płynęła jeszcze odrobina ludzkiej życzliwości.

– Wyrzućcie go na ulicę – odezwał się ktoś inny, ale właściciel lokalu zrobił to pierwsze, chociaż wolałby to drugie.

Nadjechała karetka, lecz jej załoga nie była specjalnie przejęta. Sanitariusze wymienili uwagi w rodzaju: „Jeszcze jeden pieprzony pijak, strata cholernego czasu", ale wydawali się uosobieniem profesjonalizmu, ładując go na nosze i wsuwając je do ambulansu.

Kiedy krążyli po ulicach Londynu w stronę oddziału nagłych wypadków, przywodzącego na myśl *Ogród rozkoszy ziemskich* Hieronima Boscha, byli tak zajęci rozmową o weekendzie, który właśnie planowali, że nie zauważyli nawet, jak mężczyzna wydał ostatnie tchnienie.

Marta i Flower szły sobie dalej, nieświadome faktu, że są morderczyniami, dyskutując o zjawieniu się Billy'ego w pubie.

– Wydawało mi się, że ją sprawdza – wyznała Marta.

– Mógł zjawić się tam ze zwykłej serdeczności, żeby zabrać ją do domu – podsunęła Flower.

– Dlaczego masz zawsze takie pozytywne podejście do ludzi i motywów ich postępowania? – rzuciła wściekle Marta.

– Nie wiem – wyznała Flower. – Prawdę mówiąc, każdy w dzisiejszych czasach to pieprzony dupek, który na pozytywne podejście nie zasługuje.

Zaszokowało to Martę, która słyszała taki język w ustach Flower tylko w określonych dniach miesiąca, kiedy przyjaciółka traktowała ją tak, jakby jej drink został nafaszerowany testosteronem.

Jakby na potwierdzenie słów Flower z bocznej alejki wyłonił się gang mniej więcej osiemnastoletnich dziewczyn, które zaczęły sikać.

– To pieprzeni Flip i Flap – rzuciła jedna z nich, a pozostałe zagdakały chichotliwie niczym banda nocnych kur. Flower i Marta przyspieszyły kroku, dziewczyny zaś, spragnione czegoś bardziej ekscytującego niż dokuczanie dwóm kobietom po trzydziestce, ruszyły w swoją stronę.

– Myślisz, że ktokolwiek wykrzykuje na ulicy komplementy, kiedy kogoś zaczepia? – zastanawiała się Flower.

– Pewnie – odparła Marta. – „Ładne cycki" albo „przelecę cię". Takie tam.

– Nie, nie o to mi chodzi – zastrzegła się Flower. – Mówię o czymś w rodzaju: „Och, wyglądasz jak miła, przyjazna osoba, która traktuje resztę ludzkości jak równą sobie".

– Daj spokój, Flower – żachnęła się Marta.

– Ale dlaczego nękacze są tacy okropni i negatywnie nastawieni?

– Mówisz nękacze, a przecież nie dotyczy to ulicy.

– Owszem, dotyczy. Fuj!

Marta zatkała nos, a jej żołądek skręcił się z obrzydzenia, kiedy mijały pospiesznie rząd śmietników, które przeszukiwał właśnie jakiś bezdomny.

– Masz drobne, kochana? – spytał.

Flower zaczęła grzebać w kieszeniach i znalazła funta.

– Dzięki, kotku – rzucił uszczęśliwiony człowiek, jakby noc nie była przenikliwie chłodna, a on sam nie nosił na sobie brudnego ubrania i nie spał od niepamiętnych czasów na psim gównie.

– Bardzo proszę – uśmiechnęła się Flower, wyglądając na zadowoloną osobę, i jeśli miała być wobec siebie szczera, tak też się czując. Nastawienie obdarowanego zmieniło się diametralnie.

– Pieprz się, protekcjonalna krowo – wrzasnął, ciskając monetą o chodnik z taką wściekłością, że Flower i Marta wystraszyły się nie na żarty.

– Chodź – powiedziała Flower i schyliła się, żeby podnieść metalowy krążek, w tym samym momencie mężczyzna dość bezceremonialnie zwymiotował jej na plecy.

– Jezu Chryste – zajęczała Flower.

Mężczyzna odrzucił głowę do tyłu, roześmiał się jak obłąkany klaun i poczłapał w mrok nocy.

Marta z trudem panowała nad zawartością swojego żołądka, wycierając nieskutecznie plecy przyjaciółki zwiniętą chusteczką higieniczną. Flower przepełniała znajoma już fala londyńskiej nienawiści.

– Mogłabym zabić tego starego drania – wyznała.

– Och, naprawdę? – spytała Marta, oddając się na chwilę nastrojowi filozoficznemu.

– Gdybym miała broń, skróciłabym jego cierpienia – odparła Flower.

– Ale był całkiem zadowolony, dopóki nie zaczęłaś odgrywać Matki Teresy – zauważyła Marta.

– Nie odgrywałam – upierała się Flower.

– Odgrywałaś – nie ustępowała Marta.

– No cóż, mam już dosyć roli tej zwyczajnej, rozsądnej osoby, która w zamian dostaje cały czas po głowie – wyznała Flower. – Na ulicy, w klubach, w pracy... od ludzi, którzy, mówiąc szczerze, nie zasługują, by zajmować jakiekolwiek miejsce na tej planecie.

– Wiem, o co ci chodzi, ale jakie mamy prawo o tym decydować? – zapytała retorycznie Marta. – Chciałabym przepuścić Billy'ego przez wyżymaczkę, ale nie mam ochoty iść do więzienia, nie mówiąc już o tym, że wolałabym nie marnować życia Sarze.

– Mogłabyś uzdrowić jej życie – sprostowała Flower. – Poza tym bądźmy szczere, nasz osąd nie jest chyba tak skrzywiony jak w przypadku przeciętnego dyktatora z Bliskiego Wschodu.

– No cóż – odparła Marta. – Gdybyś miała okazję uwolnić świat od Billy'ego, zrobiłabyś to?

– Jasne jak słońce, człowieku – zapewniła Flower, która od czasu do czasu nie mogła powstrzymać się od hipisowskiego żargonu. – I byłabym do tego zdolna.

Opowiedziała przyjaciółce o propozycji Wacka Fiuta, Marta zaś uświadomiła sobie, że namawia Flower, by przynajmniej załatwiła broń, tak bardzo podziałała na nią moc owego magicznego przedmiotu, i gdy spacerowały brudnymi ulicami, wyobraziła sobie kilka wielkomiejskich scen, gdy grozi ludziom i zmusza ich do zachowania zgodnego z własnym życzeniem, zostawiając sobie na koniec uroczy scenariusz z udziałem wielebnego Briana.

Podjechał nocny autobus i obie kobiety wspięły się na górny pokład, by Marta mogła wdychać dym papierosowy napędzanych alkoholem pasażerów lekceważących wszelkie zakazy. Był to głupi błąd, ponieważ tego wieczoru, jak niemal zawsze, nocny autobus zamieniał się w środek transportu dla kostuchy i był pełen – do wyboru, do koloru – najbardziej denerwujących i niesympatycznych indywiduów, jakie można sobie tylko wyobrazić, począwszy od ledwie przytomnych zaślinionych pijaków po grupki nastolatków w czapkach z emblematem poprawczaka. Flower i Marta skuliły się na swoich miejscach, ale wcześniejszy incydent z bezdomnym sprawił, że Flower stała się obiektem węchowej aktywności.

– Co to za smród? – zainteresował się jakiś chłopak, z niewiadomego powodu wywołując pytaniem histeryczny śmiech swoich kumpli. Po chwili wskazał na Flower i Martę: – To te dwie.

Był to sygnał dla wszystkich pozostałych w autobusie, że można odetchnąć z ulgą i wlepić wzrok w okno, podczas gdy Marta i Flower będą mordowane.

Rozdział 15

Znaleźć się w samym centrum bandy nastolatków, uraczonych mnóstwem substancji bardziej pobudzających wyobraźnię niż alkohol i narkotyki – trudno to uznać za idealne zakończenie wieczoru.

W tych czasach, myślała Marta, zawartość laboratorium chemicznego jest dostępna każdemu dzieciakowi za pośrednictwem dilera z rogu ulicy, i to za cenę paczki fajek, więc Bóg jeden wiedział, jakie to biochemiczne zaburzenia napędzały ich antyspołeczne zachowanie.

Jednym z aspektów podróżowania nocą po dużym mieście jest niezbyt pocieszająca świadomość, że jeśli sytuacja wymknie się przypadkiem spod kontroli, nikt nie kiwnie nawet palcem, by człowiekowi pomóc. Ludziom przemykają wówczas przez głowę liczne wymówki, wszystkie oparte na założeniu, że ryzykowanie poważnych obrażeń dla kogoś, kogo się nawet nie zna, nie jest rzeczą rozsądną.

Wiedząc o tym, Flower czuła się wyjątkowo bezbronna, a w związku z poważnym stanem Marty zdawała sobie sprawę, że to ona będzie musiała stanąć w jej obronie. Była też świadoma, że żadna z nich nie jest na tyle atrakcyjna, by trafić na pierwsze strony gazet, gdyby je zraniono albo zamordowano, ponieważ od ofiar wymaga się na ogół, by przypominały choć odrobinę modelki. Przykra rzecz, ale w skali narodu nikt nie opłakuje śmierci mniej atrakcyjnych obywateli, chyba że czymś się wyróżniają. Flower postanowiła wziąć na siebie odpowiedzialność i spróbować podejścia pacyfistycznego.

– Posłuchajcie, to ja cuchnę – wyjaśniła przepraszającym tonem, jak nauczycielka szkółki niedzielnej. – Jeden facet się na mnie wyrzygał, w porządku?

Można by pomyśleć, że była to najzabawniejsza rzecz, jaką ta banda chłopaków kiedykolwiek słyszała, gdyż wybuchnęli wysoce przesadnym śmiechem – tarzali się w przejściu między siedzeniami, szturchali jeden drugiego i ogólnie napawali się swoją wesołością, budząc grozę wśród pozostałych pasażerów. Jednak szef gangu siedział spokojnie pośrodku, a jego ziemista, obojętna twarz dowodziła, że człowiek ten odznacza się współczynnikiem inteligencji sto czterdzieści i że pragnął kiedyś studiować medycynę. Nie osiągnąwszy swego celu z powodu osobowości i rodziców, którzy uważali, że zawód lekarza jest „pedałowaty", teraz podjął stosowną decyzję.

– Nie podoba mi się ten zapach. Wywalmy ją z pieprzonego autobusu.

Śmiech zamilkł, gdy dotarło do szeregowych członków gangu, czyli wyrośniętych dziesięciolatków, czego się od nich żąda. Wiedzieli, że nieposłuszeństwo wobec tej wielkiej kluchy na nogach może się dla nich skończyć źle, więc woleli ryzykować, że kogoś uszkodzą, zrzucając go ze schodów piętrowego autobusu, niż narazić się na gniew szefa. Kilku z nich zaczęło zbliżać się z wolna do Flower jak służalcze psy. Flower wpadła w panikę i zaczęła powtarzać rzeczy w rodzaju: „W porządku, sama wysiądę", ale uświadomiła sobie, że zamierzają się trochę zabawić bez względu na to, co powie czy zrobi.

Marta też zdawała sobie sprawę, że sytuacja przedstawia się nieciekawie, i próbowała pokonać co słabszych nastolatków tupetem i brawurą.

– No dalej, gówniarze – rzuciła, siląc się na swobodę. – Wybierzcie sobie kogoś w swoim rozmiarze, innymi słowy kogoś mniejszego ode mnie.

Uprzytomniła sobie po niewczasie, że wyrażenie „innymi słowy" to był kiepski pomysł i że tylko wprawiła ich w groźną konsternację.

Szeregowi członkowie gangu spojrzeli niepewnie na swojego szefa, którego gniewny wzrok pozostał niewzruszony, i zrozumieli, że muszą postąpić zgodnie z jego życzeniem.

Marta zacisnęła dłoń na wieloczynnościowym scyzoryku, który nosiła w torebce, szukając po omacku ostrza, lecz pechowo wyciągnęła końcówkę do usuwania kamienia z końskich kopyt. Jestem pewna, że może się przydać w starciu z tymi osłami, pomyślała pesymistycznie. Czuła, jak Gula podskakuje i kręci się w jej wnętrzu. Ktoś szykuje się do starcia, przemknęło jej przez myśl.

Gdy gang posuwał się do przodu, Flower zaczęła wydawać coś jakby ciche piski, których nikt nie był w stanie usłyszeć prócz Marty.

– Nie martw się – powiedziała. – Włos nam z głowy nie spadnie. Zdarzy się jakiś cud.

Wszyscy bez wyjątku pozostali pasażerowie słuchali każdego słowa i wstrzymywali oddech, a nieliczni wymieniali pełne desperacji spojrzenia ze swymi partnerami. Para Amerykanów w średnim wieku na urlopie znała aż za dobrze konsekwencje interweniowania w takich sytuacjach, gdyż przerobili to w Nowym Jorku i zdrowo oberwali; młodsza para z południowego Londynu, która się właśnie zaręczyła, podjęła zgodnie decyzję, że nie zamierza dać się zadźgać w autobusie przed samym ślubem dla jakiejś hipiski pokrytej rzygowinami. Czterech pijanych studentów wiedziało dostatecznie dużo o londyńskiej komunikacji, by się nie odzywać, a członkowie nieco starszego gangu nastolatków zdawali sobie sprawę, że są w mniejszości, i patrzyli zdecydowanym wzrokiem przed siebie.

Pozostał jeszcze tylko jeden pasażer – siedział cicho z przodu i czekał cierpliwie na sprzyjający moment, będąc człowiekiem odpowiednio przygotowanym, tak fizycznie, jak i psychicznie, na tego typu sytuację – niejaki pan Michael Randall, który niejeden piątkowy wieczór przesiedział niespokojnie w autobusie, czekając na rozwój wypadków.

Dotąd nic się nigdy nie wydarzyło, więc było ironią losu, iż przyszło mu do głowy, że ma teraz spełnić rolę walecznego rycerza występującego w obronie dwóch nieszczęsnych dziewcząt, które niedawno zaczęły uczęszczać na jego zajęcia. Nie zdradził im swej obecności – szczerze powiedziawszy, nigdy się z tym nie zdradzał, odbywając swoje wyprawy, na wypadek gdyby trzeba było komuś przywalić albo poniżyć się przed nim.

Chciałoby się powiedzieć, że Michael Randall uniósł się groźnie ze swego miejsca i stanął na górnym pokładzie autobusu, rzucając płomienne błyski okiem i wznosząc broń, ale był na to zbyt niepozorny. Po prostu dźwignął się nieco ślamazarnie i z gniewem dziesięciu ludzi dodał sobie otuchy wrzaskiem, ponieważ przeczytał gdzieś, że to budzi w przeciwniku strach, niczym ryk konfederatów podczas wojny secesyjnej albo mrożący krew w żyłach wrzask pstrokatych Szkotów w bitwie pod Culloden.

Chłopcy byli szczerze zaszokowani, widząc, jak ta ludzka wersja Golema postanowiła stawić im czoło, i żywili niezachwiane przekonanie, że Mrówa, ten o najsilniejszym ciosie, bez trudu sobie z nią poradzi. Jednak nim Mrówa zdążył doprowadzić rzecz do końca, Michael Randall niemal go oślepił, posługując się dwoma palcami, które wpakował mu bez litości w oczy. Mrówa runął z wrzaskiem na podłogę autobusu, trzymając się za twarz.

Niezły aktor, przebiegło przez myśl Marcie.

Sprowokowani okrutnym atakiem na ich męskość, dokonanym przez jakiegoś gronostaja w łachmanach, kumple Mrówy – Jez i Luca – próbowali szczęścia. Jez wymierzył cios Michealowi Randallowi, chybił i dostał kopa w jaja, wymierzonego perfekcyjnie ze straszliwą siłą. On też runął na podłogę z wrzaskiem. Luca wyciągnął nóż i trzymał go przez ułamek sekundy, połyskując ostrzem, nim Michael Randall odebrał mu go jednym zwinnym ruchem i wbił w udo. Marta skrzywiła się na wspomnienie pewnego zdarzenia, kiedy jako uczennica próbowała w autobusie otworzyć pudełko z toffi za pomocą cyrkla i dziabnęła się w nogę.

Inni członkowie gangu doszli do wniosku, że jedyną taktyką jest przewaga liczebna, więc Dom, Lob i Taz, których ksywki przywodziły na myśl napastników Charlton Athletic, ostro zaatakowali Michaela Randalla, by rzucić go na podłogę i skopać na śmierć. Michael Randall przerabiał w swej głowie ten scenariusz zbyt wiele razy, by teraz popełnić błąd; wyciągnął krótki kij, jakim gra się w brytyjskiej wersji baseballu („łatwiej go schować, jest grubszy i bardziej poręczny"), po czym zagrał na głowach przeciwników jak na ksylofonie, aż w końcu wycofali się schodami w tylnej części autobusu, zastanawiając się przy tym, dlaczego mają ochotę przytulić się do swoich mamuś, które od najwcześniejszych lat wyłącznie ich wkurzały.

Pozostał tylko szef gangu Moz, który kipiał ze złości, gdy jego zastępcy padali po kolei. Teraz siedział tylko, starając się uśmiechać szyderczo, kiedy Michael zbliżał się do niego, i żywiąc przekonanie, że pomimo tej masakry da sobie radę z małym człowieczkiem, cokolwiek ten chowa dla niego w zanadrzu.

Michael zarezerwował dla Moza coś specjalnego. W mgnieniu oka wyciągnął jakiś przedmiot przypominający hełm, do którego przymocował wcześniej metalową opaskę o regulowanej długości. Nim Moz zdążył się zorientować, o co chodzi, siedział z kuchennym durszlakiem na głowie, który Michael sprawnie unieruchomił, a klucz nasadkowy, za pomocą którego to zrobił, wyrzucił przez okno autobusu. Nakrycie głowy było dostatecznie ciasne, by sprawiać ból, nie czyniąc specjalnie krzywdy, i gdy Moz podążał między rzędami foteli i krzywił się do Marty i Flower, cały autobus ryczał ze śmiechu. Po chwili nieszczęśnik zszedł na dolny pokład i wysiadł.

Tego wieczoru Moz podczas swej długiej drogi do domu doświadczył na własnej skórze, co to jest nękanie, gdy do jego uszu docierały uwagi w rodzaju: „Czekaj, przyniosę trochę ziemniaków" albo „Uważaj, bo ci mózg wycieknie dziurkami".

Kiedy noc upływała z wolna, Michael Randall leżał w łóżku, uśmiechając się w milczeniu obok swej małżonki, a Marta i Flower postanowiły jednak uczęszczać na kurs samoobrony.

Rozdział 16

Marta i Flower czuły się nieco otrzeźwione nocnymi wyda-rzeniami w autobusie i postanowiły skoczyć do mieszkania tej pierwszej na drinka, a przy okazji świeżym okiem spoj-rzeć na swe pełne mitręgi życie.

Flower wiedziała, że Charlie będzie czekał w domu, by sprawdzić, jak poszedł jej występ. Był tylko odrobinę podejrz-liwy, kiedy oznajmiła, że ma numer w piątkowy wieczór, kiedy to zwykle spotyka się z dziewczynami, i zaproponowa-ł, że pójdzie razem z nią, ale była tak blisko klubu, a on tak daleko, że bez trudu namówiła go, by pozostał w domu.

Charlie odczuł ulgę, kiedy usłyszał, że na występie poja-wiła się Marta, Flower zaś poinformowała go przez komór-kę o ich wędrówce po mieście, pomijając co bardziej smako-wite szczegóły.

Oczywiście, gdy tylko dziewczyny dotarły do mieszkania Marty, Flower zapragnęła jak najszybciej zmyć z pleców za-wartość żołądka bezdomnego osobnika i weszła pod prysz-nic jak do hipisowskiego nieba, podczas gdy Marta jak zwy-kle odbyła poszukiwania gorzały, które zawsze dawały jakiś rezultat; tym razem znalazła pół butelki greckiej brandy, która wyglądała nieźle, ale smakowała jak zmiksowane opony. Nie były jednak świadome charakteru trunku, anali-zując wydarzenia wieczoru. Po pewnym czasie rozmowa znów zeszła na Billy'ego.

– Powiedz tylko, że go zastrzelimy – zaproponowała Mar-ta, która uświadomiła sobie, że coraz bardziej pali się do pomysłu. – Nikt się nie dowie, że to nasza robota. Przede wszystkim nikt prócz nas nie wie o jego wybrykach.

– Sara się zorientuje, że to my – oświadczyła Flower.

– Ale na pewno uświadomiłaby sobie w końcu, że zrobiłyśmy to dla jej dobra.

– Och, bardzo wątpię – pokiwała głową Flower. – Poza tym nie dałoby rady utrzymywać tego bez końca w tajemnicy; prędzej czy później rozniosłoby się po naszym pubie. Spiłybyśmy się któregoś wieczoru i powiedziały Doreen, a ta rozgadałaby wszystkim, do cholery.

– Co, ta barmanka gaduła? Nigdy w życiu – zaprotestowała Marta.

– Tak czy owak – ciągnęła Flower, nalewając sobie jeszcze brandy – po co zabijać Billy'ego? Nie jest w końcu taki zły.

– Wiem – przyznała Marta. – Ale poczekaj tylko, aż Sara zaangażuje się na dobre, a wtedy czekają ją lata gównianego życia, którego teraz mogłybyśmy jej oszczędzić.

– A co z naszą listą? Jak na razie, nie sprawdziłyśmy jeszcze żadnego sposobu, pomijając to, że z nim rozmawiałam – przypomniała Flower.

– Chcę jak najszybciej pozbyć się drania – wyznała Marta i obie wybuchnęły śmiechem.

– Gdzie ta twoja lista? – spytała Flower. – Co jeszcze tam mamy?

O dziwo, pomimo nieprzyjemnych resztek, zaśmiecających mieszkanie Marty po nieudanej próbie posprzątania, udało jej się niemal natychmiast wyciągnąć nietkniętą kartkę. Marta przejrzała ją zaciekawiona.

– Mamy tu rzeczy wyrafinowane i śmieszne – zauważyła.

– Począwszy od rozmów po próby separacji. Jest też propozycja zrobienia z Sary lesbijki, wynajęcie zawodowego zabójcy i manipulowanie przy hamulcach wozu Billy'ego.

– O, tak, już ty byś wiedziała, jak załatwić mu hamulce w samochodzie, co? – ironizowała Flower.

– Pewnie – odparła Marta. – Mieszkając z rodzicami, zadawałam się przez jakiś czas z jednym mechanikiem samochodowym.

– Dowiedziałaś się kiedykolwiek czegoś pożytecznego? – spytała Flower.

– Na przykład?

– No wiesz, jak zmienić koło i temu podobne.

– Chryste, nie. Zajmowaliśmy się ciekawszymi rzeczami – wyznała Marta.

– Więc zabierzmy się za jego hamulce. – Flower powiedziała to, nim zdążyła pomyśleć, i zaraz wybuchnęła śmiechem, tak dziwnie to zabrzmiało. Marta jej zawtórowała i po chwili obie były bliskie rechotu, kiedy nagle zadzwonił telefon. Zważywszy, że była pierwsza w nocy, obie dziewczyny poczuły, jak podskakuje im serce, i każda z nich pomyślała osobno, czy Billy jakimś cudem ich nie podsłuchiwał i teraz dzwoni, by im grozić.

Okazało się, że to Charlie.

– To tylko Charlie – powiedziała Flower, zasłaniając dłonią słuchawkę, ponieważ wiedziała, że poczułby się urażony owym „tylko", i obie z ulgą się roześmiały.

– Co się dzieje? – spytał Charlie poirytowany, sądząc, że sobie z niego żartują.

– Nic – odparła Flower, co zawsze było odpowiedzią niezadowalającą.

– Kiedy wracasz do domu? – zainteresował się Charlie.

Flower miała ochotę powiedzieć: „Kiedy zmienisz pieprzoną płytę", ale oznajmiła tylko:

– Już niedługo.

– Posłuchaj, przyjadę po ciebie – zaproponował. – Będę za dwadzieścia pięć minut.

Jak zwykle Flower nie zdążyła nawet rzucić do słuchawki „tak".

Marta, przez chwilę poważna, powiedziała:

– Posłuchaj, jeśli Billy nie ułoży sobie życia z Sarą, a jednocześnie będzie tłukł ją cały czas, to w końcu zacznie walić też innych.

– Wiem – przyznała Flower. – Ale to nie nasza sprawa. Jedna kobieta na cztery cierpi z powodu przemocy domowej, ale to nie znaczy, że mamy wykończyć dwadzieścia pięć procent facetów w tym kraju.

– To jest nasza sprawa – oznajmiła z naciskiem Marta.

– Dlaczego? – zainteresowała się Flower.

– Bo jesteśmy zalane w trupa – wyjaśniła, znów rycząc ze śmiechu i przy okazji mocząc sobie majtki, co było wywołane naciskiem Guli. Nie powiedziała o tym Flower. O Boże, pomyślała Marta, jestem zalana, a niedługo rodzę. Muszę wykazywać więcej rozsądku. Co tylko rozśmieszyło ją jeszcze bardziej. Zgięła się wpół i ruszyła do łazienki, próbując zapanować nad pęcherzem. Po powrocie do pokoju zauważyła, że Flower wzięła listę i dopisuje nowe punkty. Wyrwała jej brutalnie kartkę.

– Terapia? – przeczytała z lekceważeniem. – Strata cholernych pieniędzy i wysiłku.

– Nie mam ochoty znowu się z tobą kłócić o terapię – zastrzegła Flower.

– I co to takiego jest? – dopytywała się Marta. – Kontrola pieprzonego gniewu?

– Tobie jest potrzebna kontrola cholernego przeklinania – zauważyła Flower.

– Daj spokój – przekonywała Marta. – Zgraja brutalnych palantów, którzy siedzą w kręgu i mówią: „No i wtedy walnąłem ją młotkiem". Jaka z tego do cholery może być korzyść?

– Słuchaj, nie mówiłam nic wcześniej, ale Charlie poszedł na takie spotkanie, żeby zobaczyć, jak ono wygląda – wyznała Flower.

Marta znów zaczęła się śmiać.

– Jezu – westchnęła Flower. – Co cię tak śmieszy?

– Oberwał? – wykrztusiła Marta.

– Skąd wiesz? – spytała zdumiona Flower.

– Zawsze obrywa – wyjaśniła Marta, wciąż nie mogąc zapanować nad wesołością. Rozległo się pukanie do drzwi.

– W porządku, to tylko Charlie – zauważyły jednocześnie. To nie był jednak Charlie, tylko Pat, mama Marty. Zaryzykowała drugą wyprawę w jądro ciemności.

– Mamo? – zdziwiła się Marta, która była zalana i wkurzona, i nie uświadamiała sobie jeszcze, że Pat wygląda tak samo jak ona.

– Robiłam zakupy, a potem poszłam do pubu – oznajmiła Pat.

Marta i Flower, w swym upojeniu alkoholowym, uznały to za niezwykle zabawne, i choć jedna miała trzydzieści pięć, a druga trzydzieści osiem lat, z trudem panowały nad dziewczęcym rechotem.

– Byłaś w pubie? Nigdy nie poszłaś tam nawet z ojcem, a co dopiero sama. I co robisz tu o tej porze? – dopytywała się Marta, uświadamiając sobie, że doszło do pewnej zamiany ról.

– Spóźniłam się na pociąg – wyjaśniła Pat.

– Zadzwoniłaś do taty?

– Przesłałam mu SMS-a – odparła Pat. – Jakiś chłopak w pubie pokazał mi, jak to się robi.

– Że co? – spytała zdumiona Marta. Zdawało się, że jej matkę zastąpiła jakaś pozbawiona społecznych zahamowań nastolatka. – Czy tata ma komórkę?

– O, tak – zapewniła Pat. – Ma naprawdę niesamowitą nokię.

Marta poczuła mdłości. Zastanawiała się, czy Pat nie dostała przypadkiem wylewu, i postanowiła zbadać sprawę rano. „Uważaj na wszystko", szepnęła do Flower, sama zaś poszła sprawdzić, czy jej sypialnia nadaje się, by położyć w niej matkę.

– Ale ja chcę się z wami napić – protestowała Pat, gdy Marta próbowała skierować ją do jej pokoju, prowadząc za łokieć niczym dziewięćdziesięcioletniego mieszkańca domu starców.

Pat uległa w końcu i zasnęła niemal natychmiast. Marta nie mogła się nadziwić, że matka po raz drugi zdołała przedostać się przez osiedle, i doszła do wniosku, że być może Bóg istnieje.

Gdy weszła z powrotem do salonu, Flower spytała:

– Do cholery, Marta, czy twoja mama odfrunęła z planety chwilowo?

– Nie wiem – wyznała Marta. – Dowiem się jutro.

Kolejne pukanie do drzwi obwieściło przybycie Charliego, który wcześniej widział, jak Pat krąży pod knajpą serwującą kebaby, i uznał ją za włóczęgę.

– Jakieś pieprzone świrusy łażą dziś po ulicach – oświadczył. – Ten towar, który sobie wczoraj walnęliśmy, był supermocny, Flower, ale jestem pewien, że właśnie widziałem faceta z durszlakiem na głowie, a pod domem jakąś niesamowitą starszą babkę.

– Zgadza się, to była moja mama – wyjaśniła Marta.

– Ha, ha, cholernie śmieszne – skrzywił się Charlie.

– Mówię poważnie – zapewniła Marta. – Śpi w moim łóżku.

– Bzdura – prychnął Charlie.

– Powiedz mu – zwróciła się Marta do Flower.

– Słowo daję – zapewniała Flower. – To prawda.

– Nie róbcie sobie jaj, stare zalane dziwki – roześmiał się Charlie.

Marta wskazała sypialnię.

– Idź i sam zobacz.

– Co tam jest, wiadro z wodą nad drzwiami? – spytał Charlie. – Dmuchana lala na wyrku?

– Nie, moja cholerna matka. Tylko jej nie obudź – ostrzegła Marta.

Charlie ruszył do sypialni, gdzie z trudem rozpoznał jakiś kształt pod kołdrą, uznając go za stos poduszek. Usiadł na brzegu łóżka i trącił wzgórek solidnie.

– Witaj, rodzicielko Marty, ty stara zdziro – rzucił na powitanie.

Spod kołdry wysunęła się dłoń i chwyciła go w okolicy krocza. Charlie niemal walnął głową w sufit. Kiedy wrócił do pokoju, wyraz jego twarzy powiedział Marcie i Flower, że znalazł Pat, a ona znalazła jego. Ponadto Marta miała durszlak na głowie.

– Chodź, Flower – powiedział Charlie. – Czas wracać do domu.

Ten jeden raz Flower nie oponowała.

Nazajutrz wszyscy mieli kaca z wyjątkiem Sary, która położyła się wcześnie i wstała ożywiona i w pełni sił. Postanowiła – podczas gdy obok leżał Billy i chrapał, czego nie należy się spodziewać po przystojnych mężczyznach – że zajdzie do Marty, napije się kawy i sprawdzi, jak się miewa Gula. I wyciągnie z przyjaciółki trochę więcej szczegółów na temat Teda.

Marta wyglądała koszmarnie: czupryna tłustych włosów nad ziemistą twarzą o nabiegłych krwią oczach, które stanowiły na jej obliczu jedyny żywy akcent.

– Która godzina? – spytała głosem przywodzącym na myśl skrzek żaby.

– Około dziesiątej, koleżanko – odparła Sara. – Nastaw czajnik, cholernie chce mi się kawy.

Marta wyglądała tak okropnie, że Sara mogłaby uchodzić za hożą szwajcarską dojarkę z reklamy produktów mlecznych. Marta poszła zaparzyć kawę i co chwila wykrzykiwała z kuchni fragmenty dialogu, nie dostrzegając, że Sara nie odpowiada, tylko rzuca od czasu do czasu „uhm" albo chrząka. Marta przyrządziła sobie kawę w filiżance, której osad wyglądał na kilkudniowy, filiżankę Sary zaś opłukała wielkodusznie pod strumieniem ciepłej wody.

– Flower trafiła wczoraj wieczorem na koszmarnego nękacza – oznajmiła, wnosząc kawę do pokoju i dostrzegając przy okazji, że Sara ma na twarzy grymas gniewu, zupełnie jak wielebny Brian.

– Co to, kurwa, ma znaczyć? – zażądała wyjaśnień, machając w stronę Marty bloczkiem kartek.

– To bloczek – wyjaśniła Marta.

– A co ma znaczyć ta lista? – dopytywała się Sara.

Marta uświadomiła sobie w ułamku sekundy, że to lista, którą opracowały razem z Flower, i że zawiera ona propozycje dotyczące Billy'ego. Czy na górze widniało jego imię? Oddarła je? Czy Sara mogła się zorientować po treści, że chodzi o niego? Zaryzykowała.

– Och, piszę książkę w pracy – wyjaśniła.

– Bzdura – prychnęła Sara. – Chodzi o Billy'ego, prawda?

– Dlaczego tak uważasz?

– Domyślam się – oznajmiła Sara.

Wspaniale, pocieszyła się w duchu Marta. A więc nie ma tam imienia Billy'ego.

– Posłuchaj – powiedziała. – Naprawdę nie chcę… to znaczy, jestem trochę zażenowana – no dobra, i tak się prędzej czy później dowiesz. Moja mama jest tutaj, bo tata ją maltretował.

– Nie! – Sara była zdumiona. Wydawało jej się, że wielebny Brian zawsze tylko wrzeszczy.

– Niczego jej nie mów, kiedy wstanie – uprzedziła Marta.

– Flower i ja zalałyśmy się wczoraj wieczorem i przyszło nam do głowy, żeby jakoś jej pomóc. Stąd ta lista.

Jakby na wezwanie w drzwiach sypialni stanęła Pat. Miała na sobie szlafrok Marty zarzucony na ubranie i sprawiała wrażenie absolutnie bezkrwistej.

– Przepraszam, kochanie. Chyba się wczoraj upiłam – wyznała. – To się więcej nie powtórzy.

Rozdział 17

Kiedy Sara była u Marty, Billy siedział w domu i oglądał w telewizji sobotni program o piłce nożnej. Jednakże fragment jego umysłu, i to nie ten, który był zwykle skupiony na Sarze, zaprzątnęło mu coś innego. Nie był to seks, choć mężczyźni w rzeczywistości myślą o nim co siedem sekund. Kto prowadził tę konkretną statystykę, zastanawiał się Billy. Kto stanowił w tym wypadku grupę kontrolną i czy mężczyźni nie byli skłonni twierdzić, że myślą o seksie, choć tak naprawdę dumają o czymś zupełnie innym?

Billy doszedł ostatnio do wniosku, że naprawdę lubi Sarę, że jest w stanie tolerować jej zwariowane przyjaciółki i że z radością przystanie na życie u jej boku. Wyrzekł się już niemal młodzieńczej nadziei, że spotka pewnej nocy długonogą modelkę i pornogwiazdę, aktorkę z wielkimi cycami, i pomyślał sobie, że w wieku trzydziestu dwóch lat powinien prawdopodobnie wykazać więcej rozsądku i tryskać nasieniem w stałą wylęgarnię. Jednakże, jak w przypadku większości mężczyzn, jakąś maleńką cząstką swej istoty czepiał się złudnej nadziei, że – choć szczęśliwy w związku i po raz pierwszy gotów uporać się ze swym wybuchowym charakterem, zwłaszcza w chwilach upojenia alkoholowego – może w swym seksualnym harmonogramie znaleźć miejsce dla jakiejś nieprzyzwoitej kobiety. Dlaczego jego myśli zawsze przypominają kiepskiego pornosa, pytał samego siebie.

Billy, w przeciwieństwie do wielu brutalnych mężczyzn, był świadomy swego zachowania, wiedział, że musi je powściągnąć, i zastanawiał się, czy da się takim ludziom jak on pomóc. Nie mógł spożytkować swych skłonności jako mistrz bokserski albo zastępca dyrektora szkoły średniej w podupadłej dzielnicy, gdzie prym wiodą gangi, więc pomyślał, że będzie lepiej, jak sobie z tym jakoś poradzi. Billy wiedział, że gdy jego temperament zaczynał buzować, stawał się łobuzem; ktokolwiek, nawet ktoś, kogo kochał, jak mu się zdawało, mógł rozpalić płomienie gniewu i doprowadzić go do takiej wściekłości, że Billy zastanawiał się, czy ta zakorzeniona głęboko furia w ogóle mu kiedykolwiek minie. Może jakiś pedałowaty dupek-psychiatra z północnego Londynu byłby w stanie go ucywilizować, ale wątpił w to. Billy nic nie mógł poradzić, że jego krytyka była skierowana na zewnątrz, pod adresem innych, w przeciwieństwie do większości kobiet. Zawsze był skłonny dostrzegać słabości w bliźnich; nie wiedział tylko, jak ma sobie z tym poradzić.

Kiedy tak leżał na sofie i medytował, otworzyły się drzwi i weszła Sara, witając się głośno z przedpokoju i rzucając hałaśliwie torebkę na stolik, co nieodmiennie irytowało Billy'ego, który w tej chwili oddawał się rozmyślaniom. Przyszło mu do głowy, żeby wrzasnąć, ale się powstrzymał. Po chwili Sara poczłapała do łazienki, a Billy usłyszał, jak odkręca prysznic, i zaczął się zastanawiać, czy zostawiła zasłonę na zewnątrz brodzika i zachlapała podłogę, nie wspominając już o mydle, które zmieniało się w lepką maź. Zastanawiał się też przez krótką chwilę, dlaczego w ogóle bierze prysznic i w ciągu kilku sekund obmyślił scenariusz, w którym Sara została zerżnięta na stojąco, przy ścianie, przez jego kumpla z pracy imieniem Craig, aż w końcu zaczął naprawdę w to wierzyć. Przyłapał się na tym, że wystukuje na komórce numer telefonu Craiga, by sprawdzić, czy ten przebywa w swoim mieszkaniu w Hertfordshire, i po krótkiej rozmowie z jakiegoś zmyślonego powodu nic mógł się nadziwić, jak Craig zdołał tak szybko wrócić do domu po rzekomej schadzce z jego dziewczyną.

Sara, nieświadoma tych złowieszczych rozmyślań, śpiewała jakąś koszmarną piosenkę z listy przebojów. Była to jedna z rzeczy, których Billy nie pojmował w przypadku Sary i innych kobiet; nie miała ulubionego zespołu, nic nie wiedziała o ludziach, którzy grali preferowaną przez nią muzykę, nie miała bladego pojęcia o katalogach, o tym, kto gra na saksofonie albo kto pomaga przetrwać kapeli w trudnych czasach. I nigdy nie odkładała na miejsce kompaktów.

Sara tymczasem stała pod prysznicem, przygotowując się do swego zwyczajowego rytuału piękna. Niektóre dziewczyny to robią, inne nie. Tych drugich nikt nie może do tego zmusić i irytują je te pierwsze, gdyż uświadamiają im negowanie fundamentalnego dziewczęcego obowiązku. Na przykład Marta uważała demakijaż, tonizowanie i nawilżanie za stratę czasu i była przekonana, że wszelkie namowy ze strony firm kosmetycznych to tylko wybieg, by zaszczepić w kobietach strach przed zmarszczkami, tym samym zmuszając je do bezustannego szaleństwa, jakim jest nabywanie kosmetyków. Mówiła ludziom, że ich nie kupuje dla zasady, ale prawdę powiedziawszy w sobotni wieczór stosowała specyfiki z górnej półki. Flower nie stosowała niczego i nie musiała, a brak w jej życiu produktów kosmetycznych wynikał stąd, że ktoś jej kiedyś powiedział, jakoby niektóre kremy upiększające wyrabiane były z wyskrobanych embrionów zakonnic francuskich. Starała się więc za wszelką cenę wyrzucić z myśli ten koszmarny obraz, gdyż każda próba nawilżenia cery wywoływała nieprzyjemne wrażenie, że wciera sobie w policzek jakieś dziecko.

Sara jednak była drobiazgowa i spędzała godziny na stoiskach kosmetycznych największych domów towarowych, rozważając wady i zalety przeróżnych produktów, i słuchając z uwagą ogólnikowych bredni wypacykowanych kobiet z idealnym podkładem, wielkimi jak u pandy oczami i encyklopedyczną wiedzą na temat znakomitości z pierwszych stron modnych magazynów.

Kiedy już wtarła w siebie mnóstwo olejku kokosowego, zabrała się do stóp i wyższych partii ciała, posługując się trzema różnymi dezodorantami – do nóg, pach i czegoś jeszcze. W tym ostatnim wypadku użyła specyfiku zwanego eufemistycznie „dezodorantem intymnym", ponieważ maskuje on ostry zapach kobiecy niezwykle silnym aromatem kwiatowym, który mógłby zabić psa z odległości dziesięciu metrów.

Następnie Sara uporała się z kolejnym problemem, jakim było usunięcie owłosienia z tych miejsc, gdzie nie powinno występować, to znaczy z nóg, pach i twarzy. Jeśli chodzi o twarz była bardzo skrupulatna, gdyż wąsy kojarzyły się jej nieodmiennie z lesbijkami w komiksach. Może dlatego, że przeciętnemu nastolatkowi na ulicy kojarzyły się z tym samym, i Sara żyła w ciągłej obawie, że spacerując w pojedynkę albo co gorsza z Billym, usłyszy: „Rany, jakby miała wąsiska!", co głęboko zraniłoby jej ego. Sara próbowała kiedyś stosować kremy do depilacji, ale cuchnęły tak, jakby miały jej wypalić dziurę w policzku, i pozostawiały trwały smak pestycydów w ustach. Nawoskowała sobie twarz, a potem zabrała się do niszczenia czegoś, co w jej przekonaniu przypominało wielkie i bujne krzewy na nogach, a co w rzeczywistości było jedynie niedostrzegalnym wykwitem leciutkiego meszku. Pachy też sobie obrobiła i choć bardzo się starała, nie mogła opędzić się od wizji wyskubanego kurzego tyłka, kiedy uniosła ramię, by skontrolować efekty swych poczynań. Paznokcie zostały przycięte i nawilżone, skórki zaś usunięte. Brwi pokiereszowane. Dłonie pokryte grubą warstwą kremu, a uszy spenetrowane wacikami na patyczku.

W tym właśnie momencie Billy zaczął swój stary numer.

– Co, do kurwy nędzy, zabiera ci tyle czasu?

Sara dosłyszała w jego głosie gniew i miała ochotę wymienić czym prędzej po kolei wszystkie łazienkowe czynności, aż sobie pójdzie, zostawiając ją w spokoju, albo wybuchnie. Zamiast tego zdobyła się na wesołe, aczkolwiek wymuszone „Wyjdę za minutę!". Na nieszczęście wkurzyło to Billy'ego jeszcze bardziej.

– Dlaczego nie możesz zachowywać się jak ta tłusta maciora!? – wrzasnął, uważając niepochlebny epitet za żartobliwe przezwisko Marty, które jednak irytowało Sarę.

– Co masz na myśli? – odkrzyknęła.

– Wiesz doskonale; nigdy nie zawraca sobie głowy tym codziennym gównem, goleniem, a pod każdą pachą ma bobra.

– Nie bądź okropny!

– Albo jak ta hipiska ze swoim błonnikiem i paczulą, która cuchnie pod spodem jak niewykwalifikowany robol.

Billy rozgrzewał się przed swoją klasyczną tyradą o wadach przyjaciółek Sary.

– Och, przynajmniej raz daj sobie z tym spokój, dobra? – odszczeknęła Sara, balansując na jednej nodze, by sprawdzić, czy na podbiciu stopy nie pojawiły się nienaturalne narośla, plamy czy wykwity grzybicze. Nie słyszała, jak Billy oddycha przeciągle, ale mogła to sobie wyobrazić.

– Tak, i Flower nigdy się nie myje… – zaczął.

Och, tylko nie to, pomyślała Sara.

– Zamknij się, kurwa – rzuciła cicho.

Billy musiał chyba przystawiać trąbkę akustyczną do drzwi, bo coś jakby do niego dotarło.

– Słucham? – spytał złowieszczo.

– Nic – odparła Sara, wiedząc doskonale, że to niewłaściwa odpowiedź.

Z jakiegoś powodu, którego Billy nie mógł zgłębić, wkurzyło go to naprawdę.

– Co to znaczy „nic"!? – wrzasnął i Sara aż podskoczyła na dźwięk jego pełnych furii słów.

Sara wyłoniła się zza drzwi łazienki z błyszczącą, wolną od owłosienia twarzą, różowymi i wygolonymi nogami, między palcami stóp zaś miała dziwaczne rzeczy, które się tam wsuwa, malując paznokcie. Ponieważ wyglądała idiotycznie, Billy w tym momencie powinien się po prostu roześmiać i zapomnieć o swoim narastającym gniewie, ale był to Billy; jego wściekłość narastała, a on nie mógł jej zahamować, dopóki cała żółć nie wyciekła na zewnątrz.

– Spójrz na siebie – rzucił bardzo nieuprzejmie, a Sara, zwykle bojaźliwa, lecz tym razem ośmielona wizytą w norze Marty i dziwnym zachowaniem jej matki, zatrzasnęła Billy'emu drzwi przed nosem. To w zupełności wystarczyło, by wywołać prawdziwy napad szału u Billy'ego, który zaczął kopać wściekle w drzwi łazienki. Sara przestraszyła się nie na żarty i zamknęła je na klucz. To tylko dolało oliwy do ognia i Billy zaczął kopać jeszcze energiczniej, wrzeszcząc: „Nie zamykaj przede mną mojej własnej łazienki!", co zabrzmiało żałośnie.

Sara zaczęła się śmiać, Billy zaś poczuł się dotknięty do żywego, a potem nie było już odwrotu, więc zaatakował drzwi z ekstrawagancją, jaką rezerwował wyłącznie na wyjątkowo brutalne chwile. Sara nie mogła uwierzyć, że mężczyzna, z którym mieszka, próbuje przedrzeć się przez lite drewno, by ją dorwać. Zastanawiała się, co zrobi, kiedy mu się uda, i on też się zastanawiał.

Nie musieli czekać długo, ponieważ drzwi łazienkowe, już lekko spróchniałe, jak to w wynajętych mieszkaniach, poleciały z zawiasów, uderzając Sarę w głowę. Jak wiele innych osób, dziewczyna często zadawała sobie pytanie, czy naprawdę człowiek widzi gwiazdy, kiedy oberwie porządnie w łeb.

Nie widzi.

Zrobiło się jej jednak niedobrze i doznała najszybszego w życiu bólu głowy.

– Po coś to zrobił? – spytała, wiedząc już, jaka będzie odpowiedź: „Bo jestem wkurzonym głupkiem". Nie zastanawiając się nad tym, co robi, chwyciła mydelniczkę i cisnęła nią. Pocisk poszybował obok ucha Billy'ego i roztrzaskał się o lustro w przedpokoju. O, rany, małżeński pech, pomyślała Sara. Niech to diabli.

Billy, rozsierdzony historią z lustrem, osiągnął wyższy stopień gniewu i wymierzył potężny cios. Sara, która nie mogła uwierzyć, że jest do czegoś takiego zdolny, próbowała zrobić unik, potknęła się i upadła, uderzając głową o umywalkę.

W tym momencie, jak to zwykle bywa w farsie, rozległo się pukanie do drzwi. Billy i Sara poczuli jednocześnie, jak podskakują im żołądki. Billy nie chciał być przyłapany in flagranti, by się tak wyrazić, a Sara nie chciała, nawet na tym etapie eskalacji gniewu, by zrobił na kimkolwiek złe wrażenie. Pomyśleli, czy nie lepiej siedzieć cicho i nie otwierać, ale Billy uznał, że to zbyt ryzykowne.

– Zostań tu – nakazał Sarze i otworzył drzwi wejściowe.

Był to Charlie, który nigdy jeszcze nie widział tak dzikich oczu u Billy'ego. Z radością by się odwrócił i zwiał, ale namówiony przez Flower przybywał z misją, ta zaś musiała być wykonana.

– Cześć, stary – oznajmił, starając się mówić tak, by nie przypominać człowieka, który ze strachu nie panuje nad czynnościami fizjologicznymi.

– Czego chcesz? – warknął Billy o gburowatym spojrzeniu.

– No – odparł z wahaniem Charlie – nie zrozum tego opacznie, ale może zechciałbyś pójść ze mną na spotkanie takiej grupy, gdzie ludzie uczą się panować nad gwałtownymi odruchami... no wiesz, tak dla śmiechu?

Gigantyczna pięść spotkała się z policzkiem Charliego, który poczuł, jak załamują się pod nim nogi.

Rozdział 18

Charlie kuśtykał do domu, obmacując bardzo obolałą szczękę i zadając sobie pytanie, dlaczego znów dotknęła go przemoc. Wydawało się czymś niesprawiedliwym, że on, który przez całe życie starał się zapobiegać wojnom, utrzymać przy życiu lisy, zapewnić robotnikom godziwą zapłatę i ograniczyć władzę sił policyjnych, zawsze dostawał po gębie.

Flower przywykła do tego, że Charlie wraca do domu z jakimś siniakiem, więc nie zwróciła uwagi, kiedy przekradł się chyłkiem do mieszkania, trzymając się za twarz i mrucząc coś niezrozumiale. Poirytowana w końcu, że nie może spokojnie wysłuchać taśmy relaksującej, którą sobie właśnie puszczała, a tym samym czując się bardzo niezrelaksowana, spytała:

– O co chodzi, Charlie?

– Uderzył mnie – odparł Charlie głosem, który dowodził, że już do tego przywykł.

– Kto? – rzuciła machinalnie Flower, wciąż rozkojarzona.

– Billy cholerny dupek Taylor, ot kto – wyjaśnił Charlie.

W końcu Flower spojrzała na niego.

– Billy cię uderzył?

– Tak – odparł Charlie. – Coś dziwnego odchodziło w tym domu męki. Usłyszałem wrzask, poleciał jakiś przedmiot, potem wygłosiłem krótką przemowę, a ten drań mi przyłożył.

– Widziałeś Sarę?

– Nie, szczerze mówiąc.

– No, a słyszałeś ją?

– Nie – wyznał Charlie.

– Nie wiesz w takim razie, czy żyje, czy jest martwa?

– Och, nie dramatyzuj – skarcił ją Charlie. – Oczywiście, że żyje.

Flower sięgnęła po słuchawkę i wykręciła numer Sary. Odebrał Billy.

– Halo, czy mogę mówić z Sarą? – spytała Flower.

– Nie – odpowiedział Billy. – Nie ma jej.

– No to gdzie jest? – Flower dosłyszała niepokój w swoim własnym głosie.

– Poszła na zakupy – wyjaśnił Billy. – Powiem jej, że dzwoniłaś.

Odłożył słuchawkę.

– Zabił ją – oświadczyła Flower. – Zawiadomię policję.

– A co te faszystowskie palanty na to poradzą? – spytał szyderczo Charlie.

Flower oświadczyła poirytowana:

– To nie miejsce ani pora na tyrady o policji.

– Ani na przedmiesiączkowe fantazje o morderstwie na przedmieściu – zrewanżował się jej Charlie, który bezbłędnie rozpoznał symptomy.

– Nie mam zespołu objawów przedmiesiączkowych! – wrzasnęła Flower.

– W Anglii nazywamy to napięciem przedmiesiączkowym – sprostował Charlie, który czasem dawał wyraz antyamerykańskiemu nastawieniu, przyprawionemu nieuzasadnionym szowinizmem. I poradził: – Zadzwoń na jej komórkę.

Flower tak uczyniła, Sara odpowiedziała nieco przygaszona, ale poza tym żywa.

– Wszystko w porządku? – zaczęła Flower.

– A z Charliem? – odpowiedziała pytaniem Sara. – Naprawdę mi przykro.

– Nie twoja wina – zapewniła ją Flower. – Chcesz wpaść?

– Nie, jestem na zakupach. Chyba fundnę sobie nową spódnicę. To pomoże.

Sara rozgrzeszała się ze swego uzależnienia. Flower zawsze mówiła, że jeśli ktoś jeszcze raz w jej obecności nazwie to terapią zakupową, to go walnie, ale Sara nawet nie wiedziała, co to takiego terapia zakupowa.

– Uderzył cię?

– Tylko drzwiami, i to niechcący.

Hormony Flower sprawiły, że w rozmowę wkradło się więcej melodramatu.

– Zabije cię.

– Tak, proszę – powiedziała Sara.

– Co? – zdziwiła się Flower. – Chcesz, żeby cię zabił?

– Nie, mówię tylko, że chcę musztardy do hot doga... jedzenie zawsze poprawia mi humor – wyjaśniła Sara.

– Kiedy dostałaś drzwiami w głowę?

– Nie słyszę cię, głos zanika – poinformowała Sara.

Według etykiety komórkowej, którą wyznawała Flower, zawsze oznaczało to wymówkę, by się wycofać.

– Nie rozłączaj się – rzuciła zdesperowana niczym negocjator policyjny do kryminalisty przetrzymującego zakładników, a potem spróbowała z innej beczki: – Przestań udawać, kurwa, że nic ma zasięgu.

Sara się jednak rozłączyła. Flower przystąpiła do wysyłania SMS-a, bardzo powoli, gdyż nie nauczyła się tego dobrze i zawsze miała kłopoty z obsługą przycisków, więc w końcu zaczęła z mozołem wystukiwać. „Zadzwoń do mnie, trzeba coś z tym zrobić".

Tekst ten został przez pomyłkę przesłany Marcie, która odpowiedziała dwadzieścia minut później „Jestem w drodze", zbyt późno, by Flower mogła ją odesłać, a tym samym zafundowała sobie relaksacyjne popołudnie, obsesyjnie sprzątając mieszkanie albo okrutnie traktując zwierzęta, co stanowiło szczególne cechy jej przedmiesiączkowego napięcia. Charlie i kot kulili się ze strachu, Flower zaś sprzątała, aż wreszcie ktoś nacisnął prowizoryczny dzwonek u drzwi wejściowych i do środka wtoczyła się Marta, wymachując jej przed nosem świstkiem papieru i obwieszczając: „Trzeba wszystko przyspieszyć. Przypuszczam, że masz dla mnie jakieś wiadomości. Spróbuj tylko zrobić mi ziołową herbatę, a cię zamorduję". Po czym opadła na kanapę niczym wielka ciążowa góra.

Flower opowiedziała o wizycie Charliego u Sary, Marta zaś wyraziła podziw dla jego odwagi przyprawionej domieszką skrajnej głupoty, gdyż ona byłaby w stanie przewidzieć, że biedny Charlie oberwie od dyszącego wściekłością Billy'ego. Uważała, że Charlie jest słodki, ale odrobinę nieużyteczny, i doszła do wniosku, że pod żadnym pozorem nie zdecydowałaby się na jakikolwiek seksualny kontakt z tym człowiekiem.

Co innego Billy. Jakby podążając śladem matki, którą pociągały złowieszcze napady złego humoru u Briana, Marta była zafascynowana posępnością Billy'ego. Jednak spaliłaby się ze wstydu, gdyby Sara się o tym kiedykolwiek dowiedziała, gdyż według niepisanego prawa ich przyjaźni żadna nie mogła iść do łóżka z partnerem drugiej. Marta uświadomiła sobie, że się czerwieni i że Flower spogląda na nią zaciekawiona.

– Cóż, hormony! – wyjaśniła z emfazą, starając się zasłonić twarz. Flower, nawykła do hormonalnych eksplozji, tak własnych, jak i Marty, nie skojarzyła rumieńca na twarzy przyjaciółki z teoretyczną oceną przydatności w jej łóżku partnera Sary.

Potem obie usiadły i ponownie przeanalizowały listę, która zawierała następujące pozycje:

„Flower z nim pomówi".

– Niewiele dało – oznajmiła Flower. – Na dobrą sprawę była to cholerna strata czasu. Przypuszczam, że tylko bardziej się wkurzył.

– Kiedy z nim rozmawiałaś? – spytał Charlie, który jak zwykle podsłuchiwał.

– Och, wpadłam na niego obok stoiska z gazetami – wyjaśniła Flower.

– Myślałam, że... – zaczęła Marta. Flower uszczypnęła przyjaciółkę w ramię, nie żałując siły. – ... wpadłaś na niego w supermarkecie.

– Do kurwy nędzy, dziewczyny – wtrącił Charlie. – Czy to takie ważne?

Flower i Marta wymieniły spojrzenia.

„M. z nim porozmawia".

– W porządku – oznajmiła Marta. – Spróbuję.

– Jesteś pewna? – spytała Flower. – Wiesz, że robi się coraz gorszy.

– Och, nic mi nie grozi – zapewniła Marta. – Przecież nie walnie wielkiej brzuchatej damy?

– No tak, masz rację – przyznała Flower. – Następny punkt?

Marta pokazała Flower listę, na której widniało:

„Charlie z nim porozmawia".

Marta to przekreśliła.

„Kontrola gniewu?".

Marta postawiła obok wielki znak zapytania.

– Dobra – oświadczyła. – To nasze wstępne opcje. Pogadam z Billym, a potem zweryfikujemy listę, bo jak się okaże równie niechętny do współpracy ze mną jak z tobą, to może trzeba będzie pomyśleć o bardziej drastycznym rozwiązaniu. Na przykład o jakiejś małej ingerencji w ich związek.

– Och, nie jestem pewna – zastrzegła Flower.

– Chyba nie wymiękasz? – spytała podejrzliwie Marta.

– Nie ma mowy – zapewniła Flower. – Zamierzałam tylko zasugerować, żebyśmy pominęły tę historię ze związkiem i po prostu załatwiły, żeby ktoś mu dołożył.

Charlie zrobił za plecami Flower minę zabójcy posługującego się siekierą.

– Ale ze mnie idiotka – wyznała Marta. – Wciąż zapominam, że masz napięcie przedmiesiączkowe. Posłuchaj, pogadam z Billym, a potem się zastanowimy, dobra?

Flower przytaknęła.

Reszta listy wyglądała następująco:

● Ich związek.
  Rozdzielić ich.
  Przespać się z nim.
  Znaleźć jej nowego faceta.
  Znaleźć jej kobietę.
● Zagrozić mu.
  Załatwić, żeby ktoś mu dołożył/zabił go.

Flower i Marta zostawiły to sobie na następny dzień.

Rozdział 19

Marta rozmyślała długo i intensywnie o czekającej ją rozmowie z Billym. Brała pod uwagę neutralny grunt pubu i doszła do wniosku, że nie zapewni on koniecznej dyskrecji. Przyszła jej do głowy miejscowa restauracja – żadnych problemów z prywatnością, ponieważ nikt, kto zamieszkiwał ten obszar, typowy dla klasy robotniczej, nie jadał zdrowej żywności. Gdy tylko ludzie się zorientowali, że spożywanie wegetariańskich dań nie spowoduje zatrzymania akcji serca, przestali tam zaglądać.

Gula miała się pojawić za dwa tygodnie, a ponieważ była to pierwsza ciąża, Marta wmawiała sobie, że mała wyskoczy z niej w wyznaczonym momencie, pomimo faktu, że ponad trzy czwarte dzieci uparcie odmawia przyjścia na świat w dniu, który przewidział ginekolog położnik. Gula była teraz bardziej ludzka niż on/ona był/była kiedykolwiek wcześniej i Marta czuła, jak jej/jego małe rączki wpychają się w jej skórę, od czasu do czasu też obrywała piętą, gdy Gula się obracała, szukając wygodniejszej pozycji. Ciągle w umyśle Marty pojawiała się scena z filmu *Obcy, ósmy pasażer Nostromo* z Johnem Hurtem, kiedy to z jego brzucha wyskakuje przy kolacji demoniczny noworodek. Wizja ta była wyjątkowo uporczywa.

Na tym właśnie etapie procesu ciążowego Marta zaczęła się martwić, jak sobie poradzi z opieką nad dzieckiem, zwłaszcza jeśli okaże się demonicznym noworodkiem.

Tłustowłosy Ted zaproponował, że będzie mogła wrócić do pracy, wciąż nie zdając sobie sprawy, że właśnie jego sperma jest odpowiedzialna za zbliżające się macierzyństwo Marty, i czując w skrytości ducha żal i zazdrość, że to dziecko jakiegoś innego faceta. Nigdy mu nie przyszło do głowy, by sprawdzić daty i porównać je ze spotkaniem, do którego doszło między nim a Martą na tyłach klubu; zakładał, że to jakiś bardziej stały i wredny drań porzucił ją na wieść o ciąży. Choć się bardzo starał, nie zdołał z niej niczego wyciągnąć. Jako że Ted prowadził klub z tańcem erotycznym w Soho i wyglądał jak tęgi kandydat do więzienia o zaostrzonym rygorze, można by sobie wyobrażać, że był zaniedbany i nieprzyjemny, nieledwie gwałciciel, ale w rzeczywistości był najmilszym, najłagodniejszym, najzabawniejszym facetem, który, pomijając nieciekawą aparycję, stanowiłby dla dziewczyny prawdziwy skarb.

Marta wciąż się gryzła, że w kombinacji z Tedem wyprodukuje jakąś pomniejszą wersję człowieka-słonia, i przyszło jej do głowy, że będzie musiała oddać dziecko do adopcji, jeśli nie zniesie jego widoku, albo jeśli – choć słodkie – będzie odznaczało się wielką głową.

Marta przez całą ciążę próbowała uparcie zachowywać się jak skromna kobieta przy nadziei, ale stwierdziła, że niezwykle trudno przestrzegać zasad zdrowej diety, a także zrezygnować z alkoholu i fajek. Nigdy nie piła za dużo, ale zdarzało się, że wieczorem, kiedy musiała ukoić nerwy, łaknęła rozpaczliwie drinka. Myśląc o „rozmowie" z Billym, bezwarunkowo musiała ukoić nerwy.

Zdecydowała ostatecznie, że dorwie Billy'ego pod pretekstem pomocy przy komputerze. Udało jej się jakoś zainstalować u siebie e-mail pod dyktando społecznie niezaradnego maniaka informatycznego po drugiej stronie przewodu telefonicznego, który cmokał, ilekroć posługiwała się niezbyt technicznym żargonem, ale teraz chciała przejść do bardziej skomplikowanych rzeczy i kopiować swoją pracę na dyski, żeby jej nie utracić. Kupiła używaną nagrywarkę, ale nie miała bladego pojęcia, co z nią robić, i zamierzała zadzwonić do Billy'ego, który pracował przy komputerach, z prośbą o pomoc. Ted też znał się na tym, ale Marta się obawiała, że jeśli zaprosi go do siebie, to w związku z tym, że jest zabawny i że bardzo go lubi, złamie się i wyzna mu, że to jego dziecko tkwi w jej łonie.

Tak więc Marta zadzwoniła do Billy'ego do pracy i poprosiła, żeby przyszedł, a że naprawdę potrzebowała pomocy i wspomniała o tym Sarze, która z kolei powiedziała Billy'emu, nikt niczego nie podejrzewał. Po niezbyt skutecznej próbie Flower, to spotkanie zostało przygotowane z całą subtelnością renomowanego biura matrymonialnego z komputerową bazą danych. Billy z radością zgodził się pomóc Marcie, ponieważ od czasu incydentu z drzwiami łazienkowymi atmosfera w domu była lodowata. A zatem wyruszył tego dnia z pracy bardzo zadowolony – kupując przy okazji popołudniową gazetę i sandwicza – że może na chwilę wyrwać się z chałupy i że ma błogosławieństwo Sary, gdyż chodziło o pomoc jednej z jej przyjaciółek.

Marta natomiast znajdowała się w desperackim stanie niespokojnego oczekiwania. Cząstka jej istoty, która lubiła Billy'ego i do której z trudem się przyznawała, by oszczędzić sobie kłopotliwej konieczności wyznania tego faktu Sarze, podpowiadała, że nie powinno się go podejmować w mieszkaniu rozsiewającym zapachy wielu nieprzyjemnych substancji, od brudnej bielizny po kolację z zeszłego wieczoru. Kiedy Marta harowała z mozołem, podejrzewając, że tak musi wyglądać pustoszenie lasu deszczowego, kiedy przedzierała się przez mieszkanie z odkurzaczem, szufelką i zmiotką, kiedy zamiatała, polerowała i ścierała, kiedy spryskiwała wszystko, co tylko cuchnęło, dezodorantem o słodkiej woni, doznawała dziwnego uczucia lęku zmieszanego z odrobiną zadowolenia, że Billy będzie z nią sam na sam w jej mieszkaniu przez co najmniej dwie godziny.

Marta nie ignorowała całkowicie faktu, że musi Billy'emu zmyć głowę, lecz jak wiele kobiet szczerze wierzyła, że jeśli Billy z nią będzie, to jej nie przyłoży. Dźwignęła się z podłogi i uświadomiła sobie, że myśli o nim zbyt przychylnie, i zaczęła sobie powtarzać, że ma do czynienia z osobnikiem o gwałtownym usposobieniu, który uderzył jej przyjaciółkę, a zatem nie zasługuje na tak radosne oczekiwanie z jej strony.

Niezbyt mądrze – zważywszy na jej błogosławiony stan – zaczęła konsumować sześciopak mocnego piwa, który znalazła w głębi garderoby, pozostawiony tam bez wątpienia przez jakiegoś egoistycznego uczestnika popijawy, niechętnego myśli, że może to wypić ktoś inny. Marta pomyślała sobie, że łyknie pół puszki, by uspokoić nerwy, gdyż była właśnie zajęta układaniem sobie w głowie przemowy pod adresem Billy'ego. Odkurzając, pociągała trunek, i nagle okazało się, że trzy puszki są już opróżnione, ona zaś czuje się odrobinę pijana i winna. Była już w tak zaawansowanej ciąży, że nie powinna raczyć Guli alkoholem, ale nie wątpiła, że Gula dzielnie zniesie ów stan upojenia. Marta wierzyła święcie, że nie ma nic milszego niż unosić się po pijaku w ciepłym morzu wód płodowych.

Nastał wczesny wieczór, a ona wciąż miała mnóstwo roboty, na nieszczęście jednak jej zapał do pracy wyciekł strumyczkiem wraz z czwartą puszką, więc zebrała kupę śmieci i wepchnęła pod swoją kołdrę: kocią miskę, trochę puddingu, stos brudnych majtek, butelkę taniego wina z obluzowanym korkiem, jakieś resztki pizzy i domowy zestaw do płukania okrężnicy. W chwili, gdy kołdra przykryła ów dziwaczny zbiór wszelkich dóbr, rozległo się pukanie do drzwi. Marta wstała, by otworzyć, potknęła się i uświadomiła sobie, że jest nieźle wstawiona. Powinnam się wstydzić, pomyślała, ale jestem pijana, więc mam to w nosie.

„Siemasz", rzuciła do nikogo w szczególności, mając wprawę w ukrywaniu swego pijaństwa, której nabrała podczas licznych kolacji domowych po uprzedniej wizycie w pubie. Czuła się pełna serdeczności i altruizmu wobec świata, kiedy otwierała drzwi, co jednak się ulotniło, gdy zobaczyła pozbawioną uśmiechu twarz Billy'ego. Zajrzał wcześniej do miejscowego pubu i wstawił się dwoma mocnymi piwami, nietypowym w dzisiejszych czasach drinkiem, który jednak można określić jako ulubiony trunek niepoprawnych psychopatów, tak często bowiem pojawia się on w scenariuszach, gdzie niektórzy faceci pod jego wpływem dokładają zdrowo kibolom wrogiego klubu piłkarskiego, włamują się do pustego domu albo doprowadzają jakieś kobiety do łez.

– Wejdź – zachęciła go Marta, próbując za wszelką cenę sobie przypomnieć, czy Billy wie, że ona wie o „incydencie" z drzwiami łazienkowymi. Oczywiście, wie jak skurwysyn, powiedziała w duchu, uświadamiając sobie po chwili, że nawet w myślach wybełkotała owe słowa, co stanowiło bardzo niepokojący znak.

Billy wszedł do środka, okazując niejaką powściągliwość na widok świeżo uporządkowanego pobojowiska, jakim zwykle było mieszkanie Marty. Dzięki puszkom mocnego piwa jej lokum zyskało pewien prestiż, na ogół nieobecny.

– Siadaj – zaproponowała, wskazując stół w kuchni.

– Może zaczniemy? – spytał Billy, spoglądając na zegarek. – Mam dziś jeszcze mnóstwo roboty. Gdzie twój komputer?

Marta zaprowadziła go do pokoju, gdzie stał komputer; mieszkała tu obecnie jej matka, która postanowiła zostać jeszcze kilka dni, ale Marta, uważając, że Pat zdecydowanie wszystko schrzani, jeśli będzie się kręcić w pobliżu, namówiła ją, by wybrała się na West End i obejrzała jakiś show. „Obejrzeć show" oznaczało dla pokolenia Pat niezwykłą frajdę, nie trzeba było więc jej specjalnie przekonywać; oświadczyła, że wróci o jedenastej. Marta spojrzała na zegarek. Była 19.21, miała więc jeszcze prawie cztery godziny, by podjąć temat brutalności Billy'ego, doprowadzić go do furii i uratować sytuację dzięki swym nadzwyczajnym umiejętnościom negocjacyjnym. Mając za sobą połowę życia, Marta wciąż nie zdawała sobie sprawy, że jest całkowicie pozbawiona umiejętności postępowania z ludźmi.

Włączyła komputer, a Billy zaczął podłączać różne urządzenia i klikać z zadziwiającą szybkością po gąszczu ikon. Marta była zbyt zdezorientowana, by go pytać, co robi. Zawsze miała koszmarne problemy z elektroniką. Ledwie tydzień wcześniej na przykład, uroczy starszy gość z Indii, uosobienie poczciwego dziadka, zjawił się u niej i podłączył wideo za śmiesznie niską cenę, Marta zaś czuła wobec niego taką wdzięczność, że się niemal popłakała. „Czy mogę wypróbować dzieło swych rąk?", spytał, a ona wskazała stos kaset: „Proszę wybrać pierwszą z brzegu".

Gdy na ekranie telewizora pojawił się obraz, uświadomiła sobie, że oto mają przed oczyma dwóch nagich mężczyzn, z których jeden z wielkim entuzjazmem penetrował analnie drugiego. „To włoski film artystyczny", zdołała wydusić z siebie, dostrzegając zgrozę na twarzy biednego faceta i zadając sobie w myślach pytanie: „Po co w ogóle to mówiłam?".

Dziadkowaty monter wyszedł, odmawiając ze smutkiem napiwku.

Billy, jak się zdawało, kończył już robić z jej komputerem tę skomplikowaną rzecz, cokolwiek to było. Zachował wcześniej przeróżne pliki i teraz tłumaczył jej wszystko w technicznym żargonie, który przypominał hieroglify w wersji słownej, ona zaś przytakiwała, udając, że rozumie. Teraz problemem było to, jak go zatrzymać i pogadać o Sarze.

– Mogę ci nalać drinka? – spytała i stwierdziła ze zdumieniem, że jest nastawiony do pomysłu entuzjastycznie. Znalazła trochę wódki i wyszorowała w zlewie szklankę. Billy pochłonął jej zawartość jednym haustem, uśmiechnął się i wieczór jakby zaczął się od nowa.

Marta czuła się odprężona. Gula w jej wnętrzu odpłynęła w sen. Gawędząc po przyjacielsku, przenieśli się do salonu. Billy wyszedł na balkon i Marta, pod wpływem skrajnej i teraz już spodziewanej zmiany nastroju hormonalnego, wpadła w swym upojeniu alkoholowym na pomysł, by zrzucić go z balkonu, pozorując wypadek. Rezultat końcowy: wszyscy by na tym skorzystali.

Zaczęła obliczać, jakiej siły musiałaby użyć, by podbiec do niego i strącić go w ciemność nocy południowego Londynu. Zaczęła przekonywać samą siebie, że się uda, i choć obciążona Gulą, ruszyła truchtem w stronę balkonu, by się przekonać, czy da radę to zrobić. Gdy zbliżała się do Billy'ego, a śmieszny pomysł nabierał realnych kształtów, zaczęło walić jej serce. „Jestem morderczynią", powiedziała sobie w duchu, szykując się do ataku.

– Cześć, Marta.

Na sąsiednim balkonie stał Junior, największy, najbardziej dojrzały nastolatek we wszechświecie, który podlewał coś, co Marta zawsze uważała za konopie indyjskie, a co w rzeczywistości było cytrynową werbeną.

– Cześć, Junior – odparła Marta bez tchu.

– A to kto?

Przedstawiła ich sobie. Przez chwilę toczyła się nudna pogawędka, potem Marta i Billy weszli z powrotem do mieszkania.

– Posłuchaj, chcę pogadać z tobą o Sarze – oznajmiła Marta.

A potem, bez słowa ostrzeżenia, Billy ją pocałował – był to normalny, pełen łaknienia pocałunek z udziałem aroganckiego języka.

Nie wierzę, że to się dzieje, pomyśleli oboje jednocześnie.

Po chwili pocałunek przerodził się w kontakt fizyczny, który był mocny, szybki, niecierpliwy i, jak pomyślała z zachwytem Marta, bardzo, ale to bardzo nieprzyzwoity. Ubrania zwisały w strzępach, a nienarodzone dziecko wybiło się ze snu, gdy oboje dotarli jakoś do sypialni.

– Uważaj – ostrzegła Marta.

– Jak mam cię pieprzyć, dziecinko? – spytał Billy.

Popsuł urok chwili tą „dziecinką", ale mogę to darować i udawać, że moje wyczucie stylu nie doznało uszczerbku, pomyślała Marta.

Odrzucili w mroku sypialni kołdrę i wskoczyli na górę śmieci. Rozległ się trzask i plaskanie, któremu towarzyszyły odgłosy obrzydzenia, a potem rzecz potoczyła się już normalnym trybem.

Kiedy Pat wróciła do domu, nucąc „Climb every mountain", i spojrzała z salonu w stronę sypialni, jej oczom ukazał się tyłek w obramowaniu drzwi, który rytmicznie penetrował jej córkę. Odwróciła się i cmoknąwszy ze zdumienia, ruszyła do swego łóżka, nie zatrzymując się nawet po nieśmiertelną szklankę wody.

Rozdział 20

Pierwszym z organów Marty, jaki nazajutrz rano został zaatakowany, był jej nos, kiedy uświadomiła sobie, że kocie odchody przedostały się jakimś cudem do zbiorowiska śmieci, na których spali. Tak, to być może głupie, mieć kota, którego rzadko widywała, i mieszkać na dwunastym piętrze komunalnego bloku. Martwiła się też zbyt często o swoją Pluskę, fantazjując, że biedaczka zostaje schwytana przez miejscowe dzieci i wraca do domu pozbawiona żywotnych organów albo kończyn. Lecz Pluska nie robiła nigdy nic innego, jak tylko żyła stosownie do swego imienia, pluskając obficie do kuwety czy gdziekolwiek indziej w mieszkaniu, która to sytuacja została rozdmuchana do nieprawdopodobnych rozmiarów w związku z ciążą Marty i ryzykiem jakiejś choroby o koszmarnej nazwie, którą mogą powodować kocie ekskrementy.

Marta przebiegła w myśli wszystko, co była w stanie spamiętać z minionej nocy u boku Billy'ego i stwierdziła, że się czerwieni na wspomnienie pewnych rzeczy, jakie sobie oboje mówili. Czy wciąż byli tu „oboje", zastanawiała się, zaciskając mocno powieki, jakby chciała odgrodzić się od nieuniknionych skutków minionej nocy, czy też była to, jak zwykle, tylko „ona", żałosna kochanka, która tcraz wymykała się spod zasłony nieświadomości, zrodzonej jedynie pod wpływem ekstremalnych ilości alkoholu. Ledwie śmiała spojrzeć i niechętnie otworzyła jedno oko.

Chryste, wciąż tu jest, pomyślała.

Spróbowała otworzyć drugie oko i stwierdziła, że jest zaklejone poalkoholową mazią, będącą tworem matki natury. Marta poczuła falę wyrzutów sumienia na myśl o tym, co zrobiła jednej ze swych najlepszych przyjaciółek, i popadła w jeszcze większe przygnębienie, gdyż nie mogła uwolnić się od wrażenia, że chciałaby to zrobić jeszcze raz.

Billy miał do twarzy przyklejoną połówkę pizzy, przez co wyglądał jeszcze smakowiciej. Marta zauważyła, że to margherita, jej ulubiona. Gula zaczęła wierzgać, a hormony napłynęły z nową siłą, gdy przekręciła się w stronę Billy'ego, on zaś zareagował prawidłowo.

Z łazienki wyłoniła się Pat, by ujrzeć poranną powtórkę tego, czego świadkiem była poprzedniego wieczoru, i zawyrokowała, że jest to jeden z tych seksualnych maratonów, do jakich są wciąż zdolni ludzie przed pięćdziesiątką. Pat nie zdawała sobie sprawy z wyczerpania, jakie towarzyszyło jej córce podczas tej miłosnej schadzki, lecz jednocześnie pasja była niezwykle intensywna i pozwoliła Marcie, zamiast chrapać w najlepsze, zdobyć się na ogromny wysiłek, a tego właśnie pragnęła. Poza tym, rozumowała, mogła to być jej ostatnia okazja przez bardzo długi czas.

Billy, który mniej więcej w środku nocy doszedł do wniosku, że czułby obrzydzenie na trzeźwo, stwierdził, że jest obsługiwany z większą znajomością rzeczy i zachwytem, niż mógł sobie kiedykolwiek wyobrażać, i jego początkowy zamiar, by opuścić w milczeniu scenę, ścigany przez zdesperowaną Martę, rozpłynął się bez śladu. Jednak jak wszystkie dobre rzeczy, ta skończyła się bardzo szybko i gdy tak leżeli wpatrzeni w sufit, zaczął z wolna docierać do nich ogrom problemu, jaki stanowiła konieczność zatuszowania całej sprawy.

Marta poszła do kuchni zaparzyć herbaty na lepkiej powierzchni, która odgrywała rolę szafki, i odsłuchała automatyczną sekretarkę. Były na niej trzy wiadomości.

„Cześć, Marta, to ja. Czy Billy wciąż tam siedzi? Jest druga trzydzieści, a nie ma go jeszcze w domu. Może wspominał, że gdzieś idzie. Zadzwoń do mnie, dobra? Na razie".

„Marta, zadzwoń do mnie, dobra? Tu Sara".

„Marta, tu Flower. Mogłabyś przynajmniej zadzwonić do Sary i powiedzieć jej, co wiesz".

Marta, która zawsze lubiła być katoliczką, jako że katolicy wydają się mniej psychicznie niezrównoważeni niż ich anglikańscy odpowiednicy, po raz pierwszy zrozumiała, co to jest prawdziwe poczucie winy, gdy jej fala zalała ją bez reszty, niemal zrzucając na podłogę.

Billy także usłyszał wiadomości i udał się skruszony do holu, zupełnie już ubrany.

– Lepiej sobie pójdę – oznajmił.

Pat, podsłuchując przy drzwiach, pomyślała sobie: Tak, lepiej idź, mój chłopie.

– Na pewno nie chcesz zostać i napić się herbaty? – spytała Marta, świadoma, że nawet to beztroskie pytanie zabrzmiało dość rozpaczliwie, żywiąc jednocześnie nadzieję, że Billy nie dostrzeże wyrytej w jej mózgu wizji: Marta, Billy i Gula, teraz już prześliczne dziecko, jako mała rodzinna gromadka w dziecięcym zoo w parku Battersea, radośnie uśmiechnięta. Zastanawiała się, dlaczego alternatywna wizja – Billy po pijanemu tłucze ją bezlitośnie – nie poprzedziła tej idyllicznej scenki.

– Nie, lepiej pójdę – powiedział.

Mam go spytać, czy będzie powtórka przedstawienia, pomyślała Marta, zapominając na krótko, że to chłopak jednej z jej najlepszych przyjaciółek.

W chwili, gdy Marta miała się poniżyć tym pytaniem, ze swojego pokoju wyłoniła się szybko Pat i wyciągając rękę, oznajmiła:

– Jakże mi miło pana poznać, panie...?

– Właśnie wychodzę – zdołał wydusić z siebie Billy i wymknął się z ogromnym uczuciem ulgi za drzwi.

– Wygląda na miłego młodego człowieka – zauważyła Pat.
Zadzwonił telefon. Niestety, Marta nie zdecydowała się jeszcze na odpowiednią strategię, więc zakaszlała bardzo głośno, podczas gdy jej płaczliwa przyjaciółka pozostawiła kolejną wiadomość z prośbą o telefon.

Pat, która miała doskonały słuch, wyłapała sens przekazu i spojrzała surowo na córkę.

– O Boże, kochałaś się z narzeczonym swojej przyjaciółki? – spytała.

Marta nie mogła się powstrzymać od śmiechu, słysząc słowa matki.

– Mamo, jestem po trzydziestce i to, co robię, to nie twój interes – oznajmiła pobłażliwie. – Nie chcę cię denerwować, ale musisz przyjąć do wiadomości, że jestem dorosła, i choć moje decyzje mogą wydawać się niewłaściwe, sama je podejmuję.

Byłaby to naprawdę zadowalająca prośba o niezależność, gdyby nie ogromna łza, która zaczęła spływać Marcie po twarzy pod koniec owej krótkiej przemowy. Pat ścisnęło w dołku, jak zawsze, gdy jedna z jej małych dziewczynek była zasmucona, stały więc obydwie – Marta zapłakana jak nigdy i Pat, która próbowała bez większego powodzenia owinąć się wokół gigantycznego wybrzuszenia córki.

Sara i Flower siedziały w knajpie niedaleko bloku Marty, kiedy zobaczyły Billy'ego, który właśnie przechodził obok.

Ogarnięta paniką Sara zadzwoniła do Flower, kiedy Billy nie wrócił do domu, gdyż nigdy wcześniej mu się to nie zdarzyło, i Flower się zjawiła, by dotrzymać jej towarzystwa, dopóki Charlie nie zaczął jej zadręczać telefonicznie; wyszła około drugiej.

Sara przez całą noc nie zmrużyła oka, a Billy, który zaczął wieczór jako ktoś, kto irytował ją nieco od pewnego czasu i z kim mogła skończyć raz na zawsze, stał się przed nastaniem ranka świętym i szczodrym człowiekiem, którego kochała do szaleństwa i który bardzo rzadko uciekał się do przemocy, prawdopodobnie dlatego, że sama go prowokowała.

Flower nie była uszczęśliwiona, słysząc, jak Sara wychwala Billy'ego pod niebiosa niczym świętego Franciszka z Asyżu. Przebiegło jej przez myśl, że Billy i Marta spędzili z sobą noc, ale nie miała odwagi zasugerować tego Sarze, która też coś podejrzewała, ale zastanawiała się jednocześnie, czy samo takie przypuszczenie nie jest zdradą przyjaciółki. Flower często odczuwała na własnej skórze skutki hormonalnych wybuchów Marty podczas tej nieszczęsnej ciąży i wierzyła, że z jej strony jest możliwe każde zachowanie.

– Billy! – wrzasnęła Sara i wybiegła z knajpy.

Billy'emu serce zabiło mocniej, a umysł zaczął pracować na przyspieszonych obrotach.

Podbiegła do niego jak do żołnierza powracającego z wojny, ale w połowie drogi przypomniała sobie, że nie było go całą noc, i zatrzymała się gwałtownie kilka centymetrów przed nim.

– Gdzie się, kurwa, podziewałeś? – wyrwało jej się z ust niezbyt liryczne pytanie.

Billy postanowił odgrywać święte oburzenie, a scenariusz, który mu się nasunął, zaczął nabierać powoli kształtów.

– Posłuchaj, Sara, przepraszam… byłem u Marty poczuła się naprawdę kiepsko pomyślała że dziecko zaczyna się rodzić więc wylądowaliśmy na pogotowiu i zabrali ją do doktora i zasnąłem w poczekalni a potem Marta pomyślała że poszedłem do domu bo szukała mnie nie tam gdzie trzeba i obudzili mnie około siódmej dziś rano więc wyszedłem i zjadłem śniadanie a teraz byłem właśnie u Marty sprawdzić czy wszystko w porządku. Chryste, to twoja przyjaciółka – to ty powinnaś się o nią troszczyć.

– Przepraszam – rzuciła mimochodem Sara. Potem jednak przyszło jej do głowy: „Dlaczego to ja go przepraszam? To on się ze mną nie skontaktował". I powiedziała to.

– Kontaktowałem się. Dzwoniłem do cholery na twoją komórkę – zablefował Billy. – Miałaś ją włączoną całą noc?

– Eh... – Sara zaczęła się jąkać. – Dlaczego nie zostawiłeś mi wiadomości?

– No, zrobiłbym to, ale Marta miała naprawdę silny skurcz i ja... po prostu straciłem głowę. W szpitalu miałem przez większość czasu wyłączoną komórkę.

– Więc dlaczego nie zadzwoniłeś później?

– Bo, kurwa, zasnąłem, na litość boską – wyjaśnił Billy, zdobywając się na podniosły ton.

Flower, która czaiła się niezgrabnie na drugim planie, nie wierzyła w ani jedno słowo.

– Flower! – Głos Billy'ego wypalił jej nagle dziurę w mózgu.

– Tak? – odpowiedziała.

– Wierzysz mi, prawda?

– Tak – potwierdziła i od razu poczuła do siebie nienawiść.

Sara obróciła się w jej stronę z wyrazem niedowierzania i niemej prośby na twarzy.

– Myślę, że mówi prawdę – oznajmiła żałośnie Flower.

– W takim razie chodźmy wszyscy do Marty zobaczyć, jak się czuje – zaproponowała Sara, szukając w oczach Billy'ego cienia winy, paniki czy czegokolwiek.

– Jeśli chcesz – zgodził się Billy od niechcenia, dziękując Bogu, że Sara nie widzi jego encefalografu, który ujawniłby poziom aktywności elektrycznej jego mózgu, zdolnej obsłużyć sporych rozmiarów stację przekaźnikową. Cała trójka odwróciła się w zgodnym szyku i ruszyła ku blokowi Marty.

Marta niemal zemdlała, gdy otworzyła drzwi i ujrzała ich przed sobą. W następnym ułamku sekundy wysunęła przypuszczenie, że Sara nie oskarżyła jej o najgorszą zdradę – przyjaźni – ponieważ jeszcze jej nie walnęła. Nie miała jednak zielonego pojęcia, co Billy powiedział dziewczynom, więc czekała, aż przejmie pałeczkę. On ze swej strony nie chciał przesadzać, mówiąc coś w rodzaju: „Cześć, jak się czujesz po naszej wyprawie na pogotowie kiedy poczułaś się źle a ja nie mogłem zadzwonić do Sary z powodu nagłego charakteru zajścia a potem jej komórka była wyłączona ale tak czy owak pomyśleliśmy sobie że wpadniemy i zobaczymy jak się czujesz".

– Już w porządku? – spytał tylko.

Sara obserwowała ich niczym obłąkana kobieta, szukając oznak zdrady.

– Tak, o wiele lepiej – odparła Marta.

– Biedactwo – ulitowała się Flower. – Musiałaś tam jechać.

To znaczy dokąd?, zastanawiała się Marta i z grubsza się domyśliła, biorąc pod uwagę swój stan, ale na wszelki wypadek nie wypowiedziała tego słowa głośno.

– Tak, to było okropne... hałas, brud.

– Jak to w państwowej służbie zdrowia – wtrąciła Flower, potwierdzając przypuszczenie Marty.

Sara wciąż patrzyła spode łba, próbując ocenić, czy Marta przez całą noc rżnęła się bez pamięci, czy też nie.

Wtedy z gościnnego pokoju wyłoniła się Pat.

– Dzień dobry wszystkim – oznajmiła wesoło.

Błagam, modliła się w duchu Marta, nie wygadaj się tylko. Zwróciła się w stronę matki i zrobiła spanikowaną minę, co Pat prawidłowo zinterpretowała jako sygnał, że odchodzi tu jakaś lipa. Zamiast wtrącać swoje trzy grosze, wycofała się pod pretekstem umycia pasa wyszczuplającego.

Teraz przyszła kolej na Martę, która postanowiła dodać sytuacji trochę dramatyzmu.

– Jestem taka wdzięczna Billy'emu, że zabrał mnie na pogotowie i siedział ze mną cierpliwie – powiedziała. – Czułam się cholernie okropnie, jakby moje wnętrzności przeciskały się stopniowo przez kiszki, żeby wystrzelić na zewnątrz.

– Tak, tak, rozumiemy, Marto – odezwała się Flower, która miała za słabe nerwy na takie opowieści.

– Dlaczego do nas nie zadzwoniłaś? – spytała Sara.

– Bo się martwiłam, że wszystko poszło nie tak i że stracę Gulę, i nie wiedziałam, jak zareaguję – wyjaśniła Marta, a potem poczuła się niewiarygodnie winna, że wykorzystuje swe nienarodzone dziecko jako alibi dla niewierności.

– Och, Marto, naprawdę mi przykro – wyznała Sara i Marta poczuła się jeszcze gorzej, ponieważ uświadomiła sobie, że właśnie wyszła na prostą i że Sara wierzy, iż między nią a Billym do niczego nie doszło. Oczy wezbrały jej łzami, dostrzegła też, że Billy patrzy na nią z pogardą.

Pragnęła tylko, by się od niej odwalili, zostawiając w spokoju, dzięki czemu mogłaby wszystko przemyśleć i dopracować historyjkę.

W tym właśnie momencie stojący na sąsiednim balkonie Junior zajrzał do mieszkania Marty i zauważył:

– Ja pieprzę, Marta, zerżnęłaś w nocy cholerną drużynę piłkarską, czy jak?

Zapadła złowieszcza cisza.

Rozdział 21

*P*at, nie zastanawiając się ani chwili, przejęła pałeczkę.

– To nie Marta, Junior – sprostowała. – Bądź co bądź, jest w dziewiątym miesiącu ciąży. Nie, to byłam ja. Choć przyznaję to ze skrępowaniem, zjawił się wielebny Brian i trochę nas poniosło.

Juniorowi zrobiło się niedobrze na myśl o tych dwojgu zaawansowanych wiekiem ludziach, kopulujących hałaśliwie, nie wspominając już o pomarszczonych kawałkach skóry, które pewnie łopotały w dzikim zapamiętaniu. Sam zapomniał, że jest obdarzony podobnymi fragmentami ciała, młodszymi, ale równie pomarszczonymi, i że wygląda nieco głupio, gdy falują wściekle.

Flower też poczuła wstręt na myśl o Pat i wielebnym, ale po chwili przywołała skądś polityczną poprawność, by uspokoić sumienie. W końcu, przekonywała samą siebie, dlaczego starsi ludzie nie mogliby kopulować tak, jak im się podoba? Jeśli dawali sobie z tym radę, to z pewnością ich młodsi krewniacy mogli przymknąć oko na fakt, że są potwornie zmysłowi jak na swój wiek.

Junior patrzył teraz na mamę Marty, jakby ją widział po raz pierwszy w życiu.

– Och, ma pani rację, pani Harris – oznajmił i zniknął w swoim mieszkaniu, by przesłać znajomym wiadomość o odrażających praktykach seksualnych, jakie odchodzą pod jego bokiem.

Wszyscy zaczęli się wiercić niespokojnie, gdy Pat ujawniła swe nocne wyczyny z wielebnym Brianem. Flower dostrzegła, że Billy krzywi twarz w nieznacznym uśmiechu, a Marta ma minę, jakiej nigdy u niej wcześniej nie widziała, trudno też było rozpoznać kryjące się za nią uczucie. Jeśli już coś przychodziło na myśl, to przede wszystkim zwierzę, które uwolniono z pułapki, a które nacierpiało się ogromnie.

– No dobra, skoro już wiemy, że z Martą wszystko w porządku, to możemy iść – zasugerował Billy ostrożnie i ruszyli w stronę drzwi. Billy i Sara pożegnali się niezgrabnie z Martą i jej matką, i poszli sobie.

Flower, która nie chciała z nimi wychodzić, tym samym umożliwiając im rozmowę na temat kryzysu w ich związku, wywołanego zeszłonocną nieobecnością Billy'ego, wyraźnie się ociągała. „Mogę skorzystać z łazienki?", spytała i ruszyła w jej kierunku, zastanawiając się przy okazji, dlaczego w ogóle o to pyta i czy kiedykolwiek się zdarza, by komuś tego zabroniono. Z pewnością byłoby rzeczą o wiele rozsądniejszą po prostu poinformować Martę, że idzie skorzystać z jej toalety, ale kodeks angielskich manier traktuje to jako faux pas, znacznie gorsze niż publiczne siusianie do doniczki, a Flower wolała zapomnieć o tych konkretnych urodzinach.

W toalecie Flower zaczęła rozważać, do jakiego stopnia wyznanie Pat jest przekonujące, i doszła do wniosku, że nie za bardzo i że matka kryła Martę. Ale dlaczego Marta miałaby zrobić coś równie głupiego jak pieprzyć się z Billym, zwłaszcza że wiedziała, co działo się ostatnio między Sarą i jej chłopakiem? Nim Flower zdążyła się powstrzymać, uświadomiła sobie, że nie chodzi wyłącznie o siusiu; zbliżało się coś większego, coś powołanego do istnienia przez obsesyjne spożywanie otrąb, kolejna straszliwa katastrofa etykiety, widziana krzywo przez wszystkich z wyjątkiem najbardziej liberalnych właścicieli ubikacji. „Powinno się srać tylko we własnej toalecie", medytowała, zadowolona ze swej przaśnej maksymy, nie będąc jednak do końca pewną, co tak naprawdę oznacza prócz tego, co znaczy dosłownie.

Korzystając z chwili spokoju, Marta zwróciła się do Pat:

– Dzięki strokrotne, że wyciągnęłaś mnie z kłopotu, mamo.

– Nie pochwalam twojego zachowania, Marto – oznajmiła matka – ale uważam, że i tak masz dość kłopotów.

– Spojrzała wymownie na Gulę i dodała: – Postanowiłam też wrócić do twojego taty.

– Mamo, nie możesz – sprzeciwiła się Marta. Co prawda obecność matki była kłopotliwa, ale pomijając jej sypialnię, którą zajmowała, mieszkanie wyglądało prawie normalnie.

– Jest moim obowiązkiem, jako żony, być u boku twego ojca, kochać go, pielęgnować i zajmować się kuchnią, towarzyszyć mu podczas okazji towarzyskich i w łożu małżeńskim – wyjaśniła Pat.

– Dobrze, dobrze, mamo, wystarczy. – Marta próbowała przegnać wizję wielebnego Briana, kołyszącego się rytmicznie na pokładzie posłusznego statku „Pat". – Posłuchaj, Gula przyjdzie na świat za dwa tygodnie, a tata to świnia.

– Nie nazywaj go tak. To mój mąż.

– O tak, powtarzaj to sobie – powiedziała Marta, choć nie była przekonana, czy mąż taki jak wielebny Brian jest lepszy niż żaden.

– Kto jest ojcem, kochanie? Proszę, powiedz mi, a wtedy tata będzie mógł z nim pomówić – zaproponowała Pat.

– Co, przyłoży mu łomem na pospiesznym ślubie pod przymusem? – prychnęła pogardliwie Marta.

– Nie bądź głupiutka, kochanie. – Pat odznaczała się niezwykłą zdolnością, dzięki której mogła przenieść błyskawicznie Martę w czasie i sprawić, by córka czuła się jak sześciolatka.

– Przepraszam – mruknęła Marta. – Słuchaj, chcesz, żebym pojechała z tobą autobusem na stację?

Była w dziewięćdziesięciu procentach przekonana, że matka odrzuci jej ofertę.

– Tak, byłoby miło – oznajmiła Pat ku przerażeniu Marty i poszła do sypialni, żeby spakować swoje rzeczy.

Flower wyłoniła się z toalety zażenowana.

– Przepraszam – powiedziała. – Po prostu się zdarzyło.

– Nie martw się – pocieszała ją Marta. – Pochłaniasz tyle zieleniny, że twoje gówno pachnie jak koński nawóz.

– Masz ochotę na popołudniowego drinka? – spytała Flower, która sądziła, że jeśli przyciśnie Martę do muru, to dowie się prawdy. Znała swoją przyjaciółkę jak zły szeląg. Marta słynęła z tego, że nie jest w stanie dochować tajemnicy, i bez wątpienia pragnęła się zwierzyć.

– Pewnie – zgodziła się Marta. – Ale muszę najpierw pojechać z mamą na stację. Potem możemy się gdzieś wybrać. Co z Charliem?

– Och, wziął sobie wolny dzień w pracy, żeby pójść na jakąś demonstrację – wyjaśniła z roztargnieniem Flower, nie zdając sobie sprawy, że dokładnie w tym momencie jakiś policjant w butach o rozmiarze czterdzieści sześć bardzo mocno kopie leżącego na chodniku Charliego w tyłek.

Flower, Pat i Marta wyszły z mieszkania, tym razem wygrywając w ruletce windowej. Kiedy dźwig wyplul je ze swego wnętrza na parterze, małe stadko dwunastoletnich dziewcząt, z których każda wyglądała na dobrze po czterdziestce, wydały z siebie rechot, jakiego można się spodziewać tylko po autentycznych czarownicach, taksując wzrokiem żałosne trio.

– Mają w Sainsbury's wywar z ropuch? – spytała Marta, czyniąc aluzję do Makbeta, kiedy mijały dziewczęta. Na ich twarzach pojawił się tępy wyraz niezrozumienia, który po chwili ustąpił miejsca notorycznemu chichotowi obłąkańca.

Pat, choć nie chciała się do tego przyznać, była zadowolona, że ma u boku córkę i Flower, choć gdyby dogłębnie przemyślała sprawę, to odczuwałaby jednak przerażenie, gdyż kobieta w ostatnich miesiącach ciąży i wysoka niczym

174

tyka pacyfistka są równie skuteczne w walce jak Kylie i Dannii Minogue. Pat doszła do wniosku, że musi się zahartować.

Szybko złapały autobus i zbiły się w gromadkę, dodając sobie emocjonalnie otuchy, gdyż kilkoro niezrównoważonych ludzi odstawiało swe popisowe numery przed pozostałymi pasażerami. Działo się to tak często, że Marta ochrzciła owo zjawisko mianem Obłąkanego Kabaretu Londyńskiej Komunikacji. Był zawsze fascynujący i gwarantował sukces, jak uważała, oglądało się go jednak ze zgrozą, gdyż od czasu do czasu aktorzy wybierali sobie kogoś z publiczności, jak uczynił to teraz pijak w średnim wieku, z próbkami zeszłotygodniowych posiłków na garniturze.

– Hej, ty pieprzona stara zdziro – zwrócił się do Pat, która, ośmielona faktem, że tkwi między Flower i Martą, odpowiedziała:

– Słucham, co mogę dla pana zrobić, ty żałosny, zapijaczony, stary palancie cuchnący rzygowinami?

Marta zaczęła się śmiać, a Flower jej zawtórowała.

– Pieprzę cię! – wrzasnął pijak, zdumiony brakiem przerażenia, jakie chciał wzbudzić w tej sześćdziesięcioletniej kobiecie.

– To wysoce nieprawdopodobne, byś mógł mnie pieprzyć – oznajmiła spokojnie Pat. – Więc może się po prostu odpieprzysz?

Wszyscy w autobusie zaczęli się śmiać, a pijak, zdradzony przez publiczność i przegadany przez jednego z widzów, wygramolił się z autobusu na następnym przystanku.

– Mamo, to było wspaniałe – pochwaliła Marta.

– Nie wiem, co mnie naszło – tłumaczyła Pat.

– Wielebny Brian, zgodnie z tym, co powiedziałaś dziś rano Juniorowi – wyjaśniła Marta. Na szczęście Pat nie zrozumiała i dalej kąpała się w blasku chwały należnej gwieździe na gościnnych występach, która odniosła sukces wbrew wszelkim oczekiwaniom. Flower jednak, słysząc słowa Marty, wyprostowała się, „zastrzygła" czujnie uchem i zaczęła się zastanawiać, czy przyjaciółka nie chlapnęła przypadkiem czegoś, co dawało do myślenia.

Dotarły do stacji przy Liverpool Street już bez żadnych przeszkód i wsadziły Pat do pociągu. Świeżo zyskana pewność siebie dodała jej wigoru i Marta wiedziała, że ojca czekają ciężkie chwile, gdy matka dotrze do domu. Uśmiechnęła się do siebie, gdy kwadrat okna z twarzą Pat zniknął z pola widzenia, oddalając się wzdłuż peronu.

– No to gdzie idziemy na drinka? – zwróciła się do Flower.

– Chodźmy do Barbican, dobra? – zaproponowała Flower, która w skrytości ducha uwielbiała ulicznych artystów i skrzywiła się, gdy Marta oznajmiła: „Ale nie będziemy gapić się na tych beznadziejnych żonglerów".

Znalazły winiarnię z wielkimi oknami, za którymi przechadzali się ludzie na zakupach.

– Dwa razy sok pomarańczowy – powiedziała Flower do barmana, który mógł się wydać martwy od tygodnia, tak niemrawo się ruszał i taki był blady.

– Żartujesz chyba? – zawołała z oburzeniem Marta. – Zamów mi Krwawą Mary.

– Myślisz, że powinnaś? – starała się jej przemówić do rozsądku Flower.

– Cholera, od kiedy to jesteś pieprzonym Mussolinim w spódnicy? – spytała Marta. – Jak nie będziesz uważać, to każę podać sobie podwójną z dolewką sherry.

– Nie słyszałaś o płodowym zespole alkoholowym? – przekonywała Flower.

– Posłuchaj, trzeba żłopać denaturat od chwili zapłodnienia, żeby do tego doszło, a pomijając ostatni wieczór, ledwie tknęłam alkohol w czasie ciąży.

– Ostatni wieczór? – zdziwiła się Flower. – Myślałam, że byłaś na pogotowiu.

– Byłam – powiedziała dość żałośnie Marta.

Flower nie miała wątpliwości, że za chwilę Marta się złamie.

Tak też się stało. Wszystko z siebie wyrzuciła, jednym wielkim strumieniem, bez znaków przestankowych, akcentów czy wzruszenia. Nie oszczędziła Flower żadnych szczegółów. Marta, Flower i Sara nigdy niczego przed sobą nie ukrywały. Żałowała tylko, że Sara nie uczestniczy w tej sesji.

– Och, Marta, nie mogę w to uwierzyć. Co będzie, jak się Sara dowie?

– Nie dowie się – zapewniła Marta.

– Owszem, dowie się – oznajmiła z naciskiem Flower. – Mnie powiedziałaś niemal od razu. Wygadasz się w ciągu paru dni.

Marta wiedziała, że przyjaciółka ma rację.

– A Billy to brutal – dodała Flower oskarżycielsko.

– Ze mną taki nie był – zapewniła Marta.

Flower uświadomiła sobie, że powtarza jak maszyna „Och, Marta", gdyż każda kolejna wypowiedź przyjaciółki prowokowała ją do kolejnego westchnienia rozpaczy.

– W każdym razie – ciągnęła Marta – mogłam go zabić. Niewiele brakowało, żebym to zrobiła, nim się z nim przespałam.

– Och, Marta – jęknęła bezwiednie Flower, a potem dorzuciła: – To bzdura.

– Słowo daję, Flower – zapewniła Marta. – Hormony krążące w organizmie zmuszają człowieka do dziwnych rzeczy. Gdybym nie była tak bardzo spragniona rżnięcia, nigdy nie przespałabym się z Billym.

– A Junior by nie wystarczył? – zapytała Flower, dodając: – Jeśli byłaś taka napalona?

– I co? Wylądować w sądzie za seks z nieletnim? – odparła Marta. – Nie, dzięki.

Potem umilkła i tylko patrzyła przed siebie.

– Wszystko w porządku? – zaniepokoiła się Flower.

Było wręcz przeciwnie. Marta poczuła ciepło na udzie i uświadomiła sobie, że odeszły jej wody płodowe. Miała przez sekundę wrażenie, że wiruje wokół niej wielkie gorące morze; wstała bezradnie, zastanawiając się, ile z tej cieczy, która ilością przypominała powódź, spłynęło po podłodze winiarni.

Bardzo dużo.

Flower też to dostrzegła i przyszło jej do głowy, że Marta się zmoczyła. Ze wstydem odnotowała ten fakt w części mózgu, gdzie gromadziła wszystko to, co robili jej znajomi, a co można by wykorzystać z powodzeniem na scenie.

Na wpół umarły barman, niosąc tacę z wielkim drinkiem dla Marty, wkroczył nieświadomie na lodowisko utworzone przez płyn owodniowy i ruszył ślizgiem w stronę baru niemal z gracją, nim upadł, obijając sobie porządnie kość ogonową.

– Szybko, wezwijcie karetkę! – wrzasnęła Flower i senny bar nagle ożył.

Po kilku minutach nadjechał ambulans i dwaj sanitariusze zgarnęli znękanego barmana, a Marta i Flower rzuciły się za nimi w pogoń, tłumacząc, że też potrzebują pomocy.

Rozdział 22

Personel na miejscowym oddziale pomocy doraźnej nie był specjalnie poruszony stanem Marty i wydawał się o wiele bardziej skłonny przenieść w pierwszej kolejności za parawan na wpół umarłego barmana. Dla Marty była to najbardziej doniosła chwila w życiu, podczas gdy dla personelu przyjście na świat jeszcze jednej wrzeszczącej masy czerwonego ciała stanowiło rzecz najnudniejszą pod słońcem.

– Wody mi odeszły! – wrzasnęła Marta za znikającym tyłkiem nadgorliwej, bez wątpienia seksualnie sfrustrowanej i bezdzietnej pielęgniarki.

Ta odwróciła się i oznajmiła:

– Wody dziecka odeszły, gwoli ścisłości. Radziłabym wrócić do domu i poczekać na skurcze.

Marta, która czerpała swą wiedzę o ciąży i porodzie z hollywoodzkich filmów i reklam, a nie z podręczników, trzymanych co prawda z myślą o lekturze, ale nigdy nieotwieranych, zwróciła się do Flower przygnębiona i zaproponowała, by pojechać do domu.

Flower przytaknęła i wyciągnęła z etui na komórkę awaryjną dychę, żeby zapłacić za taksówkę, gdyż czuła, że wymaga tego sytuacja. W szpitalu wyłączyła telefon i gdy teraz go uruchomiła, zobaczyła sześć nowych wiadomości, wszystkie od Charliego naturalnie, każda bardziej nagląca i głośniejsza od poprzedniej. Zdawało się, że chodzi o jakąś kontuzję odniesioną podczas demonstracji, Charlie wspominał też, że idzie do domu, by się opatrzyć.

Więc gdy taksówkarz relacjonował Marcie po kolei narodziny swych sześciorga dzieci, Flower zadzwoniła do Charliego.

– Beznadziejnie – oznajmił w odpowiedzi na jej pytanie, jak się czuje, po czym opisał trajektorię policyjnego buta.

– Więc jak głęboko wszedł ci w tyłek? – drążyła Flower, nieświadoma faktu, że taksówkarz, zaprzysięgły homofob, opacznie zrozumiał jej słowa.

Marta posłała jej spojrzenie, po którym Flower przestała być praktycznie słyszana po drugiej stronie słuchawki, i Charlie, przypuszczając, że nie ma zasięgu, po prostu się rozłączył.

Marta poczuła skurcze, jeszcze nim taksówka dojechała na miejsce, i zaczęła się zastanawiać, czy nie powinni od razu zawrócić i udać się z powrotem do szpitala, ale Flower przypomniała sobie niejasno, że trzeba poczekać kilka godzin, aż „skurcze zaczną ci zdrowo dopierdalać", jak ujęła to niezbyt naukowo, i dopiero wtedy pojechać do szpitala.

– Nie powinnaś zająć się Charliem? – spytała Marta, modląc się w duchu, co było rzeczą dziwną w przypadku krnąbrnej córki pastora, by Flower dotrzymała jej towarzystwa.

Flower była już tak przyzwyczajona do spotkań Charliego ze stróżami porządku i wynikających z tego obrażeń cielesnych, że obiecała zostać z Martą, zachować czujność i w razie czego towarzyszyć jej w drodze do szpitala.

Cóż więc robi człowiek w dniu, kiedy jego Gula ma się stać realnym dzieckiem?

Marta czuła, że powinna zrobić coś niezwykłego i zapadającego w pamięć. Flower podsunęła, że może w tym wypadku spróbowałaby doczyścić swoją sypialnię, i rzecz dziwna, co zresztą zdarza się często w końcowym stadium ciąży, Martę ogarnął instynkt lęgowy. Zanurkowała więc do wspomnianego pomieszczenia i zaczęła usuwać dowody miłosnego szaleństwa z poprzedniej nocy, a także pozbywać się warstwy brudu nagromadzonego przez miesiące. Po paru godzinach i licznych atakach narastającego bólu stworzyła całkiem miłe schronienie dla siebie i Guli na kilka pierwszych tygodni istnienia tej drugiej.

Wczesnym wieczorem częstotliwość skurczów nasiliła się na tyle, że Marta zadzwoniła do szpitala, wcześniej zaglądając do stosownego podręcznika, gdzie wyjaśniono, co należy robić, kiedy dziecko ma przyjść na świat, i oznajmiła, że według niej zbliża się poród.

W szpitalu przyznano jej rację, więc Marta spytała, kiedy przyjedzie karetka. W słuchawce rozległ się głuchy śmiech, któremu Marta zawtórowała, uświadomiwszy sobie, że będzie musiała dotrzeć na miejsce o własnych siłach. Nieprawdopodobnie wręcz skrupulatne przetrząsanie mieszkania zaowocowało znalezieniem tylko jednego funta i siedemdziesięciu pensów, a Flower wydała awaryjną dychę na taksówkę podczas poprzedniej wizyty na oddziale pomocy doraźnej.

Marta czuła się osamotniona i przepełniona bólem.

– O kurwa, co my zrobimy, Flower? – spytała.

– Możemy pojechać taksówką za funta siedemdziesiąt, a potem złapać okazję – zaproponowała Flower, która uświadomiła sobie głupotę tych słów, gdy tylko wyszły z jej ust.

Marta tylko machnęła ręką.

– Znamy kogoś, kto ma samochód? – spytała.

– Billy? – zaryzykowała Flower.

– Och, wykluczone – zaprotestowała Marta. – Jeśli zjawi się z nim Sara, nie będę w stanie siedzieć cicho.

Zdanie to zostało przerwane przez głośny wrzask, będący reakcją na ból, który przeszył miednicę Marty, a za ścianą Junior pomyślał sobie, że Pat znowu się bzyka.

– Może Ted? – podsunęła Flower.

– Och, masz mnóstwo doskonałych propozycji – oświadczyła Marta przez zaciśnięte zęby. – Wezwijmy jeszcze mojego tatę, żeby szczęście było pełne, albo kogokolwiek, z kim się rżnęłam, czego absolutnie żałuję – takiego, co ma samochód i będzie mógł zabrać nas do szpitala w tej okropnej i pełnej udręki ciszy, jaka jest owocem wspomnienia po omyłkowym spotkaniu seksualnym.

– No, był taki jeden, dostałaś przez niego brodawek – przypomniała Flower.

– Ach tak, Henry – potwierdziła Marta. – Owszem, ma bardzo fajny motor... dobra, zadzwoń do niego.

Flower popatrzyła przerażona, i słusznie, gdyż Marta osiągnęła stan, w którym historia z porodem pozbawiła ją całkowicie rozumu i teraz była gotowa uczynić wszystko.

– Nie mam telefonu Henry'ego – oświadczyła nieprzekonująco Flower, na co Marta zaczęła łkać.

– Nie jadę pieprzonym autobusem – oświadczyła przy akompaniamencie smarknięcia.

Junior, świadomy zamieszania po drugiej stronie ściany, wyjrzał ze swego balkonu.

– Co jest grane? – spytał.

– Dziecko się, kurwa, rodzi, a ja, kurwa, nie mam kurewskich pieniędzy na kurewską taryfę, a nie mam, kurwa, pojęcia, jak się tam, kurwa, dostać, i, kurwa, mam dosyć i nie chcę, kurwa, rodzić w tej kurewskiej norze – wyjaśniła zwięźle Marta.

– Człowieku – rzucił z podziwem Junior – nie przypuszczałem, że będziesz tak kląć, zanim... no wiesz, zaczniesz rodzić.

Właśnie to sobie wyobraził i poczuł takie mdłości, że aż usiadł na podłodze.

– Zrób coś, Junior! – wrzasnęła Flower, dając się porwać dramatyzmowi chwili i wyżywając się na emocjonalnie zacofanym czternastolatku.

– Dobra – odparł krótko – Zaraz wracam.

Junior wyszedł, zwinął bmw, w czym miał ogromną wprawę, i podjechał wozem pod blok, trąbiąc bezustannie, aż Flower wyjrzała z balkonu i zobaczyła, jak gestykuluje energicznie dwanaście pięter niżej, by zeszły na dół.

– Gdzie twoja torba? – spytała Flower.

– Tam – wyjaśniła Marta, wskazując swoją bardzo brudną torebkę.

– Nie, głuptasie – skarciła ją łagodnie Flower. – Chodzi mi o torbę, którą masz zabrać do szpitala... rzeczy dla dziecka, koszula nocna i tak dalej.

– Och, odpuść sobie – rzuciła wściekle Marta. – Za kogo mnie masz? Jakąś cholerną domatorkę? Jasne, że nie spakowałam żadnej torby. Myślisz, że nie mam w życiu nic ciekawszego do roboty niż siedzieć w pokoju i zastanawiać się, która koszula nocna będzie lepiej wyglądać, jak się upaćka łożyskiem?

– Jezu, Marta – westchnęła Flower i zaczęła biegać szaleńczo jak świeżo pozbawiony głowy kurczak, wrzucając do plastikowej torby mnóstwo całkowicie nieprzydatnych rzeczy.

Junior trąbił bardzo głośno. Widział radiowóz jeżdżący po osiedlu, a nie miał teraz ochoty na aresztowanie.

– Dobra, idziemy – oświadczyła Flower.

Marta leżała na podłodze i jęczała:

– Nie chcę, żeby Gula się urodziła! Co do cholery zrobię? Nie mam pieniędzy, stałej pracy, Boże, nie dam rady.

– Nic ci nie będzie – zapewniła Flower w stylu bezlitosnej pielęgniarki oddziału psychiatrycznego, gdyż stwierdziła, że jest odrobinę poirytowana, i była zdziwiona, że jako hipisowska pracownica opieki społecznej nie potrafi tego ukryć.

Marta wyczuła zmianę w jej głosie i postanowiła wziąć się w garść. Wstała, chwyciła reklamówkę, znalazła klucze i zaczęła poganiać Flower, która mówiła do komórki:

– Tak, naprawdę rodzi... no, nie dosłownie, Charlie, nic jeszcze nie wystaje, ale musimy jechać do szpitala. Nie, Charlie, zapewniam, że Junior mi się nie podoba, nie podobał i nie spodoba. Zadzwonię później, może będzie już coś wiadomo.

Junior dosłownie wepchnął Martę głową do przodu na tylne siedzenie, a Flower musiała wskoczyć w biegu, tak szybko ruszył spod bloku.

Radiowóz zniknął, za to ruch był okropny, a tempo jazdy żółwie. Junior odczuwał rozterkę. Zdawał sobie sprawę, że jest czarnoskórym czternastolatkiem, który ukradł samochód, i wiedział, co mu za to grozi, a z drugiej strony chciał jak najszybciej dowieźć Martę do szpitala, gdyż wydawała z siebie okropny dźwięk, poza tym czuł, że się porzyga, jeśli zobaczy krew albo wymiociny. Nawet nie mógł w tej chwili słuchać radia.

– Jak chcesz zapłacić za wjazd do śródmieścia? – zainteresowała się nagle Flower.

– Co? – wrzasnął Junior, który machnął ręką na ostrożność i pędził teraz dziewięćdziesiątką po pasie dla autobusów.

– Chyba wjechaliśmy do śródmieścia – zauważyła Flower.

– Zaraz wjadę w ciebie, kurwa – rzuciła wściekle Marta, trzymając się za Gulę. – Pieprzyć opłatę, za chwilę mnie rozerwie.

– Przepraszam – tłumaczyła Flower. – Chciałam tylko pomóc.

Odezwała się komórka Juniora. Dzwoniła jego mama, jedyna osoba, dzięki której nie uważał siebie za miejscowego gangstera. Flower się domyśliła, że matka ostro go strofuje.

– Mamo, muszę jechać – tłumaczył. – Mam ważną sprawę.

– Nie waż się rozłączać…

Rozłączył się.

Ich przybycie do szpitala wprowadziło totalne zamieszanie, gdyż Junior zajechał pod oddział pomocy doraźnej i zablokował karetkę, która przywiozła poważnie chorego człowieka. Gdyby Junior nie wdał się w brutalną sesję słowną z dwoma sanitariuszami na temat moralnej wyższości swego przypadku, wszyscy znaleźliby się w środku znacznie prędzej.

W końcu jednak Marta poczuła z ulgą, że wciskają ją w fotel na kółkach, i przymknęła powieki. W nozdrza uderzyła ją woń dymu z papierosa i wtedy uświadomiła sobie, że umiera z tęsknoty za fajką. Otworzyła oczy i ujrzała wielką, ziemistą twarz pana Raka zaledwie kilka centymetrów dalej.

– Daj się sztachnąć – zażądała i wyrwała mu papierosa, po czym, dysząc niczym tłusta lokomotywa, zaczęła krzyczeć: „Jazda! Jazda! Jazda!" do Juniora, który pędził z nią korytarzem, aż dotarli na oddział położniczy.

Junior został porzucony niczym pan młody u drzwi sali, podczas gdy Flower wyjaśniała, że to nie ojciec, choć surowa położna pomyślała, że nie wierzy w ani jedno jej słowo i że kobieta w wieku Marty zdecydowałaby się na seks z każdym, byle mieć dziecko. Mogła też dla odmiany być lesbijką, która uciekła się do podstępu w zmowie ze swą dziewczyną – sępem w sukience, jak ją w duchu określiła.

Kolejnych dwanaście godzin stanowiło dla Marty całkowite zaskoczenie, przynosząc mnóstwo niespodzianek. Był ból, nie ulegało wątpliwości, i zdawała sobie sprawę, że tak jest przy porodzie. Jednak środki znieczulające niewiele pomagały wbrew temu, co wcześniej mówiła jej siostra i niektóre przyjaciółki. Założywszy maskę tlenową i stwierdziwszy, że jest równie skuteczna jak paracetamol na mastektomię, spróbowała petydyny (gówno) i epiduralu, który na jedno działał znakomicie, a na inne nie.

Twarz Flower przemieniła się w rozmazane oblicze, które pojawiało się chwilami w polu widzenia, wyraźnie zaniepokojone, Marta zaś spełniała polecenia jak somnambulik. Oddychała, kiedy kazano oddychać, sapała, kiedy kazano sapać, i parła, kiedy kazano przeć; wreszcie, o trzeciej trzydzieści nad ranem, olbrzymi gnojek płci męskiej, pokryty krwią i jakąś breją, wynurzył się z jej waginy i zaczął drzeć się jak opętany. Surowe rysy położnej złagodniały, Flower wybuchnęła płaczem, a Marta wydała z siebie dźwięk świadczący o najwyższej radości, głodzie, smutku, wyczerpaniu i rozbawieniu, po czym zasnęła.

Kilka godzin później obudził ją jakiś hałas; podniosła wzrok i ujrzała stojących w szeregu ludzi – Flower i Charliego, wielebnego Briana i Pat, Sarę z podbitym okiem i Billy'ego, wreszcie tłustowłosego Teda, czyli ojca wspomnianego gnojka.

Rozdział 23

Marta nie bardzo wiedziała, od kogo zacząć. Przywodzili jej na myśl kręgle, które trzeba trafić kulą, więc zaczęła od ojca.

– Co tu robisz? – spytała oskarżycielsko.

– No, przyjechałem do Londynu na konfe...

Pat mu przerwała:

– Daj spokój, Marta, naprawdę myślałaś, że się nie zjawimy, by uczcić narodziny pierwszego dziecka naszej córki?

Marta uznała, że to dobra chwila, by wyrazić niektóre z uczuć, jakie tłumiła przez lata, i zrobić to pod płaszczykiem „szoku poporodowego", który czynił z niej osobę niepohamowanie szczerą. Mogła sobie wyobrazić, jak Pat wyjaśnia to w samochodzie ojcu, który gotuje się ze złości w drodze powrotnej do domu. Była to okazja, której nie mogła przepuścić, a fakt, że rolę świadków mieli odgrywać jej najlepsi przyjaciele, należało uznać za rzecz korzystną. Skinęła na wszystkich, by usiedli na kilku rachitycznych krzesłach wokół łóżka, nie mogąc się przy tym nadziwić, że wylądowała w osobnym pokoju. Nie bardzo wiedziała dlaczego; może był to rezultat gróźb pod adresem położnej, takich, które cichną zwykle po porodzie, ale w przypadku Marty stały się jeszcze głośniejsze i bardziej nieprzyjemne.

– Jakie więc chcesz mu dać imię? – spytał szyderczo ojciec i właśnie ton jego głosu sprowokował ją do takiej, a nie innej odpowiedzi.

– Jezus – odparła zwięźle.

Wielebny Brian wyglądał na przerażonego, Pat, przez solidarność z mężem, była równie wstrząśnięta. Rozległy się też chichoty. Tłustowłosy Ted odchylił głowę do tyłu i ryknął śmiechem, a Sara wciąż sprawiała wrażenie wkurzonej i wlepiała wzrok w podłogę.

– To bluźnierstwo! – zagrzmiał wielebny Brian. – Daję ci dwadzieścia cztery godziny na podjęcie decyzji i jeśli po tym czasie dalej się będziesz upierać przy swoim żałosnym pomyśle, nigdy więcej się do ciebie nie odezwę ani się z tobą nie spotkam.

Wyszedł z całym melodramatyzmem, na jaki tylko było go stać, Pat zaś ruszyła za nim, przemawiając doń cały czas cichym głosem i starając się go udobruchać, niepomna faktu, że zawsze i niezawodnie doprowadzało to męża do szału.

Dwoje mam z głowy, zostało jeszcze tylko pięcioro, pomyślała Marta i postanowiła wykorzystać „hormon" szczerości w starciu z resztą towarzystwa.

– Ted, dlaczego tu jesteś? – spytała.

Ted wychylił się zza wielkiego bukietu kwiatów. Przez takie piękno przeziera taka brzydota, przyszło jej do głowy. Zaczęła się zastanawiać, czy to jakiś słynny cytat, czy też owoc jej własnej inwencji.

– No cóż, jako twój pracodawca – oznajmił Ted – zadzwoniłem do Sary i spytałem o ciebie, a ona akurat dowiedziała się od Flower o dziecku, więc pomyślałem sobie, że lepiej zajrzę do ciebie sprawdzić, jak się czujesz, i pogratulować przy okazji.

Wydawał się koturnowy, mniej zabawny i zrelaksowany w szpitalnym otoczeniu.

– I chwała Bogu – oznajmiła Marta. – Bo to twoje dziecko.

Na twarzy Teda pojawił się wyraz głębokiego dramatyzmu i Marta pomyślała, że za chwilę ją uderzy. On jednak tylko powiedział: „Marta, ty pieprzona krowo", rzucił kwiaty na podłogę i wyszedł z pokoju. Marta zauważyła, że czuje się naprawdę poruszony, ale czy to było szczere?

– Ty idiotko – skarciła ją Flower. – Po coś to zrobiła?

Marta doznała lekkiego wstydu, więc kontynuowała ofensywę.

– Och, pilnuj swojego interesu, ty stuknięta hipisko, i daj mi święty spokój... i zabierz go ze sobą. – Wskazała na Charliego.

Flower miała dość i była w złym nastroju, więc nie trzeba było jej dwa razy powtarzać. Chwyciła Charliego za rękę i niemal podniosła go do góry, tak szybko wyszli z pokoju. Marta poczuła się jak widz na swoim własnym pogrzebie.

W tym momencie zadzwoniła jej komórka. Wzięła ją do ręki, spojrzała na wyświetlacz, wcisnęła guzik ze słuchawką i powiedziała tylko: „Odpieprz się". Potem zwróciła się do niedobitków komitetu powitalnego, czyli Sary z czarnym okiem i Billy'ego, który przestępował niespokojnie z nogi na nogę. Westchnęła, po czym otworzyła usta i zwróciła się do przyjaciółki:

– Znów podbite oko, jak widzę. Nie ma potrzeby się zastanawiać, skąd się wzięło. No cóż, jeśli fakt, że Billy ci dokłada, nie skłania cię do odejścia, to być może coś innego...

Nie dokończyła, gdyż poczuła na policzku piekące trzepnięcie.

Był to Billy.

– Zachowujesz się jak histeryczka – oznajmił. – Wrócimy, kiedy poczujesz się lepiej. Chodź, Sara.

I wyprowadził ją z pokoju.

– Poszło nieźle – skomentowała położna, wychodząc z przyległej do pokoju łazienki.

– Daj mi moją morfinę! – wrzasnęła Marta, która uważała, że jeśli komuś przepisano legalnie narkotyk, to można z niego korzystać do woli.

Marta rozważała potworność tego, co zrobiła, podczas gdy Jezus spał sobie w najlepsze. Musiała tylko wytrwać dwadzieścia cztery godziny, a ojciec nigdy więcej się do niej nie odezwie. Och, cóż za szczęście. Nie bardzo wiedziała, co zrobić z Tedem, którego szczerze żałowała, a jeśli chodzi o wybuch pod adresem Flower – był idiotyczny: nic do niej nie miała. Poza tym Flower była uosobieniem siły. Jeśli chodzi o biedną Sarę, nie mogła już zachować się głupiej.

Będę musiała to wszystko wyprostować, kiedy stąd wyjdę, pomyślała Marta, wdzięczna nagle za tych kilka chwil spokoju. Nie zdawała sobie sprawy, że mając na karku dziecko, uda jej się wyprostować cokolwiek z takim samym prawdopodobieństwem, z jakim jej ojciec pojawi się pod drzwiami i oświadczy: „Pieprzyć to, kochanie, idźmy na całość i nazwijmy go Bóg".

Rozległo się pukanie. O Chryste, któż to znowu?, zastanawiała się Marta.

– Tak? – krzyknęła dość opryskliwie.

Drzwi się otworzyły i do pokoju zajrzał Junior. Miał wyraz twarzy osobnika zaszczutego, co stało się szybko zrozumiałe, kiedy pojawiła się za nim matka w towarzystwie dwóch policjantów.

– Wyjaśnij im, Marta – poprosił. – Nie wierzą w moją historię z BMW.

– Przykro mi – oznajmiła Marta, patrząc na niego tępym wzrokiem. – Nie znam cię.

Na twarzy młodszego policjanta pojawił się szeroki uśmiech.

– Tylko żartowałam – wyjaśniła Marta i zwróciła się do mamy Juniora: – Naprawdę mi przykro, pani Shakespeare. Wiem, że nie powinnam namawiać go do złego… ale sytuacja była alarmowa.

– Rozumiem – przytaknęła mama Juniora, biorąc na ręce Jezusa. – Jak ma na imię?

– Jeszcze nie zdecydowałam – odparła Marta, zastanawiając się po raz pierwszy, czy powinna upierać się przy „Jezusie", zwłaszcza gdy w okolicy znajdowało się tak wiele kościołów fundamentalistycznych. Jezus uspokoił się, gdy tylko pani Shakespeare go uniosła, a Marta poczuła silną zazdrość.

– Och, jest absolutnie wspaniały – oznajmiła kobieta.

– Jego tata musi być bardzo dumny.

– Uhm – mruknęła tylko Marta.

Starszy policjant kaszlnął znacząco, by zwrócić na siebie uwagę.

– Tak, załatwcie, co trzeba – zgodziła się Marta – a potem bądźcie tak dobrzy i wyjdźcie z mojego pokoju.

– Mogę zadać pani kilka pytań? – zwrócił się do niej ten sam policjant.

– Posłuchaj pan – odparła Marta. – Powiem wam dokładnie, co się wydarzyło. Właśnie zaczęłam rodzić, a nie chciałam jechać do szpitala autobusem. Możecie nazwać to snobizmem, jeśli wam się podoba. Nie miałam pieniędzy na taksówkę, tak więc Junior okazał mi pomoc i załatwił samochód, byśmy mogli dotrzeć na miejsce szybko i bezpiecznie. Przykro mi, że musiał go ukraść.

Junior przytaknął z powagą.

– No cóż, przypuszczam, że rzuca to nieco inne światło na sprawę – przyznał starszy policjant, wymawiając słowo „nieco" jakby z przyjemnością.

Jego kolega skinął głową.

– Będziemy w kontakcie, synu – uprzedził jeszcze starszy.

Wyszli, zostawiając zakłopotanego Juniora i jego mamę przy łóżku Marty. Rozglądali się wkoło, jakby nigdy wcześniej nie widzieli szpitalnego pokoju. Mama Juniora nagle się poruszyła.

– Lepiej też sobie pójdziemy – oświadczyła, a zwracając się do Marty, spytała: – Posłuchaj, dziewczyno, ojciec jest w pobliżu?

– Trudno powiedzieć – wyznała Marta. – Będę mogła powiedzieć coś konkretnego pod koniec tygodnia.

– No cóż – powiedziała pani Shakespeare – jak będziesz potrzebowała jakiejś rady w związku z maluchem, daj mi znać. Mogę go poniańczyć czy cokolwiek.

– Dziękuję – skinęła głową Marta. – Na pewno pomoc mi się czasem przyda.

Nagle została sama.

– Choć właściwie nie jestem sama – powiedziała głośno do siebie.

– Nie, nie jest pani sama – przyznała surowa położna, wchodząc do pokoju z jakimiś tabletkami.

– Ma pani rację, Jezus jest ze mną – oświadczyła Marta, na co położna okazała zdziwienie. Gdyby rzeczywiście zdecydowała się na „Jezusa", to musiałaby się liczyć z tym, że ludzie będą ją uważać za chrześcijankę z tych niezwykle gorliwych. A sam Jezus? Jak wyglądałoby jego życie na placu zabaw? Byłby prześladowany, wyśmiewany, a może otaczany kultem? Któż mógł to przewidzieć?

Marta wciąż mogła zrezygnować z pierwotnego zamiaru. Tylko garstka ludzi słyszała jej oświadczenie, więc nie straciłaby twarzy mówiąc, że zdecydowała się zmienić Jezusa na Wilsona, Brada czy jedno z tych modnych imion w stylu nazwisk, jakimi obarczano każdego biednego gówniarza w południowym Londynie. A może by tak Harris? Harris Harris – brzmiało nieźle.

Rozważała właśnie ten wariant, gdy Jezus/Harris zaczął płakać, a surowa położna podsunęła, że Marta powinna go nakarmić, gdyż sama matka była zbyt wytrącona z równowagi, by to oczywiste rozwiązanie przyszło jej do głowy, ku niezadowoleniu małego. Do tej pory wszelkie próby karmienia piersią spełzały na niczym, ale teraz wydawało się, że sprawa osiągnęła punkt krytyczny; krzyki Jezusa odbijały się coraz głośniejszym echem po pokoju, co zrodziło w umyśle Marty mroczne fantazje, że nigdy nie będzie w stanie go nakarmić i że biedak w końcu skurczy się do nicości.

– Zabiłam Jezusa – powiedziała do siebie.

Surowa położna, która właśnie próbowała przytwierdzić usta dziecka do sutka Marty w zdecydowany sposób, jak to pielęgniarki – co przypomina działania poirytowanego hydraulika, który stara się dopasować jeden fragment pralki do drugiego – zaczęła się zastanawiać, czy nie powinna wezwać dyżurnego psychiatry, by zbadał Martę, która mogła cierpieć na psychozę poporodową. Pomyślała sobie, że na wszelki wypadek to zrobi.

Marta zaczęła sobie uświadamiać, że już zdecydowała się w duchu na imię dla małego i bez względu na konsekwencje, które mogą go spotkać w przyszłości, pozostanie przy imieniu Jezus. Poza tym, gdyby jednak okazało się to jednak dla dziecka fatalną decyzją, zawsze mogli się przenieść do Ameryki Południowej, gdzie po ulicach chodziły setki Jezusów.

Właśnie wtedy do pokoju wsunęła głowę Flower.

– Wciąż chcesz, żebym się odpieprzyła? – spytała.

– Och, przepraszam – odparła Marta, rozkoszując się chwilą wytchnienia od szalejącej burzy hormonów, która czyniła z niej – osoby, którą na pozór znała – uległą, nadopiekuńczą i obficie tryskającą maszynę macierzyństwa.

Flower wyraźnie ulżyło.

– Chyba się szybko otrząsnęłam po twoim frontalnym ataku – wyznała. – A twoi rodzice? Jak myślisz?

Marta wzruszyła ramionami.

– Guzik mnie to obchodzi. Mam Jezusa. – I dodała: – Tak, wiem, że gadam jak pieprzona chrześcijańska fundamentalistka.

Surowa położna wciąż przebywała w pokoju, więc obie, Marta i Flower, starały się za wszelką cenę ją ignorować, lecz ból świeżo upieczonej matki i poziom jej irytacji były tak znaczne, że Marta odsunęła surową położną od piersi jak szczególnie wielką końską muchę.

– Och! – zawołała surowa położna, a potem uśmiechnęła się w budzącym grozę, pielęgniarskim stylu. – Wy, młode matki, jesteście wszystkie takie same.

– Jaja sobie pani robi? – spytała Marta.

Dziecko w końcu zasnęło, najwidoczniej nasycone, i Marta zaczęła się zastanawiać, czy nie będzie wymagała zabiegu chirurgicznego przywracającego jej piersiom sutki.

– Widziałaś Sarę? – zapytała Flower. – Wiem, że w tej szczęśliwej chwili nie powinnyśmy zabierać się do niczego, ale biedna dziewczyna jest w takim stanie... Załatwmy tego drania Billy'ego raz na zawsze.

Rozdział 24

Marta była zdumiona zawziętością Flower i jej zdecydowaniem, gdyż sama, niedawno ponaglana, namawiana i rozwierana, by mogła wydać z siebie nadnaturalnej wielkości nowego człowieka, nie miała najmniejszej ochoty załatwiać czegokolwiek i kogokolwiek.

– Posłuchaj, Flower – zaczęła żałośnie. – Mam dziecko, zraziłam do siebie rodziców, nie pozwoliłam nawet własnej siostrze wejść na oddział, nim się jej pozbyłam, Bóg jeden wie, kiedy Ted się ponownie zjawi i ze mną pomówi, a teraz jeszcze ty chcesz, żebyśmy zrobiły coś strasznego Billy'emu.

– Nie my – zastrzegła Flower. – Jestem gotowa wziąć na siebie odpowiedzialność, jeśli mnie wesprzesz i zgodzisz się o tym pogadać.

– No dobra, co zamierzasz zrobić? – spytała Marta.

– Zdobyć broń – wyjaśniła Flower.

Marta wybuchnęła ogłuszającym śmiechem. Flower zachowała powagę.

– Daj spokój, stara, może pistolet na wodę albo zszywacz, żeby mu przygwoździć jaja do dywanu, ale prawdziwa broń?

– Atrapa się nie sprawdzi – wyjaśniła Flower.

– Chcesz powiedzieć, że go nie zabije, o to chodzi, tak? – upewniła się ze zgrozą Marta.

– Nie – oświadczyła równie przerażona Flower. – Nie sprawdzi się, jeśli go postraszę i powiem, żeby raz na zawsze zostawił Sarę w spokoju.

– Ryknie ci śmiechem prosto w twarz – uprzedziła Marta.

– I tak założy, że to atrapa, i zsika się z radości.

– Nie wydaje mi się – obstawała przy swoim Flower. – Bo będę wiedziała, że broń jest prawdziwa, więc wystraszę go śmiertelnie.

– A gdzie zamierzasz ją zdobyć? Wiem, że można to załatwić, ale nie sprzedają czegoś takiego w supermarkecie, sama wiesz.

– Wacek Fiut mi go załatwi – wyjaśniła Flower. – To znaczy pojadę z nim i osobiście odbiorę. Może da się z tego zrobić jakiś dobry numer na scenę.

– Pewnie: „Jak to pojechałam na East End i kupiłam nielegalnie broń, żeby kogoś postraszyć". Rzeczywiście, niezły numer, tyle że odrobinę samobójczy – zauważyła ironicznie Marta. – A tak na marginesie, gdzie spotykasz się z panem Fiutem?

– Występujemy dziś razem w zachodnim Londynie – wyjaśniła Flower.

– Daj sobie spokój z tą spluwą – poprosiła Marta, którą nagle ogarnęło złe przeczucie.

– Nic mi się nie stanie – zapewniała Flower. – Lepiej chyba, żeby trafiła w moje ręce, niż gdyby mieli ją sprzedać jakiemuś czternastoletniemu złodziejowi samochodów.

– Na przykład Juniorowi? – podsunęła Marta.

Flower spojrzała na zegarek.

– Jezu, muszę lecieć – oznajmiła, ale po chwili przypomniała sobie imię dziecka i dodała: – Och, przepraszam.

– Nie martw się – pocieszyła ją Marta. – Wiem, na co się decyduję, dając synowi imię, które wywołuje tak przeróżne skojarzenia, a nawet jest używane jako przekleństwo. Może powinnam nazwać go po prostu Jebaniec? „Jebaniec Harris". Pasuje do niego?

– Nie – powiedziała zdecydowanie Flower. – Zostań przy Jezusie, zaczynam się powoli przyzwyczajać. Muszę pędzić, bo nie zdążę dojechać do domu i wysmarować przed występem tyłek Charliemu.

Flower minęła pod szpitalem pana Raka i gang gruźliczy, nienawidząc się za to, że gdyby miała broń, to i tego ziemistego drania uwolniłaby od cierpienia. Kto by za nim tęsknił? – zadawała sobie pytanie. Czy istniał ktoś, kto go kochał? Jakaś zakręcona kobieta? Pomyślała, że jednak tak, przypominając sobie, że kobiety pisują do seryjnych morderców i chcą ich poślubić. Na dobrą sprawę związek Sary z Billym miał podobny charakter. Flower pomyślała, że musi pilnować Marty i mieć nadzieję, że przyjaciółka nie zacznie korespondować z jakimś odsiadującym wyrok zabójcą.

Pan Rak nie uświadamiał sobie ogromu nienawiści przepływającej przez żyły Flower, kiedy zawołał w ślad za jej znikającymi plecami: „Cześć, Nochalu".

Odwróciła się i nie mogąc powściągnąć języka, przytoczyła tekst Marty: „Przynajmniej nie mam raka". Nie czekała na konsekwencje swej wypowiedzi i ruszyła wprost przed siebie, nieświadoma, że pan Rak pragnął tylko być kochany, jak wszyscy, i że po jego policzku spłynęła wielka łza.

Charlie też nie był w najlepszym nastroju, kiedy dotarła do domu. Zastanawiał się przez cały czas, dlaczego nie może mieć normalnej dziewczyny, która z kolei ma normalne przyjaciółki, zamiast Marty i Sary, te zaś w opinii Charliego były zbyt wymagające uczuciowo.

Flower się zastanawiała, czy nie powiedzieć mu, że idzie na całość i chce poprosić Wacka Fiuta o zdobycie broni. Wcześniej przedyskutowali ogólnikowo zagadnienie i doszli do wniosku, że jak na parę hipisów są dość prawicowi w swych poglądach na temat bezpieczeństwa londyńskich ulic, przestępczości i tego, jak sobie z nią radzić. Charlie zauważył jednak, że Flower staje się coraz bardziej radykalna i zostawia go daleko w tyle. Sam myślał o tym, by wyposażyć swoją dziewczynę w jakiś sprzęt obronny, tak na wszelki wypadek, ale szczerze mówiąc, prawdziwa spluwa nigdy nie przyszła mu do głowy i gdyby Flower mu o niej powiedziała, byłby bardzo negatywnie nastawiony.

Flower zdradzała oznaki nerwowości. Miała wziąć udział w wieczornym przedstawieniu i tym razem nie chodziło o jakiś pięciominutowy gościnny numer. Miejscem występów był zachodniolondyński uniwersytet, gdzie odbywał się bal w związku pięćdziesięcioleciem istnienia uczelni. Jej władze postanowiły zaangażować na koniec wieczoru kilku komików, gdyż popisy gladiatorów zostały już zakazane. Tak więc występy nie zaczynały się przed jedenastą i Flower czuła przez skórę, że wszyscy będą zalani i prawdopodobnie wyjątkowo napastliwi. Na afiszu figurował też Wacek Fiut i Mufka Diva, niewinna hipiska. Lubiła jednak Mufkę – tak naprawdę Alison Hughes – i choć Wacek Fiut opowiadał o niej jakieś nieprzyjemne rzeczy, Flower to nie zrażało.

Wacek Fiut zabrał Flower z rogu jej ulicy czarnym wozem, który wyglądał na amerykański („zwrócił się w dupach, które na niego rwałem"), i ruszyli przez centrum, gdzie z mieszkania tuż za stacją metra Paddington wyłoniła się Mufka Diva, cierpiąc wyraźnie na mdłości. „Zatrucie pokarmowe albo pieprzona ciąża", jak określiła swoje samopoczucie.

Skręcili na A40 i po mniej więcej godzinie ślimaczej jazdy dotarli do szacownych murów, które bardziej przypominały scenografię filmu science fiction niż uniwersytet. Tutaj spotkali się z nieco wstawionym przedstawicielem związku komików imieniem Dan, który miał prowadzić konferansjerkę.

Przebieralnie znajdowały się na tyłach sceny, obok toalet, więc cała trójka mogła w pełni ocenić efekty dźwiękowe wydawane przez zalanych studentów. Dan oświadczył, że zaczynają za około pół godziny i zdołał załatwić im trzy butelki ciepłego piwa, paczkę czipsów i talerz kanapek, które wyglądały tak, jakby ktoś już ich próbował.

Odchodziły tańce i słychać było wrzaski, Flower zaś poczuła, jak zjedzona kanapka dociera do jej żołądka, po czym wraca z powrotem ku górze. Tego, co działo się w jej wnętrznościach, nie mogła określić jako łagodne skurcze, lecz raczej jako żelazny uścisk strachu, który stymulował jednocześnie jej pęcherz i rozluźniał kiszki, grożąc całkowitym paraliżem układu.

W takich chwilach Flower zawsze próbowała sobie wyobrazić najgorsze i starała się zapanować nad sobą. Co prawda w jej fantazjach nie pojawiał się morderca, który wskakuje na scenę. Chodziło nieodmiennie o zabójczego nękacza, który prowokował widownię do bezustannego śmiechu, a Flower do podjęcia smutnej i ostatecznej decyzji – podcięcia sobie żył w obskurnej, prowizorycznej przebieralni.

Mufka Diva oddawała się ćwiczeniom oddechowym, gdyż uczęszczała kiedyś do szkoły aktorskiej; gdyby Wacek Fiut chciał się rozgrzać przed występem, preferowaną przezeń metodą byłoby trzepanie kapucyna. Flower natomiast siedziała z głową w dłoniach, pragnąc powrócić do domu rodzinnego i wieku pięciu lat, kiedy to była szczęśliwa.

W drzwiach garderoby pojawił się Dan, który oznajmił, że wystarczy mu jakieś pięć minut, po czym ruszył dzielnie na scenę, zapominając uprzedzić nieustraszone trio, że nigdy wcześniej nie prowadził konferansjerki i że tak naprawdę nie wie, jak się to robi. Co więcej, był zalany w trupa.

– Dobry wieczór, ochlapusy! – wypalił na początek, potem zwymiotował na scenę i wycofał się chwiejnym krokiem.

– Szybko – rzucił technik, wsuwając głowę do garderoby i wskazując Mufkę Divę. – Twoja kolej!

Mufka Diva przebywała akurat w toalecie, kiedy wszystko się wydarzyło, i teraz wyszła na scenę jak jagnię na rzeź, pośliznęła się na rzygowinach, których nie dostrzegła, gdyż scenę spowiły ciemności, a to dlatego, że operator reflektora się zalał i włączył go zbyt późno; biedaczka runęła wprost w objęcia publiczności, ta zaś uznała, że to część numeru, i zaczęła ją podrzucać do góry. Mufka, której mdłości osiągnęły w związku z tym punkt szczytowy, zwymiotowała komuś na głowę i zamieszki wydawały się nieuniknione, na szczęście Wacek Fiut, doświadczony uczestnik podobnych wydarzeń, opanował sytuację, podchodząc do mikrofonu, spuszczając spodnie i pokazując małego kurczaka przytwierdzonego do penisa. Przez następne kilkanaście minut przedstawiał obrzydliwe numery na temat seksualnego napastowania zwierzaków domowych, po czym odwrócił się w stronę kulis i zawołał:

– Powitajmy małą Flower!

Wydawało się, że tłum ludzi dosłownie eksplodował, gdy ukazała się na scenie. Hałas był ogłuszający, światła oślepiające, a mikrofon nieosiągalnie daleki. Scena została uprzątnięta i gdy Flower dotarła do mikrofonu, nagle nastrój się zmienił, publiczność nieco przycichła i dziewczyna uświadomiła sobie, że przyjaźnie nastawiony tłum patrzy na nią z zadowoleniem i czeka niecierpliwie na początek występu. Po raz pierwszy tego dnia się rozluźniła.

– Ja pieprzę, to bękart Barry'ego Manilowa i pieprzonego yeti – wrzasnął jakiś głos w absolutnej ciszy, po czym rozległ się grzmot najczystszego śmiechu, który osiągnął po chwili poziom niemal histerii; było to coś, czego Flower w swoim życiu jeszcze nie słyszała. W głębi duszy zanosiła się od płaczu. Na zewnątrz też. Nie miała wyboru, jak tylko udać się za kulisy tą samą droga, którą wyszła na scenę, i od tej pory jej numer funkcjonował w kręgach komików (głównie gentlemanów) jako Hipilesbofiasko i stanowił dowód, że dziewczyny nie nadają się do indywidualnej sztuki komediowej.

Flower siedziała przybita w garderobie, a Wacek Fiut nie był prawdopodobnie najbardziej odpowiednim pocieszycielem, jako że rozpatrywał problemy dosłownie każdego człowieka w kontekście seksualnym i uwaga w stylu: „Założyłbym się, że kupa tych facetów chciałaby siedzieć ci w majtkach" nie była do końca tym, co Flower chciała w tej sytuacji usłyszeć. Zaczekała, aż Mufka Diva zniknie w toalecie, by się ponownie wyrzygać, i oznajmiła Wackowi:

– Chcę dostać dziś wieczorem tę spluwę.

– Daj spokój, kotku – starał się ją od tego odwieść.

Flower zaryzykowała.

– Nie ma o czym mówić – machnęła ręką. – Zawsze tylko pajacujesz. Pójdę do kogo innego.

– Nie, nie, da się zrobić – zapewnił Wacek, który faktycznie rozmawiał już z jednym kumplem jednego kumpla. – Posłuchaj, zadzwonię, podrzucimy Mufkę do domu, a potem cię tam zawiozę. Okej? Masz przy sobie forsę?

– A ile będę potrzebowała? – spytała Flower.

– Dwie stówy albo coś koło tego – wyjaśnił Wacek.

– Wątpię, czy mi dziś zapłacą – pokiwała głową Flower. – Pieprzony nękacz, ten sam, co zawsze.

– To znaczy ten, który ma obsesję na twoim punkcie – domyślił się Wacek.

– No cóż, nigdy nie rozpatrywałam tego w takim kontekście, więc dzięki, że jeszcze bardziej napędziłeś mi strachu – zauważyła cierpko Flower.

Rzygacz Dan został zastąpiony przez osobnika o bardziej schludnym wyglądzie i w okularach, zwanego Philem, który przyszedł za kulisy z kopertą pieniędzy.

– Nie zapomnijcie o dziesięciu procentach dla promotora – przypomniała Mufka, kiedy dzielili forsę.

– Pieprzyć to – oznajmił Wacek i dalej liczył forsę.

Zadzwoniła komórka Flower.

– Jak poszło? – spytał Charlie.

– Zaczekaj chwilę – poprosiła Flower. Wyszła na zewnątrz i powiedziała: – Słuchaj, przesunęli to na drugą rano. Przykro mi, ale przyjadę naprawdę późno. Dam ci znać, jak już będę wracać.

Charlie ten jeden jedyny raz nie miał siły narzekać. Musi się czuć naprawdę do dupy, pomyślała Flower, i postanowiła możliwie szybko wracać do domu.

Jechali w milczeniu przez zachodni Londyn, aż wreszcie dotarli do domu Mufki. Diva dumała przez całą drogę i nie odzywała się, rozmyślając o dzieciach i o tym, jak je sobie załatwić, nie prosząc żadnego z przyjaciół gejów, by ją przeleciał albo spuścił się do słoika.

– Siemanko – rzuciła z roztargnieniem.

– Przez chwilę wyglądała prawie na osobę heteroseksualną – zauważyła domyślnie Flower.

– Gdybym ją bzyknął, to tak, jakbym wszedł w smoka – zauważył Wacek.

– Chyba w kluski na parze – sprostowała Flower, odzyskując poczucie humoru, które wyciekło z jej sztuki komediowej na balu studenckim.

Uwolniwszy się od Mufki, Wacek zawrócił w stronę wschodniego Londynu i po mniej więcej pół godzinie posuwali się z wolna wzdłuż Whitechapel, szukając numeru 137. Jak się okazało, sąsiadował z zakładem pogrzebowym.

Bardzo praktycznie, pomyślała Flower, a stojący w brudnej kałuży żółtego światła Wacek, który wcześniej uprzedził o ich wizycie przez komórkę, nacisnął brudny i starty dzwonek, i po chwili w środku załomotały kroki na schodach. Flower, która łyknęła dla uspokojenia kilka piw, zaczęła zadawać sobie pytanie, co tu do diabła robi, ale na szczęście dla niej ogarnął ją akurat syndrom napięcia przedmiesiączkowego, mogła więc bez trudu wytłumaczyć nabycie broni swym wybuchowym nastrojem.

Drzwi otworzył jakiś przystojny niechluj.

– Cześć, Quent – przywitał się z Wackiem.

Flower była zdumiona.

– Nie masz chyba na imię Quentin, co? – spytała.

– Pewnie, że mam, inaczej by mnie tak nie nazwał – oświadczył Wacek, tracąc na kilka sekund typową dla siebie swobodę bycia.

– Quentin jaki? – dopytywała się Flower. – Dwulufowiec, co?

– Nie, broń też jest jednolufowa – warknął przystojny niechluj, prowadząc ich na górę. Odwrócił się do Wacka.

– Nie orientuje się, Quent?

– Nie, nie orientuje się – odparł wściekle Wacek.

– Palant – powiedział niechluj.

– Nie, skąd – wtrąciła Flower. – Wacek jest w porządku.

– Mówię, że tak ma na nazwisko – wyjaśnił niechluj.

Gdyby Flower nie była tak bliska rozwolnienia, wybuchnęłaby śmiechem.

Dotarli do czegoś w rodzaju salonu, gdzie dwóch innych mężczyzn oglądało telewizję. Spojrzeli bez zainteresowania na Flower, ponieważ byli naćpani, a nie dlatego, że ocenili ją jako osobę nie dość atrakcyjną.

– Dobra – rzucił niechluj. – Macie forsę?

Flower wyciągnęła swoje dwie stówy, oczekując, że otrzyma broń starannie zawiniętą w impregnowany papier. Ale niechluj wyjął ją z kieszeni, pogrzebał głębiej i wyciągnął jeszcze trzy kule.

– Załatwione – oświadczył.

– Nie ma więcej amunicji? – spytała zawiedziona Flower.

– Ilu gnojków chcesz załatwić, kochanie? – spytał niechluj i dwaj mężczyźni na sofie wybuchnęli śmiechem.

– Możesz mi pokazać, jak to działa? – poprosiła Flower, przekonana, że gada jak lekko obłąkana uczennica z dobrej szkoły i wielbicielka prozy Enid Blyton.

Facet z wprawą wyciągnął magazynek, włożył doń pociski i wsunął w kolbę.

– Patrz, to bezpiecznik. Pamiętaj o nim, bo sobie odstrzelisz stopę.

I to było wszystko. Takie proste, takie banalne i takie nieteatralne, pomyślała Flower, kiedy schodzili na dół, ale niestety jest więcej gnojków, których chciałabym załatwić. Mniejsza z tym, na razie starczy.

Rozdział 25

Billy i Sara funkcjonowali kiepsko jako para od tamtej nocy sprzed narodzin Jezusa. Podbite oko, widoczne dla każdego na oddziale położniczym, zawdzięczała rzekomo sześcioletniemu sąsiadowi Keanu, i jego nowemu kijowi beseballowemu, ale nie zawracała sobie głowy, by wyjaśniać komukolwiek coś więcej.

Sara wciąż była podejrzliwa i zła o domniemaną niewierność Billy'ego i jej najlepszej przyjaciółki, ale bojąc się pogorszenia sytuacji, zrobiła to, co robi w jej sytuacji wiele kobiet: skierowała swój gniew ku sobie i hej, presto! – popadła w przygnębienie.

Billy natomiast był zły na siebie, ale jednocześnie niezdolny do wyznania winy i prawdy, gdyż bał się, niesłusznie, że zakończy to ich związek, a doszedł do wniosku, że nie mógłby się bez Sary obejść. W jego z pozoru normalnym życiu kryło się tak wiele mrocznych aspektów, które chciał ujawnić – spuścizna po dość wrednym ojcu, o niezdrowych zainteresowaniach pornografią, i matce, przymykającej na wszystko oko. Chciał opowiedzieć o tym Sarze, i sam był zaskoczony, gdyż żadna inna kobieta w jego życiu nie rozbudziła w nim takiego zaufania; Billy wiedział, że gdyby zdołał przezwyciężyć obecny kryzys, ich związek mógłby funkcjonować szczęśliwie i bez żadnej przemocy.

Oczywiście, Billy'emu nigdy nie przyszło do głowy szukać pomocy u psychologa, ponieważ pochodził ze środowiska, gdzie świadomy umysł, nie mówiąc już o nieświadomym, cieszył się takim mniej więcej szacunkiem jak autobus pełen pracowników opieki społecznej – w porównaniu z osiągnięciami, bogactwem i szeregiem dóbr materialnych, które były synonimem sukcesu. Rodzice Billy'ego daliby się prędzej zabić, niż oznajmili: „Nieważne, co robisz, bylebyś był szczęśliwy, synu".

Stąd jakiekolwiek oznaki emocjonalnej słabości utożsamiano z brakiem siły i dlatego też wewnętrzna ucieczka Sary działała Billy'emu na nerwy. Trudniej mu przychodziło zmagać się z tym niż z jej gniewem, który wrzał tuż pod powierzchnią, ale był na ogół maskowany słodkim uśmiechem.

Sara, której repertuar emocjonalnych planów awaryjnych obejmował wyłącznie zakupy, wizyty w ośrodkach odnowy biologicznej i większą niż zazwyczaj liczbę wypalonych papierosów, doszła do wniosku, że trzeba czegoś bardziej drastycznego, jeśli pragnie wyjść na prostą i zachowywać się na tyle rozsądnie, by ocalić związek z Billym. „Chryste, dlaczego pragnę go ocalić? – zadawała sobie co chwila pytanie. – Czyż Marta nie wyświadczyła mi przysługi, śpiąc z nim?". (Sara doszła do wniosku, że to prawda, jakkolwiek by było, i choć bardzo pragnęła temu zaprzeczyć, nie widziała innego wyjścia, jak tylko zaufać swemu instynktowi). Jej stosunek do Marty oscylował między swoistego rodzaju pełną wdzięczności rezygnacją, akceptacją altruistycznej natury ich romansu oraz tak skrajnym gniewem i nienawiścią, że chwilami pragnęła zniszczyć fizycznie przyjaciółkę i jej dziecko.

Zastanawiała się długo i dogłębnie, co zrobić, by znów poczuć się normalnie, i doszła do wniosku, że jedynym wyjściem jest całkowita odmiana, po której wyłoni się nowa, pewna siebie, olśniewająca Sara, silna i gotowa na wszystko, tylko dlatego, że ma odrobinę przystrzyżone włosy i nowe cienie do oczu. Odwołała wizytę u fryzjerki, u której się zwykle czesała, zadzwoniła do pracy, że jest chora, a potem siedziała wpatrzona beznamiętnie w swe odbicie w lustrze, podczas gdy stylista Bal próbował ją namówić na coś bardzo śmiesznego, co nie przypominało w ogóle fryzury, jaką mogłaby zaakceptować.

– No, a równo obcięte włosy? – spytał Bal odrobinę nieprzytomnie, żując gumę, która już dawno nadawała się do wyplucia.

– Nie, to nie w moim stylu, człowieku – oświadczyła Sara. – Chcę czegoś nastroszonego, czegoś, no wiesz, chłopkowatego.

– Czego? – spytał zdumiony Bal, który nie odznaczał się szczególną znajomością słownictwa, ale który z grubsza wiedział, że chłopki rzadko chodzą do fryzjera. – Poczekaj chwilę, kotku.

I poszedł spytać Mię, praktykantkę, która czytywała książki.

– Och, ma pewnie na myśli „chłopczycę" – oznajmiła, a widząc na twarzy Bala wyraz tępoty, dodała: – No wiesz, coś w stylu paryskiego gawrosza.

Niewiele mądrzejszy Bal wrócił do Sary i postanowił przyciąć jej włosy jeszcze odrobinę i dać sobie z resztą spokój.

Kiedy skończył, Sara wyglądała tak, jakby została dopiero co wytarzana w smole i pierzu, ale ponieważ takiej kary nigdy nie stosowano w Maidstone, skąd pochodziła, była zadowolona z rezultatu.

Potem skierowała kroki do ulubionego domu towarowego na West Endzie, gdzie, jak wiedziała, otrzyma nową twarz, gdyż umówiła się wcześniej na wizytę. Siedząc w małej kabinie z wizażystką o imieniu Maria, której gadulstwo i woń perfum mogłyby wypełnić katedrę, starała się nie tracić panowania nad sobą, zwłaszcza gdy krótkie przebłyski samoświadomości podpowiadały jej, jak beznadziejnie żałosne jest w gruncie rzeczy to, czemu się poddaje. Maria posługiwała się mnóstwem melodramatycznych słów, mających związek z oczyszczaniem skóry. „Odmładzała", „naprawiała", „eksplodowała", „elektryfikowała", „wywoływała" i „reewaluowała", aż w końcu Sara nabrała wewnętrznego przekonania, że wszystko jest prawidłowe i przyniesie pożądany skutek.

Wreszcie, gdy wyszła z kabiny, wyglądając jak ofiara LSD po niezłej balandze, udała się na górę, do działu mody, i kupiła sobie sukienkę, która leżałaby dobrze tylko na kimś, kto cierpi na *anorexia nervosa*. Sara nie należała do ludzi otyłych, odznaczała się jednak zdrową krągłością. Postanowiła włożyć sukienkę i ruszyła do domu, ignorowana przeważnie przez londyńską populację, która z dużym prawdopodobieństwem zaakceptuje bez zmrużenia powiek jakiekolwiek zachowanie – od trzepania kapucyna po morderstwo i osaczanie borsuka przez sforę psów myśliwskich – Sara nie miała więc pojęcia, że wygląda bardzo dziwacznie.

Okna wystawowe i lustro w domu uświadomiło jej prawdę, ale Sara zdołała jakimś cudem przekształcić w wyobraźni swój wizerunek w pozytywny stan ekscentrycznego, a jednak interesującego piękna. Tak więc niemal zapomniała o własnej transformacji i nie mogła zrozumieć, dlaczego Billy, powróciwszy z pracy, stoi przed nią i ryczy ze śmiechu.

– Mój Boże, to Mata Hari po ekstazie – wykrztusił.

Sara zaatakowała go bez pardonu.

– Pieprz się, ty draniu – wrzasnęła i tak go walnęła po gębie, że aż ją ręka zabolała.

Billy miał naturę człowieka, który najpierw strzela, a potem zadaje pytania, więc bez namysłu się odwinął i trafił Sarę w limo, zwalając ją z nóg. Było to akurat oko, które ocalało w zeszłym tygodniu przed kijem baseballowym Keanu, więc Sara wiedziała, że teraz będzie miała dwa ślepia jak panda, z czego przyjdzie się jej tłumaczyć.

Billy z miejsca powrócił do swego codziennego stylu.

– O mój Boże, przepraszam – powiedział. – Zrobiłem to odruchowo. Wierz mi, Sara, nie chciałem.

Nie mogła nawet mówić. Wstała, zdarła z siebie swoje nowe rzeczy, ściągnęła z nóg buty, waląc nimi o ścianę, i rzuciła się do łazienki, gdzie zamknęła prowizoryczne drzwi i wsunęła swą biedną ogoloną głowę pod prysznic, podczas gdy Billy stał skonsternowany na zewnątrz, zastanawiając się, jak teraz wszystko odkręcić.

Po chwili Sara wystawiła głowę zza drzwi i wrzasnęła ku jego absolutnemu zaskoczeniu:

– Wszystko byłoby dobrze, gdybym miała dziecko!

Tymczasem Charlie i Flower omawiali sytuację Marty i scenariusz z Tedem.

– Ted to zasadniczo głupek – dowodziła Flower. – Prowadzi obskurny klub dla palantów w Soho i Marta nigdy nie powinna mieć z nim do czynienia.

– Ale serce ma na właściwym miejscu – zauważył Charlie.

– Och, do kurwy nędzy, Charlie – zdenerwowała się Sara.

– Ten facet nie jest wiele lepszy od alfonsa, a ty próbujesz zrobić z niego cool gościa.

– Przynajmniej nie używam języka, który jest dobry dla szczeniaków, a mnie ośmiesza – odgryzł się Charlie.

Flower nawet nie słyszała, co Charlie powiedział, gdyż borykała się z ważnym pytaniem – czy powinna mu powiedzieć, że kupiła „spluwę", jak zwykł to dość żałośnie nazywać Wacek Fiut. Postanowiła jednak, że nie, i pomyślała, że gdyby Charlie natknął się na broń schowaną w kosmetyczce w jej torebce, to wyjaśniłaby, że chowa ją dla Mufki, która była już dostatecznie przerażająca, by jeszcze obnosić się z gnatem.

– Słuchasz mnie? – spytał Charlie. – Wydajesz się czymś zaabsorbowana, i to cały dzień. Tak ci kiepsko poszło zeszłego wieczoru?

– Jestem po prostu zmęczona – wyjaśniła Flower. – I chcę mieć dziecko.

Charlie niemal spadł z krzesła, co nie byłoby takie trudne, gdyż siedział na jednym z tych piankowych taboretów, które łatwo się przewracają. Prawdę powiedziawszy, pewien młody policjant, który odwiedził ich parę miesięcy wcześniej, by zadać Charliemu kilka pytań o jego przynależność do grupy sprawiającej mnóstwo kłopotów podczas demonstracji, przekonał się o tym na własnej skórze, zlatując bokiem z siedziska i lądując na podłodze z przekrzywionym hełmem, a gdy podniósł wzrok, ujrzał tylko dwoje rozchichotanych hipisów. Teraz jednak się nie śmiali.

– Skąd ten pomysł? – spytał zdumiony Charlie, którego ojcowskie uczucia drzemały gdzieś głęboko, przytłumione wszystkim, co planował robić w życiu, a na co nie pozwalałaby obecność dziecka – na przykład wędrówka autostopem przez Australię, a potem życie w buszu okrągły rok. Pechowo dla siebie nie przedyskutował wcześniej swoich planów z Flower, wiedział zatem, że trudno mu będzie przekonać ją teraz, że nie wymyślił ich na poczekaniu.

– Jezus mi go podsunął – wyznała Flower i przez moment Charlie myślał, że jest jeszcze bardziej niezrównoważona, niż sobie kiedykolwiek wyobrażał, w końcu jednak przypomniał sobie potomka Marty, wrzeszczącego na całe gardło w miejscowym szpitalu.

Jeśli mam być szczery, powiedział w duchu, ten fioletowobrązowy mały drań nie wzbudza we mnie jakichkolwiek serdecznych uczuć.

– Posłuchaj – zwrócił się do Flower. – To nie jest tak, że nie chcę w ogóle mieć z tobą dzieci, bo chcę, ale jeszcze nie teraz. Chodzi mi o to, że stoisz dopiero u progu kariery scenicznej.

– To bzdura i dobrze o tym wiesz – oznajmiła zdecydowanie Flower. – Zwłaszcza po klęsce ostatniego wieczoru. Słuchaj, mam już ponad trzydzieści lat i jeśli nie zaczniemy się szybko starać o dzieciaka, stracę swoją szansę.

– Nie możemy sobie na to pozwolić – dowodził niezbyt przekonująco Charlie.

– Moglibyśmy, gdybyś nie palił tyle trawki – zauważyła Flower. – I gdybyśmy częściej siedzieli w domu.

Serce Charliego opadło w nim o kilkadziesiąt centymetrów.

– Chodź się przejść, pogadamy o tym – zaproponował.

– Nie potrafię tu jasno myśleć, potrzebuję przestrzeni.

Wyruszyli z Londynu autobusem w stronę znajomej, porośniętej krzewami okolicy niedaleko Kentu, która znajdowała się na tyle blisko miasta, by liście na drzewach zyskiwały otoczkę brudu, niewidoczną gołym okiem, ale Charlie i Flower czuli, że są w wiejskim raju, choć w rzeczywistości przebywali nieledwie poza przedmieściami. Jak zwykle wzięli ze sobą dużą butelkę jabłecznika i książki. Charlie czytał coś nieprawdopodobnie nudnego o ekosystemie Skandynawii, a Flower oddała się ponownej lekturze *Barnaby Rudge'a* Dickensa, którego czytała jako dziecko, powracając doń mniej więcej co pięć lat dla psychicznego komfortu.

Zostawili za sobą brudny, lekko zalatujący uryną autobus, wciągnęli z optymizmem powietrze w nozdrza i ruszyli polną drogą, która prowadziła do małej łąki wśród drzew, niedaleko strumyka; zdawało się, że nikt prócz nich jeszcze jej nie odkrył. Charlie zabrał z domu „piknik", jak się wyraził, ale okazało się, że to kubełek przeterminowanego kuskusu, dwa gąbczaste jabłka i trochę czekoladowych herbatników. Raczyli się więc herbatnikami i jabłecznikiem, leżąc obok siebie na kocu. Czytali i spoglądali na przemian w niebo, co sprawiło w nieunikniony sposób, że Charlie zapragnął seksu.

Zaskoczył całkowicie Flower, lądując na niej bez słowa ostrzeżenia, i zaczął ściągać z niej bezładnie części garderoby, aż w końcu pozostała tylko w skarpecie, jednym bucie i brudnym podkoszulku, który nosiła jako nastolatka i z którym nie mogła się rozstać.

Charlie dość szybko ulegał surowości wiejskiego otoczenia i zaczynał marznąć, jeśli tylko zdjął z siebie jeden z siedmiu swetrów z angory, wystawił więc poza odzienie tylko minimum konieczne do uprawiania seksu – a fakt, że Flower wybuchnęła śmiechem, kiedy zobaczyła, jak to się do niej zbliża, tylko spotęgował jego pożądanie.

Flower położyła się na plecach i pozwoliła Charliemu robić, co trzeba; wpatrzona w niebo, dostrzegła jednak kątem oka jakiś ruch, usłyszała też niepowstrzymane chichoty.

– Charlie – wyszeptała z wściekłością.

– Uuuh – zdołał tylko wydusić z siebie Charlie.

– Charlie! – syknęła Flower. – Ktoś patrzy!

Charliemu się to bardzo spodobało i zdwoił wysiłki. Wtedy zza drzew ukazały się dwie twarze krostowatych nastolatków, niezwykle zafascynowanych i skupionych, dodających sobie niewątpliwie odwagi, na którą nie było ich stać w pojedynkę.

– Wsadzaj jej, kolego – doradził jeden z chłopców, który pod wpływem nocnego konsumowania pornografii w Internecie wierzył święcie, że jest to odpowiedni komentarz pod adresem pary po trzydziestce, przyłapanej na pieprzeniu w krzakach.

Charlie zdążył już osiągnąć orgazm i teraz doznawał uczucia nienawiści, co charakteryzowało jego liczne kontakty seksualne z Flower i innymi kobietami w przeszłości, a czego nie starał się w jakikolwiek sposób wyjaśnić, tylko po prostu akceptował. W tej chwili jednak miał obok siebie kogoś, na kim mógł wyładować ową nienawiść, i to nastoletnich chłopców, czyli gatunek, którego nie trawił, podobnie jak Flower.

Charlie dźwignął się z ziemi, zapiął spodnie i zdołał zapewnić Flower odrobinę przyzwoitości, podsuwając jej nogą koc. Flower postanowiła zakryć nim głowę niczym oskarżony w obliczu ciekawskich dziennikarzy i wynurzyć się spod tej prowizorycznej zasłony dopiero wtedy, gdy Charlie upora się z sytuacją.

Charlie podszedł do obu osobników, którzy zamiast dać nogę, co jest typowe dla chłopców w tym wieku, postanowili stawić mu czoło – hipis wyglądał na człowieka, którego stosunkowo łatwo rzucić na ziemię. Byli nastolatkami, ale dzięki jakiemuś cudowi odżywiania odznaczali się posturą dorosłych mężczyzn, jednak zagrożenie, jakie stanowili, wydało się Charliemu minimalne.

– Zjeżdżajcie stąd – rzucił Charlie, zachowując w rezerwie brutalniejszy język, gdyby sytuacja zrobiła się nieprzyjemna.

– Pieprz się, hipie – odparł jeden z chłopców i niebo nagle pociemniało, gdy Charlie sobie uświadomił, że źle ocenił sytuację i że może znów oberwać. Uniósł do góry dłonie w geście ustępstwa.

– Słuchajcie, nie chcę żadnych kłopotów – powiedział. – Zostawcie nas tylko w spokoju, dobra?

– Trzeba cię chyba ukarać – oznajmił drugi. – Za to, że przeleciałeś takiego starego psa w krzakach.

Obaj aż zgięli się wpół, rozbawieni tą uwagą, a wtedy Charlie, weteran wielu agresywnych spotkań z policją, której przedstawiciele nie różnili się w końcu tak bardzo od tych chłopców, postanowił zaryzykować i wymierzył pięścią cios w okolice brody bliżej stojącego przeciwnika.

Trafił, a zaatakowany wrzasnął z bólu, zataczając się do tyłu.

– Też chcesz oberwać? – spytał Charlie drugiego, który był niebywałym tchórzem i w takich sytuacjach liczył wyłącznie na swojego kumpla.

Chłopak zaczął płakać.

– A teraz spierdalajcie – rozkazał Charlie, mając nadzieję, że nie zauważą jego roztrzęsienia.

Obaj zwiali. Charlie zwrócił się do Flower.

– No i co ty na to? – spytał rozpromieniony, pusząc się jak paw.

Flower płakała.

– Kotku, o co chodzi? Dołożyliśmy tym pojebańcom.

Flower jednak wyobrażała sobie, co mogłoby się stać, i w swym umyśle odmalowała sobie jakąś straszliwą scenę tortur i śmierci – samą siebie i Charliego na łasce dwóch chłopców. Przez całą powrotną drogę autobusem Flower trzymała dłoń w torebce, wyczuwając broń. Charlie o tym nie wiedział, ale była wcześniej tak bliska tego, by ją wyjąć. Zastanawiała się, czy wystarczyłoby nią tylko pomachać, czy też chłopcy pomyśleliby, że to replika, i zmusili, by się nią posłużyła. Gdyby zastrzeliła jednego, musiałaby bezwzględnie zastrzelić też drugiego, i została by jej tylko jedna kula – a potrzebowała więcej niż jednej.

Rozdział 26

Jezus kończy dziś trzeci dzień, pomyślała Marta. Ciekawe, dlaczego ojciec się jeszcze nie odezwał?

Ted stał w otwartych drzwiach przez długą chwilę, obserwując Martę z dzieckiem. Nie zauważyła go. Była tak bardzo zaabsorbowana problemem, jaki stanowiło prawidłowe nakarmienie dziecka; czuła, że musi osiągnąć w tym wprawę, choćby dlatego, by wkurzyć surową położną. Ted żywił przez kilka sekund bardzo ciepłe uczucia wobec Marty; gdyby nie zrobiła mu tej strasznej krzywdy, jaką było zatajenie jego ojcostwa, to wierzył, że mogłoby między nimi całkiem dobrze się ułożyć.

Marta dostrzegła nagle obecność Teda i nim przypomniała sobie atmosferę towarzyszącą ich ostatniemu spotkaniu, była zadowolona, że go widzi. Poczuła do niego ogromną serdeczność.

– Przepraszam, Ted – powiedziała. – Wiem, że źle postąpiłam i cię zraniłam, ale bałam się, że jeśli ci powiem, to spróbujesz mnie namówić na coś, czego nie chciałam zrobić.

– A więc postanowiłaś zachować całą sprawę wyłącznie dla siebie. Przypuszczam, że nigdy byś mi nie powiedziała, gdybym nie zjawił się w dniu jego narodzin – oznajmił Ted.

– No cóż, widziałem się z prawnikiem. Zamierzam ubiegać się o prawo opieki nad małym.

– Żartujesz – odparła Marta wesoło, ale serce w niej zamarło.

– Wcale nie – zapewnił Ted.

– Na jakiej podstawie?

– Na takiej, że będziesz kiepską matką – wyjaśnił. – Widziałem twoje mieszkanie i wielu ludzi powiedziałoby, że nie nadaje się na miejsce dla ludzi.

– Ty draniu! Nie masz pojęcia o moich umiejętnościach macierzyńskich.

– Wiem dostatecznie dużo – powiedział z naciskiem Ted.

– I wiem, że w takich przypadkach zawsze wygrywają kobiety, ale zrobię wszystko, co w mojej mocy, by z tobą wygrać. Prawdę mówiąc, mogę skontaktować się z twoim ojcem – jestem pewien, że mi pomoże.

– Nie ma mowy – sprzeciwiła się Marta. – Nie pozwalam ci się z nim widzieć.

– Co ty sobie wyobrażasz, że to jakaś powieść wiktoriańska czy co? – rzucił ironicznie Ted. – Naprawdę sądzisz, że możesz mnie powstrzymać od spotkania z twoim ojcem? Nie bądź taka cholernie śmieszna. Jeśli mam być szczery – ciągnął – jak się rozpytam o ciebie w pracy, to mało prawdopodobne, żebym przegrał. Mogłaś mieć problemy z narkotykami.

– Nie bawię się w narkotyki – zapewniła Marta.

– Nie musisz – oznajmił Ted. – Wystarczy dać do zrozumienia, że to robisz – i powiem jeszcze, że mnie okradałaś.

– Wyślą mnie i dziecko do więzienia, a wtedy z pewnością się nie zobaczymy – ostrzegła Marta.

– Nie rozumiem, jak mogłaś mi to zrobić – wyznał Ted. – Myślałem, że wszystko jest między nami w porządku.

– Przepraszam – powiedziała żałośnie Marta. – A tak przy okazji, gdzie zamierzasz mieszkać z dzieckiem, jeśli uzyskasz prawo opieki? W tej cuchnącej kawalerce nad klubem?

– O nie, mam wielkie plany – zapewnił Ted.

– Dziecko nie może z tobą mieszkać. Będzie cały czas płakać.

– Dlaczego? – zainteresował się Ted.

– Bo masz brzydką twarz – wyjaśniła Marta.

Było to ryzykowne posunięcie, ale Marta zawsze potrafiła rozśmieszyć Teda i teraz, po raz drugi w tym miesiącu, modliła się, by zadziałało.

Ted z trudem mógł uwierzyć, że w ferworze tak emocjonalnej debaty Marta ośmieliła się odstawić stary numer „Ted jest brzydki". Patrzył na nią przez kilka sekund z kamiennym wyrazem twarzy, ale po chwili jego szerokie oblicze zaczęło się wyraźnie marszczyć. Po kilku sekundach odrzucił głowę do tyłu i zaczął się śmiać, jakby nigdy nie zamierzał przestać.

– Przepraszam – powtórzyła Marta. – Naprawdę.

I wybuchnęła płaczem, a Jezus jej zawtórował.

Jedna z pielęgniarek, która rozwoziła lekarstwa, wtoczyła wózek do pokoju i stwierdziła, że jego mieszkańcy wydają z siebie potężne łkania, jakby każdemu z nich zawalił się właśnie świat.

Od chwili, gdy Ted został włączony do rodziny, Marta zaczęła odnosić wrażenie, że sytuacja stała się znośniejsza. Wcześniej prosiła, by pozwolono jej zostać w szpitalu jeszcze kilka dni, gdyż nie mogła znieść myśli o powrocie do mieszkania, wiedząc, że zraziła do siebie większość ludzi, których kochała. Teraz jednak, gdy pogodziła się z Tedem, poprosiła o zwolnienie do domu. Nie było powodu jej zatrzymywać, ponieważ Jezus był zupełnie zdrowy, Marta zaś zdrowa jak zawsze, to znaczy nie bardzo.

Potem starali się omówić przyszłość, ale kiepsko im to wychodziło, zgodzili się więc, że Ted pojedzie z Martą do domu, pozostanie tam przez kilka dni, a potem podejmą jakąś decyzję.

Ted nie wspomniał o tym, że jego syn ma na imię Jezus, Marta zaś milczała, by go nie wkurzać. Spakowali razem jej rzeczy, a Ted pojechał do siebie, żeby zabrać swoje, i wrócił sumiennie po Martę. Kiedy wyszli za bramę szpitala, pokazała Tedowi pana Raka, by wprowadzić go w świat dziwnych ludzi, których życie od czasu do czasu kolidowało z jej życiem.

Junior, który czekał, aż do niego zadzwonią i znów każą mu gwizdnąć samochód, by mógł przywieźć Martę z powrotem do domu, ze zdziwieniem usłyszał odgłosy krzątaniny i płacz dziecka za ścianą. Wystawił głowę przez balkon i ujrzał w odległości kilku centymetrów wielką twarz Teda. Zdrowo się przeraził.

– A ty kto, koleś? – spytał Ted w stylu złoczyńcy z East Endu, co mu nieźle wychodziło.

– Jestem Junior – wydusił chłopak. – Do zobaczenia, kolego.

I szybko schował się w swoim mieszkaniu, analizując przybycie wielkiego faceta i zastanawiając się, co ono oznacza.

Marta kiepsko radziła sobie z Jezusem. Karmienie piersią nie wychodziło jej za dobrze i dziecko było bez przerwy wkurzone i głodne, a Marta wykończona i sfrustrowana. Pragnęła tylko zasiąść przed telewizorem, popatrzeć tępo w ekran, a potem pójść do łóżka. Lecz w trzecim dniu Jezusowego życia uświadomiła sobie, że nieprędko osiągnie taką wolność.

– Posłuchaj – zwrócił się do niej Ted. – Widzę, że jesteś wykończona. Może wezmę wielkiego J do wózka i przejdę się do totalizatora. Będziesz mogła się kimnąć i trochę odsapniesz.

Marta aż podskoczyła.

– Dziecka, które ma trzy dni, nie powinno się zabierać do pieprzonego totalizatora – oznajmiła, zastanawiając się, dlaczego nagle pojawił się u niej głos siedemdziesięcioletniej czarownicy.

– No dobra – zgodził się Ted. – Pospaceruję godzinkę po parku.

Ted nie był świadom licznych przejawów życia, jakie toczyło się w okolicy jej mieszkania, jako że spacer po parku oznaczał zazwyczaj obrzucanie psim gównem przez siedmiolatków albo dźgnięcie nożem przez trzynastolatków.

Marta wyjaśniła to Tedowi piskliwym głosem czarownicy i oboje poszli na kompromis – Ted miał umieścić Jezusa na krzesełku w swoim wozie, pojechać w jakieś miłe miejsce, wziąć małego na spacer, a potem wsadzić z powrotem do samochodu i wrócić po jakichś trzech godzinach do domu. Marta obliczyła, że tyle czasu upłynie między jednym a drugim karmieniem i że małemu nie grozi śmierć głodowa.

Ted zauważył też, że liczba dziecięcych rekwizytów, jakie udało się skompletować Marcie, jest minimalna: gówniany i wystrzępiony koszyk do noszenia, w którym Flower trzymała swoje kompakty, kilka śpioszków od mamy Juniora i dwa kocyki. Zastanawiał się, co Marta robiła z sobą, nim urodziła dziecko, i poczuł, że zaczyna poznawać ją trochę lepiej. Musiał przyznać, że jest nieco zaniepokojony każdą drobną cząstką, jaką w niej poznawał.

Marta nie chciała, by Ted wychodził z Jezusem, ale była tak wyczerpana, że nie mogła zdobyć się na żaden opór. Zaczęła sobie uświadamiać, jak bardzo dała się ogłupić obrazowi macierzyństwa odmalowanemu w mediach. Kiedy patrzyła w lustro, dostrzegając obwódki pod oczami, sutki, którymi mogła odpalać kuchenkę gazową, i szalejącą burzę, którą była kiedyś jej wagina, a która teraz przypominała tor wyścigowy dla koni o zaostrzonych kopytach, niemal zasnęła na stojąco.

W tym samym czasie Jezus i Ted bawili się znakomicie na nabrzeżu. Ted postanowił zafundować Jezusowi pierwszy prawdziwy dreszczyk emocji i zabrał go na wielki diabelski młyn, który obraca się na południowym brzegu Tamizy. W gondoli z Tedem siedziało kilka matek z dziećmi w wieku szkolnym; wszystkie mamy bez wyjątku popatrzyły na Teda z przerażeniem, gdy tylko dostrzegły, jakie maleństwo trzyma na ręku. Zastanawiały się, czy aby nie był pedofilem, który skądś je ukradł. Może był statystą w jakimś przedstawieniu na West Endzie, a dziecko rekwizytem? O ile mogły się zorientować, maleństwo było ładne, więc pokrewieństwo z Tedem należało wykluczyć.

Nieświadomy owych spekulacji, biedny Ted kiwał wszystkim głową z niekłamaną sympatią, na co matki przytulały obronnym gestem swe pociechy, którym wydało się to bardzo irytujące, gdyż miały od swych rodzicielek o wiele więcej pojęcia o pedofilii i mogły się bez trudu zorientować, że Ted to dobry facet i że nie stanowi dla nich zagrożenia.

W domu zaś Marta z furią zakopała głowę pod poduszką, chcąc się przespać przez tych kilka cennych godzin, jakie jej dano. Jezus przez całą noc popiskiwał i narzekał, a zatem, jak dowodził podręcznik dla młodych matek – Marta w końcu do niego zajrzała – było rzeczą niezwykle ważną złapać trochę snu, gdy tylko nadarzyła się okazja. Marta nie zdawała sobie sprawy, że to ów przerażający „trzeci dzień" – tylko oględnie wspominany w podręcznikach dla młodych matek, z obawy przed jego porażającym działaniem, i bagatelizowany przez wszystkich z wyjątkiem świeżo upieczonej rodzicielki, która właśnie go przeżywa, albo jej partnera czy przyjaciela.

W końcu zrezygnowała ze snu i zrobiła coś, czego zawsze zabraniał jej ojciec: włączyła telewizor w środku dnia. Nadawali program o ubrankach dziecięcych i po kilku sekundach Marta zanurzyła się w szalejący wir płaczu i smutku, których nie była w stanie pojąć, tak bardzo do niej nie pasowały. Przełączyła na inny kanał, gdzie pokazywali film dokumentalny o parze ludzi, którzy właśnie się pobierali, co tylko pogorszyło jej nastrój. To absolutnie cholernie idiotyczne, pomyślała, wypłakując sobie oczy. W końcu przełączyła na inny kanał, gdzie jakiś nudny facet wyjaśniał coś z trygonometrii, ale w ruchach i sposobie ubierania się miał tyle patosu, że cierpienie Marty osiągnęło jeszcze wyższy poziom. Leżała w fotelu – gile z jej nosa fruwały wokół, każda żyłka w jej oczach była czerwona i nabrzmiała, z piersi dobywały się rozdzierające łkania rozpaczy – nie rozumiejąc, dlaczego tak się dzieje.

Gdyby Ted miał chociażby blade pojęcie, że w domu odchodzi coś takiego, wiałby jak najszybciej w przeciwnym kierunku, aż do świtu dnia czwartego. Jednak wiedza biednego Teda ograniczała się do jakiegoś artykułu w magazynie dla młodych matek, a to nie dawało pełnego obrazu rzeczywistości. Tak więc powrócił niczym niewinne uśmiechnięte dziecię, nieświadomy ataku, jaki go czeka.

Ledwie wtoczył do przedpokoju wózek skrywający w swym wnętrzu pogrążonego w błogim śnie Jezusa, kiedy Marta wydarła się wniebogłosy, rzucając weń tym, co miała akurat pod ręką – ciężkim butem. Jeśli chodzi o treść, jej wybuch wyglądał mniej więcej tak:

– Ted, ty pieprzony dupku, nie nadajesz się na ojca, ty popaprańcu, wynocha, idź się powiesić, ty wielki zasrańcu, nienawidzę cię, nienawidzę cię, nienawidzę cię!

Ted, który wychodził z domu, gdy wrzask Marty osiągnął stosunkowo niski poziom, zaniemówił ze zdumienia, że w ciągu trzech pełnych relaksu godzin była w stanie tak się podkręcić. Jakiś wewnętrzny głos doradził mu, że powinien zachować spokój i że awantura nie będzie trwała wiecznie, a jednocześnie inny głos mu podpowiadał: „Tak się zachowuje cały czas, kolego. Nie znasz jej w gruncie rzeczy". Osunął się na krzesło.

Zły ruch. Marta rzuciła się na niego jak worek kartofli obdarzony nuklearną siłą.

– Jak śmiałeś!? Jak śmiałeś!? – darła się, jakby to, że usiadł na krześle, było równoznaczne z dręczeniem niewinnego zwierzęcia i spożyciem jego żywotnych organów.

– Co takiego zrobiłem? – spytał biedny i bezradny Ted.

Był to sygnał dla Marty, żeby zacząć kolejną tyradę o podobieństwie Teda do mordercy posługującego się siekierą, tak więc w końcu był zmuszony zawtórować Marcie, by wydobyć z niej konkretną odpowiedź.

– Co, do kurwy nędzy, takiego zrobiłem? – ryknął głosem, który można było usłyszeć kilka pięter niżej.

Marta zdołała tylko postukać palcem w swój zegarek, lecz z taką furią, że Ted zaczął się o niego obawiać.

– Dziesięć minut! – wrzasnęła. – Dziesięć minut! Myślałam, że cię zamordowali i uprowadzili dziecko!

Tedowi wreszcie zaświtało, że to wszystko z powodu jego spóźnienia, i zaczął się zastanawiać, co Marta by zrobiła, gdyby naprawdę poważnie narozrabiał. Postanowił spróbować szczęścia i wejść w rolę mediatora.

– Posłuchaj, kochanie – zwrócił się do niej, a Marta po prostu osunęła się na krzesło cała we łzach.

– Nikt nigdy mnie tak nie nazywał – załkała. – Naprawdę mówisz szczerze?

Ted wiedział doskonale, że jeśli powie „nie", to zginie na miejscu, poza tym w pewnym stopniu mówił szczerze. Rzecz zdumiewająca, Jezus przespał w najlepsze cały ten huragan, skłaniając Martę do przypuszczenia, że zapadł w śpiączkę.

– W mordę, Ted, zawieźmy go do szpitala – powiedziała.

Szczęśliwie w tym momencie zjawiła się położna środowiskowa.

Rozdział 27

Położna środowiskowa nazywała się Tangerine, czyli mandarynka, i mogłaby być spokrewniona z Flower, tak podobne były do siebie pod względem pochodzenia. Urodziła się w latach sześćdziesiątych, a para, która ją poczęła w trakcie festiwalu rockowego na wyspie Wight, wybrała dla niej takie imię, gdyż był to ich ulubiony owoc, kolor i połowa nazwy kultowego zespołu z owych czasów – Tangerine Dream. „Tan", jak sama o sobie mówiła, musiała po prostu żyć ze swym imieniem; prawdę powiedziawszy traktowała to humorystycznie, ponieważ ludzie bezustannie pytali ją, co to za zdrobnienie „Tan", ona zaś tłumaczyła wszystko ze znużeniem wędrownego artysty, który nigdy nie wystąpi z tym numerem w telewizji. Tangerine, jak trafnie przewidywałyby podręczniki psychologii – biorąc pod uwagę jej wychowanie – odznaczała się konserwatywnym podejściem do opieki nad dzieckiem i miała swoje zdanie na temat tego, że biedne maluchy wrzuca się do jakichś cholernych nosidełek, by potem wlec je po całym świecie, na co w ogóle nie miały ochoty. Obchodziła mieszkania komunalne południowego Londynu, odwiedzając samotne matki, rodziny, gdzie dziecko miało zazwyczaj kilku ojców, i domy, gdzie narkotyki, alkohol i przemoc stanowiły ulubiony rodzaj rozrywki; czyniła to z miną Madonny cierpiącej na zatwardzenie, jak gdyby wszyscy ci ludzie zachowywali się tak celowo, by jej dokuczyć.

Gdy Ted otworzył drzwi – niezbyt atrakcyjny, biedny sukinsyn – Tan wywnioskowała przynajmniej ze sposobu, w jaki się ubierał, że odznacza się niejaką przyzwoitością, i westchnęła z ulgą. Potem weszła do mieszkania i zobaczyła królujący tu chaos i biedną Martę, ledwie świadomą, że wystaje jej jedna pierś, jak siedzi zgarbiona w rogu sofy, pochłaniając łapczywie otręby z salaterki, by wprawić w mleczne ożywienie drugą niemrawą część jej ciała.

– Herbaty? – spytał Ted i Tan poprosiła o zwykłą, gównianą, standardową, tanią, niearomatyzowaną odmianę, czym z miejsca zaskarbiła sobie sympatię Marty. Tan zbyt długo wlewała sobie do gardła jeden za drugim obrzydliwe wywary z liści tego czy innego krzewu, by znów ryzykować.

Kiedy Ted wrócił z herbatą i takim bogactwem krakersów, jakiego Tan jeszcze nie widziała w jednej puszce, rozluźniła się jeszcze bardziej i przyglądając się dobranej na pierwszy rzut oka parze, spytała:

– No i jak leci?

„Do dupy" i „Wspaniale", oznajmili jednocześnie Marta i Ted, i tak zaczęło się zadanie Tan, czyli odkrywanie emocjonalnego epicentrum trzęsienia ziemi, jakim jest zwykle nowo narodzone dziecko. Zaczęła od Marty, ponieważ Tan zawsze uważała, że jeśli uda jej się przeciągnąć matkę na swoją stronę, reszta ułoży się sama. Musiała zrobić to szybko, gdyż pozostało jej tylko osiem dni z dziesięciu ustawowo przydzielonych, by ustanowić dynastię Tan, nim pojawi się jakaś pieprzona kretynka z wydziału zdrowia ze swoimi liberalnymi poglądami i zbyt swobodnym sposobem bycia.

– Proszę mi po prostu powiedzieć, jak to wygląda – zwróciła się do Marty w energiczny, lecz miły sposób, w każdym razie wystarczająco serdeczny, by doprowadzić Martę ponownie do łez.

– Ciężko – wyznała Marta, wyjmując Jezusa z łóżeczka i przytulając do piersi, która nie wystawała. – Kocham go ponad życie, ale mam wrażenie, że nie bardzo wiem, co z nim robić. Umiera przez większość czasu z głodu, a karmienie piersią to istna męka, w szpitalu jednak powiedzieli, żebym nie dawała mu żadnego mleka w proszku i że powinnam karmić piersią, ale to prawdziwa tortura. Ted i ja w ogóle nie zmrużyliśmy w nocy oka, prawda?

– O, tak – przyznał Ted, któremu udało się zawrzeć w tych dwóch słowach przytłaczający ból owego doświadczenia.

– I czasem – ciągnęła Marta – choć wiem, że nie powinnam, ale czuję się jak wielka klucha nicości, która jest tu tylko po to, by karmić Jezusa.

– Kogo? – spytała Tan, myśląc jednocześnie: Chyba się przesłyszałam?

– Och, to taki rodzinny żart – wyjaśnił Ted, a Marta przytaknęła.

– No cóż – ciągnęła Tan – pewnie to pani specjalnie nie pocieszy, jeśli powiem, że większość świeżo upieczonych matek ma wrażenie, jakby unosiły się na falach nieznanego morza i pragnęły stabilizacji. Jest na to sposób – trzeba uporządkować odrobinę swój dzień, nawet jeśli sprowadza się to do tego, by karmić regularnie albo kłaść spać Jez… dziecko o tej samej porze.

Marta wydobyła skądś paczkę czipsów i zaczęła je przeżuwać.

– I proszę nie jeść tych świństw, jeśli karmi pani piersią – uprzedziła Tan, która choć nie była zwolenniczką takiego sposobu żywienia dzieci, pomyślała, że jeśli Marta spróbuje, to równie dobrze da sobie radę. – I niech się pani nie przejmuje obowiązkami domowymi – dodała Tan, choć zdążyła się już zorientować, że nie są w tym domu priorytetem.

Potem wzięła Jezusa z rąk Marty i przyjrzała mu się fachowym okiem.

– Jak tam przebieranie, kąpiele i tak dalej? Bez kłopotu? – zwróciła się do Marty.

– Och, mogę się więc już kąpać? – spytała ze zdziwieniem Marta.

– Chodzi mi o dziecko – wyjaśniła Tan.

Ted wybuchnął śmiechem, a Tan pomyślała, że miły z niego facet, choć z taką gębą trudno mu zrobić na kimkolwiek dobre wrażenie przy pierwszym spotkaniu.

– Jeszcze herbaty? – spytał, a Tan przytaknęła, czując się bardzo dobrze w tym dość niechlujnym mieszkaniu z dwojgiem przyjacielskich niezgułów i ich biednym, nieświadomym niczego dzieckiem.

Rozległo się głośnie i wściekłe pukanie do drzwi. Ted poszedł otworzyć. Stała w nich Flower, i to bardzo zdenerwowana. Ted dopiero poznawał przyjaciółki Marty, która nie miała specjalnie czasu ani ochoty opowiadać mu o nich, gdyż albo byli zmęczeni, obserwując z niepokojem twarz Jezusa i jego przydatki, albo śmiali się histerycznie, kiedy Ted próbował przewinąć małego i nałykał się jego moczu, nie zdając sobie sprawy, że maleńki niemowlęcy penis to coś w rodzaju pistoletu na wodę, jeśli się go odpowiednio nie kontroluje.

– Wszystko w porządku, Flower? – zapytała Marta, która, choć otoczona mgłą macierzyństwa, dostrzegła, że przyjaciółka jest podekscytowana.

– Ze mną tak, ale nie z Sarą – odparła Flower. – Przyszłam, bo nie chcę gadać o tym przez telefon. Wiedziałam, że będziesz w domu.

Zdawała sobie sprawę, że dynamika życia w tym mieszkaniu uległa zmianie, od kiedy zjawił się Ted, i zastanawiała się, czy może swobodnie pogadać w jego obecności, czy też muszą się bawić w grę pod tytułem „Chłopak się zjawił – morda w kubeł". Marta była w tym beznadziejna i musiała pobrać lekcje od Flower, kiedy to podczas jakiejś imprezy wrzasnęła z drugiego końca pokoju do Flower i Charliego, którzy się właśnie zjawili: „Hej, Flower, pamiętasz, jak podróżowałaś autostopem po Francji i zerżnęłaś tych dwóch braci ze świńskiej farmy?".

– Tan, Flower, Flower, Tan – powiedział Ted, który chciał je sobie przedstawić, nim Flower zacznie swoją tyradę na temat ostatniego dramatu Sary, jak domyślała się Marta.

– Cześć, Tan – przywitała się Flower. – To chyba zdrobnienie od Tangerine, prawda?

– Owszem – przyznała Tan. – Jak się, u licha, domyśliłaś?

– No cóż, jako Flower, umiem wywęszyć hipisowskie imię z dwudziestu kroków – wyjaśniła. – Na jakim festiwalu cię poczęli?

Tan wybuchnęła śmiechem.

– Na wyspie Wight. A ciebie?

– Nic tak romantycznego – odparła Flower. – Dziki lokal w Kennington.

– No cóż, nie będę wam już dłużej przeszkadzać, widzę, że chcecie porozmawiać. Miło było cię poznać, Flower. Jak kiedyś założysz grupę wsparcia, daj mi znać.

– Odprowadzę cię na dół – zaproponował Ted, który był po prostu miły, ale Marta poczuła leciutkie ukłucie... zazdrości? Z pewnością nie! Czy mogłaby być potencjalną właścicielką wielkiego cymbała i nie dopuszczać myśli, że istnieją kobiece bestie, które mają na niego ochotę? Przypisała swoją reakcję działaniu hormonów i zwróciła się do Flower.

– Powiedz mi – poprosiła nieco sarkastycznym tonem. – Sara i Billy... nie za bardzo im się układa, hę? Nigdy nie był zbyt miły, co?

– Nie rób sobie jaj   oznajmiła Flower. – To poważna sprawa.

Przyszło jej do głowy, że Marta jest dziwnie rozkojarzona. Przyjaciółka nie była najlepszą w świecie słuchaczką, Flower jednak zawsze potrafiła skupić jej uwagę na ciekawej opowieści, jeśli tylko miała ona wszelkie cechy opery mydlanej – jak w przypadku sagi będącej udziałem Billy'ego i Sary. Flower nie zdawała sobie jednak sprawy i nawet sama Marta stanowczo by temu zaprzeczyła, gdyż sama jeszcze nie dostrzegała, że z wolna okrywa się płaszczem macierzyństwa, co jest nieuniknione, chyba że ktoś odznacza się pewnym skrzywieniem emocjonalnym albo w ogóle nie chce mieć dziecka.

Przez resztę życia Marta miała wykazywać ów nieznaczny brak koncentracji na tym, co robi ktoś inny; jakiś niewielki procent uwagi skupiała bezustannie na swym dziecku albo dzieciach. Flower zaś musiała to tolerować do chwili, gdy sama doczekała się potomstwa i zaczęła postępować podobnie. Do tej pory jednak zawsze odczuwała irytację wywołaną zachowaniem Marty.

Marta wzięła na ręce Jezusa i zaczęła go karmić, wkładając w to całe serce, szło jej jednak niezgrabnie, gdyż robiła to w czyjejś obecności.

– Aha, jak ci poszło zeszłego wieczoru? – spytała, a Flower, choć odczuwała silną potrzebę przekazania najświeższych informacji z frontu Sary i Billy'ego, nie mogła się powstrzymać od zrelacjonowania swego występu.

– Ten nękacz znowu się tam pojawił. To mnie trochę niepokoi, jeśli mam być szczera – odparła.

– Odprowadziłem Tangerine do samochodu – krzyknął Ted, który pojawił się właśnie w drzwiach wejściowych, a widząc, że Flower i Marta rozmawiają i że Jezus śpi albo jest karmiony, gdyż jego jedyne trzy czynności na tym etapie życia sprowadzały się do płaczu, jedzenia i spania, wycofał się do kuchni, żeby pozmywać i wysłuchać wiadomości sportowych w radiu.

– Jak ci się układa z...? – spytała Flower, wskazując głową kuchnię.

– Chyba dobrze – odparła Marta. – Choć nie mogę tego robić przez najbliższe trzy tygodnie, a czuję, że powinnam, ponieważ zrobiliśmy to w trakcie całego naszego związku tylko raz, i to ledwie pamiętam. Powiem ci coś więcej, jak dojdziemy do siebie.

– W porządku – powiedziała Flower. – Tak czy inaczej, ten numer zeszłego wieczoru... Boże, konferansjer był do niczego, w dodatku zalany, nigdy nie zgadniesz, co zrobił, kiedy...

Zadzwoniła komórka Flower, która odebrała, widząc, że dzwoni Sara. Rozmowa była krótka i denerwująco niejasna dla Marty, która zorientowała się, że jest jeszcze gorzej i że coś się stało, o czym świadczyły wykrzykniki w rodzaju „o, kurwa!" albo „mój Boże!". Flower zakończyła tę ciekawą konwersację słowami: „W porządku, spotkamy się tam. Tak, Sar, jestem pewna, że będzie dobrze. Nie martw się".

– No i co? – dopytywała się Marta.

– Właśnie od niego odeszła – wyjaśniła Flower. – Nie mogę w to uwierzyć. Nie mamy już czego załatwiać. – Powiedziała z niejakim smutkiem. – Zawsze tego chciałyśmy, dzięki Bogu. I co ty na to, hę?

– Wróci do niego w ciągu dwóch dni – oznajmiła Marta rzeczowo.

– Och, nie bądź taką cholerną pesymistką – skarciła ją Flower. – Możemy ją wyprostować, tak jak się to robi z ludźmi, którzy wstąpili do sekty. Odprogramować, rozumiesz?

– Mam tu mały problem z trzydniowym dzieckiem – przypomniała Marta.

– Och, zapomniałam – uderzyła się w czoło Flower. – Ale teraz na ogół śpi, poza tym Ted może zająć się nim od czasu do czasu, prawda? I wiesz co jeszcze? – Spojrzała na Martę i oświadczyła teatralnym szeptem: – Mam spluwę.

Marta wyprostowała się gwałtownie, a Jezus odpadł od jej piersi i zaczął płakać. Próbowała przystawić go sobie do sutka.

– Żartujesz – powiedziała tylko.

– Wcale nie – zapewniła Flower. – Zamierzam wycelować w niego i napędzić mu stracha.

– Wycelować co w kogo? – zainteresował się Ted, wchodząc do pokoju.

– Och, opowiadałam właśnie Flower o wybrykach Jezusa z sikaniem – wyjaśniła Marta, zaszokowana faktem, że jej rozmiękły mózg jest w stanie jako tako funkcjonować, a jeszcze bardziej tym, co Flower jej właśnie wyznała.

– No dobra – oznajmiła Flower, wstając z miejsca. – Lepiej już pójdę. No wiesz, spotkać się z Sarą.

– Ale nie powiedziałaś mi, co się właściwie stało – przypomniała Marta.

– Nie mam czasu – tłumaczyła Flower. – Zadzwonię do ciebie później. Cześć, Ted. Cześć, Jezus – dodała i wyszła.

– Miło spotkać się z przyjaciółką, co? – zapytał Ted, którego twarz miałaby zupełnie inny wyraz, gdyby się choć trochę orientował, o czym rozmawiały. – Chodź do mnie, synu – powiedział, biorąc Jezusa z kolan Marty i podnosząc do góry, a potem patrząc na małego z uśmiechem szerokim jak jego bary. – No i co powiesz, moje kochane, kochane maleństwo? – I zaczął się śmiać z niekłamanej radości.

Jezus odpowiedział wymiotując, i to celnie, gdyż trafił prosto w otwarte z zadowolenia usta Teda. Marta, jak zawsze oddana matka i partnerka, zaczęła się śmiać, ale wysiłek, by nad tym zapanować, szybko przybrał postać wulkanu wesołości, która udzieliła się także Tedowi, choć sam był bliski torsji.

Kiedy opanowali sytuację i usiedli przed telewizorem z pizzą i czipsami, nie przejmując się zbytnio radą Tan odnośnie niezdrowego jedzenia, Ted odwrócił się do Marty i spytał:

– Naprawdę musimy nazwać biednego gówniarza Jezusem?

Marta, która tylko czekała na te słowa, była wniebowzięta. Nadarzyła się okazja, by zachować twarz i wyjść z sytuacji z honorem.

– No dobra – odparła, starając się ukryć zadowolenie. – Ale na nieszczęście mój ojciec naprawdę się ucieszy i będzie nas tu nachodził i bez przerwy się wtrącał.

– Guzik mnie to obchodzi – oznajmił Ted – dopóki mały nicpoń nie będzie z naszego powodu obrywał po głowie na placu zabaw, tak jak ja.

– A co, czy imię Ted uchodziło w twojej szkole za szczególnie dziwaczne?

– Nie chodziło o imię – wyjaśnił Ted. – Tylko o moją pieprzoną fizys.

– Pieprzone co? – zdziwiła się Marta.

– Fizys – powtórzył Ted. – No wiesz... twarz.

– Cóż to za język i z jakiej epoki pochodzi, stary? – zauważyła żartobliwie Marta.

– Ty bezczelna krowo – roześmiał się Ted. – Jestem tylko o dwanaście lat starszy od ciebie.

– No to jak się nam układa? – zapytała nagle Marta. – W skali od jeden do dziesięciu?

– Och, powiedziałbym, że plasujemy się w okolicach siódemki – odparł Ted. – A według ciebie?

– W okolicach dwójki – odrzekła Marta, a Ted zobaczył, że się uśmiecha.

– Miałbym ochotę na... – urwał.

– Na co? – zainteresowała się Marta.

– No wiesz – wyjaśnił zwięźle Ted.

– Nie wydaje mi się. To trochę niebezpieczne – tłumaczyła Marta, choć i ona miała ochotę. – Pieprzyć to, spróbujmy. Nie tak do końca... – A stwierdziwszy, że jest dziwnie wstydliwa, dodała: – Och, no wiesz.

Tak więc na dywanie, przed telewizorem, przy akompaniamencie Jezusa, który został właśnie pozbawiony swego imienia i darł się z oburzeniem, Marta i Ted spróbowali szczególnej odmiany seksu, wymagającej w znacznie większym stopniu użycia rąk i ust niż pewnej szczeliny. Było to gorące, niepohamowane, lepkie, zabawne i nad wyraz przyjemne, i doprowadziło na koniec Martę do łez, podczas gdy Ted leżał wyczerpany na dywanie i zastanawiał się, czy biedaczka zamierza tak beczeć regularnie przez resztę życia.

Rozdział 28

Flower spotkała się z Sarą w pubie. Wydawało się takie dziwne, że nie ma z nimi Marty.

Pierwsze z wielu spotkań bez niej, pomyślała Flower, choć przypuszczała, że latem mogłyby się spotykać w ogrodzie. Świeże powietrze i powiewy wiatru nie zaliczały się do ulubionych doznań Marty, ale od tej pory miało się to zmienić, chyba że chciała zdobyć tytuł „Jedynej matki w Londynie, która jest szczęśliwa, że jej dziecko to bierny palacz".

Sara miała na twarzy bardzo gruby makijaż i wyglądała jak panda, ale Flower nie uświadamiała sobie, że przyjaciółka pod grubą warstwą kosmetyków też wygląda jak panda. Ku niezadowoleniu Charliego zaproponowała Sarze nocleg w swoim mieszkaniu, dopóki dziewczyna nie znajdzie czegoś na stałe, ale po tym, co powiedziała Marta, zaczęła się zastanawiać, czy rozstanie nie jest czasem tylko przelotne.

Sara miała wątpliwości, jeśli chodzi o spanie u Flower, co dowodziło, że nie została do końca opanowana przez szaleństwo kobiety o złamanym sercu, gdyż w przeciwnym razie spałaby nawet w pojemniku na śmieci. Uważała, że mieszkanie jest prawdopodobnie dalekie od ideału higieny i pełne karaluchów, więc zanotowała sobie w pamięci, by nie spać na podłodze, jeśli w ogóle będzie to możliwe.

– No więc co się stało? – spytała Flower, wyrywając ją z zamyślenia.

– No – zaczęła Sara – zdecydowałam się pójść na całość, całkowita przeróbka, potem wróciłam do domu, mając nadzieję, że to coś zmieni w naszym życiu, a ten drań mnie wyśmiał.

Flower, niezbyt zorientowana w tej dziedzinie, musiała spytać, czego wspomniana przeróbka dotyczyła, zważywszy, że Sara miała koszmarną fryzurę, a jej skóra nigdy nie wyglądała gorzej.

– A więc postanowiłaś go porzucić, bo mu się nie spodobało? – dziwiła się.

– Cholera, nie – zapewniła Sara. – Wszystko rozegrało się później.

– To znaczy jak? – indagowała Flower, która poczuła się bardzo zadowolona, że nigdy taki związek nie był i nie będzie jej udziałem.

– Wrzasnęłam na niego i mu przyłożyłam, on mi oddał, zamknęłam się w łazience, wyważył drzwi, walnęłam go krzesłem, on mi dołożył prętem od ręcznika, ja kopnęłam go w jaja, on rzucił mnie na ścianę, ja podrapałam go paznokciami, a on mnie kopnął – zrelacjonowała jednym tchem Sara, zaczynając rzeczowo, a kończąc płaczliwie.

– Och, Sara, tak mi przykro – wyznała Flower. – Biedactwo, wezwałaś policję?

– Chryste, nie – zaprzeczyła gorąco Sara. – Gliniarze mają to w nosie, zresztą i tak bym pewnie zmieniła zdanie, zanim zdążyliby wypisać formularz zgłoszenia.

– To twoje mieszkanie – przypomniała Flower. – Dlaczego go nie wyrzucisz?

– Świetny pomysł – zauważyła ironicznie Sara. – Jestem pewna, że wystarczy mu pokazać drzwi, a pójdzie sobie w cholerę.

– Posłuchaj, postawię ci drinka i opracujemy plan – zaproponowała Flower.

Przy barze zadzwoniła do Charliego i powiedziała:

– Wrócę niedługo z Sarą, zgadzasz się?

– Chyba tak – odparł Charlie, który myślał dość niechętnie o ograniczeniach, jakie pojawią się w jego życiu intymnym, jeśli Sara będzie leżeć na sofie, wstrząsana płaczem. Jednak nawet o tym nie wspomniał, jak mu się zdawało wielkodusznie.

Flower zmarszczyła nos, ponieważ siedzący obok mężczyzna cuchnął nieprzyjemnie serem. Spojrzała na niego: wydawał się jakby znajomy i nagle uświadomiła sobie, że ten serowaty facet, zamawiający właśnie dużą sherry, to wielebny Brian Harris. Bez wątpienia jej nie poznał i może tak powinno pozostać, ale coś ją podkusiło, żeby się z nim przywitać.

Odwrócił się z nieomylnym uśmieszkiem na twarzy.

– Uhm, a pani to kto? – spytał.

– Jestem Flower, przyjaciółka Marty – wyjaśniła. – Poznaliśmy się na porodówce w szpitalu.

– Tak, rzeczywiście – odparł ze wstrętem, jakby miał do czynienia z gadającym gryzoniem w stanie rozkładu. – A jak tam dziewczynka?

– Przepraszam, jaka dziewczynka? – zdziwiła się Flower, straciwszy na chwilę wątek.

– Moja córka, oczywiście – odpowiedział. – Wy, młodzi ludzie, w ogóle nie umiecie się skupić.

W tym momencie zadzwoniła komórka Flower, która zazwyczaj nie reagowała w takich sytuacjach, ale jakiś instynkt kazał jej odebrać. Był to Steve Marchant, który prowadził największą sieć klubów komediowych w kraju.

– Cześć, Flower – przywitał się. – Tu Steve Marchant. Obawiam się, że Mufka Diva wycofa się z niedzielnego występu w Comedy Store. Zastanawiałem się, czy można by cię zaangażować. Trzy stówy za dwadzieścia minut, okej?

Flower nie potrafiła ukryć zadowolenia i zaczęła podskakiwać, drąc się na cały głos:

– Kurwa, żartujesz!

Steve wybuchnął śmiechem.

– W takim razie do zobaczenia.

Wielebny Brian wyglądał tak, jakby oberwał siekierą.

– Proszę się wyrażać – oznajmił. – No dobra, muszę już wracać do domu.

– Nie zamierza się pan spotkać z Martą? – zapytała Flower.

– Nie, dopóki upiera się przy tym bluźnierczym imieniu – odparł wielebny.

– Zmieniła zdanie – poinformowała go Flower, nie mając pojęcia, czy tak jest rzeczywiście. – Proszę iść i zobaczyć się z nią, ona naprawdę pana kocha, rozumie pan – dodała, zastanawiając się, dlaczego ujrzała nagle w myślach Martę, jak wali ją w głowę.

– To był tata Marty? – spytała Sara, kiedy Flower się do niej przysiadła.

– Tak. A co, podoba ci się czy jak? – Po chwili doszła do wniosku, że, zważywszy na powagę sytuacji, była to niewłaściwa uwaga, i dodała: – Przepraszam.

– Chodźmy – zaproponowała Sara. – Nim zjawi się po mnie Billy.

Billy siedział zapłakany w domu, ściskając głowę dłońmi i zastanawiając się, dlaczego wszystko przyjęło tak fatalny obrót i dlaczego jest takim draniem dla kobiet. Wiedział, że przejawia patologiczną niezdolność do wrażliwości i powoli dochodził do wniosku, że jeśli się nie zmieni, to nigdy nie uda mu się zbudować trwałego związku. Jakiś cichutki głos w jego głowie podpowiedział mu, że nie uda mu się tego dokonać bez pomocy, i po raz pierwszy przyszło mu na myśl, by się nad tym zastanowić. Ale przy każdym problemie, jaki musiał rozwiązać, zawsze następował okres uporu i niechęci przed podjęciem jakichkolwiek działań, Billy zatem powiedział sobie, że odłoży to na kilka dni, zaczeka, aż mgła spowijająca jego mózg się rozwieje, i dopiero wtedy dogada się z Sarą i coś z sobą zrobi. Wiedział, że Sara go kocha i że jego ostatnie wyczyny osłabiły ich więź, był jednak święcie przekonany, że zdoła ją ponownie wzmocnić.

Problem związany z ratowaniem związku – gdy człowiek jest emocjonalnie rozchwiany – polega na tym, że najlepiej przebywać w swoim własnym środowisku, co pozwala podejmować rozsądne decyzje odnośnie przyszłości. Sara, spędziwszy w mieszkaniu Charliego i Flower około siedmiu minut, od razu postanowiła wracać do Billy'ego, gdyby tylko o to poprosił. Uświadomiła sobie, zaglądając do kosmetyczki, że zapomniała zabrać swoją zalotkę do rzęs, czyli jeden ze sprzętów tak nieodzowny dla zachowania równowagi, że postanowiła wrócić po nią do domu.

– Chyba żartujesz – oznajmiła z niedowierzaniem Flower.

– Naprawdę jej potrzebuję – upierała się Sara. – Słowo daję, Flower.

– No cóż, jeśli naprawdę jest ci potrzebna, Charlie po nią pójdzie – zaproponowała przyjaciółka.

Charlie posłał jej spojrzenie, które mówiło: „W kuchni, za sekundę!" – spojrzenie uwielbiane przez pary, które goszczą akurat kogoś i odczuwają jednocześnie potrzebę rozmowy sam na sam.

– Muszę iść do łazienki – powiedziała Flower, wychodząc z pokoju.

Dwie minuty później Charlie podniósł się z miejsca.

– Nastawię wodę na herbatę – zaproponował. – Chcesz malinową?

Sara, która w przeciwieństwie do Marty wiedziała o ciąży i związanych z nią problemach wszystko, co trzeba wiedzieć, odparła:

– Nie, dzięki, Charlie, nie zamierzam uelastyczniać swojej waginy przed porodem. Poproszę o kawę.

Wiedziała, że to tylko wymówka ze strony Charliego i Flower, by pogadać w kuchni, i załkała w milczeniu, wspominając czasy, gdy z Billym robili to samo.

W kuchni zaś Charlie oświadczył:

– Kurwa, nie ma mowy, żebym zjawił się na progu tego barana i poprosił o jakąś zalotnicę do rzęs.

– Zalotkę – sprostowała Flower. – Och, proszę cię, Charlie.

– Nie – odparł stanowczo. – Ty będziesz musiała do niego pójść.

Czekał na jej protest, ale milczała.

– Dobra. Pójdę – oznajmiła w końcu, rozumując, że zdoła wystraszyć Billy'ego i przekonać go, by raz na zawsze odczepił się od Sary.

Oczywiście, im bliżej było do mieszkania Sary i Billy'ego, tym śmieszniejszy wydawał jej się ten pomysł, i sama nie mogła za bardzo uwierzyć, że razem z Wackiem Fiutem pojechali do tamtej nory i zdobyli tak łatwo broń. A więc opowieści Charliego o albańskich gangsterach, którzy proponowali zgładzenie delikwenta za trzysta funtów, musiały być prawdziwe. Zadzwoniła do Marty po wsparcie moralne, co nie było zbyt dobrym pomysłem, zważywszy, że jechała na rowerze, a Martę było kiepsko słychać. Flower rzuciła do słuchawki:

– Cześć, Marta, zamierzam zabrać coś dla Sary z jej mieszkania i przy okazji postraszyć Billy'ego spluwą, którą mam przy sobie.

– Ted, trzymaj mu głowę, nie cholerną nogę, bo się utopi... przepraszam, o co chodzi? – dopytywała się Marta.

– Zamierzam postraszyć Billy'ego bronią – wrzasnęła Flower.

– Nie wygłupiaj się – perswadowała Marta. – Nie, to nie do ciebie, Ted. Tak jest dobrze.

– Możesz przyjechać i mi pomóc? – ryknęła Flower.

– Oczywiście, że nie – odparła zdecydowanie Marta. – Ale zadzwoń do mnie, jak już się z nim zobaczysz. Ty palancie, mówiłam ci, żebyś tak nie robił!

– Słucham? – zawołała zdumiona Flower, walnęła o krawężnik i spadła z roweru.

Nic jej się nie stało, gdy jednak pomyślała, jak absurdalne jest to, co zamierza zrobić, zaczęła nagle żałować, że nie odniosła poważniejszej kontuzji, dzięki czemu trafiłaby do szpitala i nie musiała niczego załatwiać. Jakoś dotarła w końcu pod Denbigh Mansions i drżącą dłonią nacisnęła dzwonek. Jej komórka zadzwoniła w tej samej chwili i Flower aż podskoczyła; gdy Billy podniósł słuchawkę domofonu, usłyszał tylko wysoki, zduszony dźwięk.

Dzwonił Charlie.

– Nic ci nie jest? – spytał, uświadamiając sobie poniewczasie, że dość tchórzliwie wysłał Flower z tą trudną misją.

– Wyłącz się – syknęła. – Nie weszłam jeszcze do środka. – Przysunęła się do domofonu. – Cześć, Billy, tu Flower. Mogę z tobą pogadać?

Billy powiedział sobie, by zachować spokój i przystać na wszystko, czego zażąda Flower albo za jej pośrednictwem Sara. Otworzył drzwi i Flower zaczęła wspinać się wolno po schodach, na szczycie których stał Billy niczym przerażający olbrzym.

– Tylko mi nie mów, że Sara potrzebuje zalotki do rzęs – uprzedził na wstępie.

Flower stwierdziła ze zdumieniem, że Billy tak dobrze orientuje się w sprawach kobiecych, i zaczęła sobie powtarzać, że był bardzo miły dla Marty.

– Zaczekaj, poszukam – powiedział Billy i zniknął w sypialni, pojawiając się po kilku sekundach z uśmiechem na twarzy. – Proszę. Pozdrów ją ode mnie, dobrze?

Powiedział to takim tonem, jakby Sara wybrała się gdzieś na weekend z dziewczynami, a on nie ciskał nią po mieszkaniu, zmuszając do odejścia.

Flower stała nieruchomo przez długą chwilę, zastanawiając się rozpaczliwie, co ma robić.

– Jeszcze coś? – spytał Billy, który postanowił, że za żadne skarby świata nie będzie prosił Flower, by ta błagała Sarę o powrót do domu, i przysiągł sobie, że nie będzie więcej groził żadnej z jej przyjaciółek. Był tak czarujący, że Flower, ku swemu bezbrzeżnemu wstydowi, zaczęła się zastanawiać, czy Sara czasem nie przesadza.

Billy odkaszlnął.

– Marta w porządku? – spytał, jakby ktoś go zmuszał do prowadzenia uprzejmej rozmowy.

– Doskonale – zapewniła Flower i pomyślała sobie: nie dam rady pomachać mu przed samym nosem bronią i uprzedzić, żeby lepiej uważał. – No dobra. Lepiej już pójdę. Mam przekazać Sarze jakąś wiadomość?

– Możesz jej powiedzieć, że wiem, że trochę nas ostatnim razem poniosło – odparł Billy. – I że ze swej strony przepraszam.

– Okej – rzuciła z wahaniem Flower. – No to do zobaczenia.

Nagle stwierdziła, że siedzi na rowerze i jedzie do domu, a jej plan został całkowicie zniszczony przez rzeczywistość. Zadzwoniła do Charliego.

– Tak, wszystko w porządku – poinformowała. – Będę za dziesięć minut.

Potem zadzwoniła do Marty.

– Nie mogłam za cholerę tego zrobić.

– Dzięki Bogu – odetchnęła z ulgą Marta. – Mam nadzieję, że odzyskałaś rozum.

– O, dzięki – odparła ironicznie Flower. – Na razie. Aha, zaczekaj, widziałam twojego ojca w pubie i zrobiłam coś strasznego. Powiedziałam mu, że nie nazwiesz Jezusa Jezusem. Myślę, że może się u ciebie zjawić.

– Już tu jest – poinformowała Marta.

– No dobra. Będę lecieć. Jak więc go nazwiesz? – dodała po namyśle.

– Muszę kończyć – powiedziała z irytacją Marta. – Pogadamy później.

– Mam występ w... – zaczęła Flower, ale po chwili uświadomiła sobie, że rozmawia z powietrzem.

Ojciec Marty faktycznie siedział u niej w domu, sprawiając wrażenie nieco mniej gburowatego niż zwykle. Zadzwonił do Pat z budki telefonicznej, żeby przekazać dobre nowiny, ona zaś odczuła prawdziwą ulgę. Wciąż prześladowało ją to okropne wspomnienie, jak drepce za nim posłusznie w szpitalu.

– Jakie więc zamierzasz dać mu imię? – spytał wielebny.

Wszyscy już doszli do tego etapu, ponieważ wielebny zjawił się w samym środku awantury dotyczącej imienia. Sprowokowała ją w gruncie rzeczy Flower, która pierwsza z tym wyskoczyła. Ted proponował Adolfa, po swoim ojcu, ale Marta oświadczyła mu, że żadne z jej dzieci nie będzie nosić imienia tego zbrodniarza. Sama zaproponowała imię Jude, na co Ted oznajmił, że jego syn nie będzie nosił żeńskiego imienia. Osiągnięto pełen wściekłości i wrzasku impas, który zbiegł się z przybyciem wielebnego. Brian stanął z szerokim uśmiechem w drzwiach i pomyślał, że to ogromna ulga słyszeć, jak ktoś wreszcie daje Marcie popalić.

– Jakie więc zamierzasz dać mu imię? – powtórzył wielebny, podczas gdy Ted i Marta spoglądali na siebie ze szczerą nienawiścią.

– Adolf – oznajmiła Marta.

– Jude – oznajmił Ted, po czym oboje padli sobie w objęcia i roześmiani pocałowali się hałaśliwie.

– Dziękuję. To wszystko, co chciałem wiedzieć – wyznał wielebny Brian, wstając z miejsca i ruszając w stronę drzwi.

Rozdział 29

Sara nie wyobrażała sobie, by mogła długo wytrzymać u Flower i Charliego. Ich styl życia miał w sobie jakiś obcy dla niej element i uświadamiał jej, za czym tęskniła: swojskością, wygodą, zwyczajnością, które, w konfrontacji z podbitymi oczami, z pewnością zwyciężały. Wiedziała, że w myślach bagatelizuje całą sytuację i że naprawdę musi być źle, skoro wyniosła się z domu, ale jednak przykre wspomnienia odpłynęły, a w ich miejsce pojawiła się tęsknota.

Charlie i Flower robili, co w ich mocy, kupowali płatki śniadaniowe, których nie podaliby najgorszemu wrogowi, i brukowca, którego obecność w domu doprowadzała Flower do mdłości, i nawet Charlie siedział cicho i nie komentował niewiarygodnie głupich poglądów politycznych Sary. Jednak oboje zaczęli odczuwać ciężar sytuacji i po kilku żałosnych dniach, kiedy Sara wychodziła posępna niczym zombie do pracy, a wracała jeszcze mniej ożywiona wieczorem, jeśli w ogóle było to możliwe, postanowili rozruszać ją trochę i zaproponowali, by poszła z nimi w sobotę na demonstrację, wieczorem do jakiegoś kabaretu, a potem, w niedzielę, na wielki występ Flower w Comedy Store.

Sara starała się okazać entuzjazm, ale nie mogła zapanować nad przygnębieniem. Tak rozpaczliwie pragnęła schować się w swoim pokoju, a jedyne, co mogła zrobić w tym małym mieszkanku, to pójść do toalety i usiąść na sedesie; wychodziła z domu i spacerowała bez celu po pobliskim parku, ale kilka zaczepek ze strony niezrównoważonych ludzi i komentarze na temat jej wyglądu skutecznie ją do tego zniechęciły. Powoli zaczęła odczuwać lekkie podniecenie w związku z demonstracją. Nigdy w żadnej nie brała udziału, ponieważ ilekroć w telewizji pojawiało się coś, co miało choćby luźny związek z polityką, jej umysł przestawał funkcjonować. Widywała jednak na ulicy walki osobników podobnych Charliemu z policją, więc zaczęła się zastanawiać, czy nie jest to okazja, by pozbyć się choć trochę gniewu i powrzeszczeć sobie zdrowo, ponieważ włóczenie się po sklepach co wieczór po pracy jakoś nie pomagało.

Flower było żal Sary i odczuwała coraz większą agresję w stosunku do Billy'ego. Jednak, co najgorsze, miotał nią gniew, ponieważ wiedziała, jak gorąco Sara pragnie Billy'ego odzyskać.

Flower była zdenerwowana przed niedzielnym występem, ale cieszyła się, że poćwiczy sobie wcześniej podczas krótkiego numeru w hrabstwie Kent, a konkretnie w Maidstone, przypadkowo mieście rodzinnym Sary. Mieli tam pojechać we trójkę i spotkać się z jej mamą, Connie, w pubie, gdzie odbywał się występ. Według słów Sary Maidstone stanowiło odpowiednik głębokiego południa Stanów Zjednoczonych i Flower mogła oczekiwać ostrej lekcji ze strony bezzębnych poganiaczy świń, którzy uwielbiali znęcać się nad londyńskimi komikami.

Nadszedł wreszcie koniec tygodnia i Sara siedziała z Charliem i Flower w maleńkim salonie, modląc się, by włączyli poobijany telewizor i pozwolili jej zasiąść przed ekranem. Nic z tego. Chcąc ją rozerwać i uwolnić od bolesnych myśli, zaprosili jednego ze swych przyjaciół. Miał na imię Sim, był urodzonym gawędziarzem i przez ostatnie pół roku podróżował po świecie. Zadzwonił do Flower i Charliego, by im powiedzieć, że ma mnóstwo historii do opowiedzenia, i obiecał, że spędzi z nimi wieczór na pogawędkach i przy dobrym jedzeniu.

Siedząc w toalecie, gdzie szukała wytchnienia od czegoś, co Charlie nazwał „muzyką spoza Europy i Stanów Zjednoczonych", Sara zaczęła zadawać sobie pytanie, po diabła dorosły facet opowiada jakieś historie. Chciała zadzwonić do Billy'ego na komórkę i pośmiać się razem z nim, gdyż była to jedna z tych rzeczy, która naprawdę dobrze im wychodziła. Żałowała, że to on do niej nie dzwoni, ale nie miała pojęcia, że Billy wziął na przeczekanie i uparcie rezygnuje z jakiegokolwiek kontaktu, by nakłonić ją do powrotu.

Ktoś zapukał do drzwi toalety i Sara podskoczyła, wystraszona.

– Tak? – odkrzyknęła.

– Sim już jest – poinformowała Flower. – Wychodzisz?

– Za minutę – obiecała Sara, przygotowując się na dziwactwo, które szykowali jej Charlie i Flower.

Flower zadzwoniła wcześniej do Marty i spytała, czy ona, Ted i dziecko zechcą też przyjść i poznać Sima. „Wolałabym zrobić sobie dziurę w brzuchu, wyciągnąć obcęgami wnętrzności i usmażyć je, nadal przytwierdzone do mojego ciała" – brzmiała odpowiedź Marty, w tle zaś odezwał się pojednawczy głos biednego Teda, który trzymał dziecko: „Nie musisz być taka bezpośrednia".

Kiedy Flower gburowato relacjonowała słowa Marty, ponieważ nie miała wielkiego poczucia humoru, jeśli chodzi o przyjaciółki, Sara musiała zagryzać wargę, by nie wybuchnąć śmiechem, i żałowała, że nie przebywa w mieszkaniu Marty, żyjąc w radosnym bałaganie, ale wiedziała, że do tego czasu też by jej się tam sprzykrzyło. Westchnęła więc głęboko, przybrała na twarz coś w rodzaju uśmiechu i wkroczyła w świat opowieści.

Był zgodny z jej oczekiwaniami. Jak później opisała to Sara Billy'emu: „Facet opowiadał bzdury o jakichś chochlikach i to przez pieprzone godziny", podczas gdy Flower relacjonowała komuś w pracy z entuzjazmem „jego zdumiewające zrozumienie ducha czasu i uwielbienie dla rodzaju ludzkiego". Sara znieczulała się przez cały wieczór winem i dlatego dość pobieżnie towarzyszyła potoczystemu strumieniowi opowieści Sima, chichocząc sporadycznie i wtrącając od czasu do czasu: „Ja pierdolę!". Ponieważ spała w głównym pokoju, nie mogła iść do łóżka, dopóki nie uczynią tego gospodarze, w dodatku Charlie robił jednego skręta za drugim. Sara raz zapaliła, wiele lat temu, a potem była rozbawiona i odrobinę głodna, ale teraz sobie pomyślała, że może spróbować, gdyż wszystko, co choć odrobinę rozluźniało jej kontakt z rzeczywistością, było prawdziwym błogosławieństwem.

– A teraz kilka opowieści z Tasmanii o zaskakującym i smutnym zakończeniu – oświadczył Sim.

Sara zbierała siły, podczas gdy Sim zaczął:

– Na Tasmanii przez tysiące lat zło i dobro toczyło ze sobą bezustanną walkę. Dobrzy ludzie Tasmanii żyli razem w harmonii na pewnej górze, a niscy, włochaci i źli ludzie równin czaili się na obrzeżach lasu, uprowadzając czasem córkę jakiegoś dobrego człowieka, by ją wziąć bezlitośnie, a potem uczynić zeń niewolnicę. Pewnego dnia dobrzy ludzie uświadomili sobie, że pozostała tylko piękna córka wodza, postanowili więc, choć nienawidzili walki, bronić jej do ostatniego człowieka. Jak można się spodziewać, niscy włochaci ludzie (czy Charlie był jednym z nich?, chciała zapytać Sara) podkradli się w środku nocy do wioski i porwali piękną córkę wodza. Dobrzy ludzie zerwali się ze swych legowisk i zaczęła się wielka bitwa, aż w końcu wszyscy dobrzy ludzie leżeli martwi albo konający, wódz zaś złych ludzi uprowadził łkającą córkę wodza dobrych ludzi. Jej łza spadła na szyję złego wodza, kiedy biegli; w jednej chwili zmienił się on w węża, który odpełzł, i tak narodził się diabeł tasmański.

Sim wyprostował się z wyrazem zadowolenia na twarzy.

– Moment – powiedział zdziwiony Charlie. – Diabeł tasmański to nie wąż.

– Nieważne – wzruszył ramionami Sim.

– Tak, nieważne – przyznał Charlie i podał Sarze świeżo zrolowanego skręta.

Ta wzięła potężnego sztacha i niemal wyleciała jak z katapulty.

– Jezu Chryste, Flower – rzuciła chrapliwie. – Ale pieprzony kop, człowieku.

Flower, która była przyzwyczajona do mocy skręta i zdrowo nawalona, przytaknęła tylko z roztargnieniem i nie pomyślała o tym, by jakoś złagodzić końską dawkę, którą sobie zafundowała ta nowicjuszka. Sara siedziała przez około pół godziny bardzo spokojnie i gdy Flower spytała ją, czy chce herbaty ziołowej, Sara spojrzała na nią z grymasem najczystszej nienawiści na twarzy i oznajmiła:

– Jestem wcieleniem zła.

– O rany – jęknęła z podziwem Flower. – Ale ją wzięło.

– Zgadza się – przyznał Sim. – A teraz jeszcze jedna niesamowita opowieść z Tasmanii pod tytułem: „Dlaczego drzewa już nie rozmawiają".

– Nie jestem już Sarą – oświadczyła Sara.

– Hej, ochłoń trochę, kotku – zwrócił się do niej Sim. – Może znajdziesz coś dla siebie w tej historii.

– Tylko śmierć może przynieść jakąkolwiek ulgę – odrzekła Sara.

– Ja pieprzę – mruknął Sim, patrząc zaniepokojony na Flower i Charliego. – Chyba nie mogę cię zadowolić, mała księżniczko.

Po czym Sim, który nigdy nie przejmował się stanem umysłowym swych słuchaczy – w przeciwnym razie nie miałby ich w ogóle – brnął dalej niezrażony:

– Na Tasmanii drzewa rozmawiały kiedyś ze sobą.

Sara zaczęła płakać.

– Tak, wiem, że to piękna opowieść, dziecinko – przyznał. Sara zawarczała jak wilk, co stanowiło sygnał ostrzegawczy dla Flower, która była nieźle wstawiona, więc odebrała to jak wołanie o pomoc dobiegające z długiego i higroskopijnego tunelu.

– Śmiało, cudowna damo – ucieszył się Sim. – Były wilki na Tasmanii. Cieszę się, że tak aktywnie mi pomagasz. W każdym razie, wracając do mojej opowieści, drzewa kochały się za pomocą słów, a ich zielone konary szumiały z niecierpliwością…

– Chcesz usłyszeć historię? – spytała Sara. – Znam jedną, w sam raz dla ciebie, ty nudna hipisowska cipo. To historia o małej dziewczynce, która się urodziła w gównianym świecie byłej prostytutki, którą przeleciał jakiś klient i której pochrzaniły się daty, więc spóźniła się na legalną aborcję o dwa tygodnie. Nielegalna nie wyszła, więc dziecko urodziło się w małym paskudnym mieszkaniu w złym mieście i mała dziewczynka musiała siedzieć cicho, kurwa, kiedy mama pracowała, żeby sąsiedzi nie zadzwonili do opieki społecznej. Pojawiali się różni chłopcy: niektórzy bili dziewczynkę, inni ją obmacywali, a jeszcze innym musiała obciągać.

Sim sprawiał wrażenie rozbawionego, a na twarzy Flower i Charliego pojawiła się wrażliwość typowa dla klasy średniej.

– Sara – zwróciła się do niej łagodnie Flower. – Nie musisz tego robić.

Sara ją zignorowała.

– … a potem, kiedy dziewczynka dorosła, uciekła stamtąd i poznała kogoś przystojnego i inteligentnego, i wreszcie oddychała z ulgą, aż pewnego dnia ten ktoś ją uderzył… – Sara zanurzyła twarz w dłoniach i zaczęła łkać.

– Więc o co chodzi tej biednej dziwce? – spytał zawsze taktowny Sim.

Ten jeden raz Charlie wykazał się aktywnością.

Sim wylądował za drzwiami, protestując, że chowa w zanadrzu swą najlepszą opowieść z Zimbabwe o kurczakach znachorów.

Flower położyła Sarę do prowizorycznego łóżka i przykryła kocem, mając nadzieję, że przyjaciółka będzie miała spokojną noc, wolną od wszelkich demonów.

Nad ranem mieszkanie wyglądało nieskazitelnie; trawka z pewnością miała na Sarę dziwny wpływ, gdyż dziewczyna posprzątała lokum od góry do dołu, padając bez przytomności około szóstej.

– Wzięłam aspirynę na ból głowy – wyjaśniła, czym zamknęła Charliemu usta.

Nikomu jakoś nie przyszło do głowy sprawdzić, jaka będzie pogoda w dniu demonstracji, więc płaczliwy refren Sary: „Nie wiem, co mam na siebie włożyć" wprawił Flower w jeszcze większą irytację niż zwykle.

– To nie przyjęcie ani ślub – wyjaśniła. – Możesz włożyć, co chcesz, wyrazić siebie za sprawą kolorów i materiałów.

– Ale ja lubię, kiedy mi się mówi, co mam nosić – broniła się Sara, której brak oparcia i bezpieczeństwa w latach dziecięcych spowodował, że teraz narzucała swym obowiązkom domowym i odzieży ścisłe zasady, czym tłumiła najbardziej obsesyjne nawyki. W końcu Flower wybrała najzwyklejsze ciuchy, jakie tylko zdołała znaleźć w walizce Sary, z których wszystkie bez wyjątku były aż do bólu wyprasowane i poskładane.

– Przyda mi się parasolka? – spytała Sara.

– Chyba tylko po to, żeby walnąć jakiegoś psa – odparł radośnie Charlie, mając na myśli policjanta.

– A więc będą tam także zwierzęta? – zainteresowała się Sara.

Charlie poddał się i postanowił dać sobie spokój z umysłem Sary, który wydawał mu się próżnią, gdzie krąży jedynie niewielka wiedza o znanych ludziach.

Sara, Flower i Charlie złapali autobus do śródmieścia, które stanowiło punkt zborny przed demonstracją. Panowała atmosfera luzu i braku jakiegokolwiek zagrożenia, choć Charlie od razu zlokalizował zadymiarzy, którzy z pewnością wyjęliby z plecaków pewne średniowieczne instrumenty tortur i waliliby nimi bezustannie o głowy policjantów, dopóki ci ostatni nie daliby nogi.

Demonstracja odbywała się na prośbę pewnej organizacji, która kryła pod swym płaszczykiem luźną federację grup ekologicznych, skupionych w Internecie i mających za cel obalenie globalnego kapitalizmu. Pechowo nikt z owych organizacji nie wiedział, jak to należy właściwie zrobić, więc uczestników zmuszono do gromadzenia się w centrach globalnego kapitalizmu, takich jak Londyn, gdzie akurat się znajdowały, i wykrzykiwania sloganów w złudnej nadziei, że wszyscy chłopcy zatrudnieni w instytucjach finansowych City przejrzą nagle na oczy, przestaną się myć, złączą szeregi i ograniczą swe przepojone złem działania. Tyle że była akurat niedziela i w miejscu zbiórki nie pojawił się nikt z wyjątkiem protestujących i policji.

Była muzyka, stragany z jedzeniem, śpiew i tańce, i po raz pierwszy Sara poczuła, że pociąga ją świat, który przez ostatni tydzień obserwowała z boku.

– A więc nie chodzi tylko o brudne psy na smyczy? – zwróciła się do Flower.

– Nie, nie tylko – odparła Flower, która odczuwała jakiejś ciśnienie i nie bardzo rozumiała dlaczego.

Sara zawsze sądziła, że skoro Flower zamierza być komikiem, to będzie zabawna w domu przez cały czas, ale teraz odkryła ze zdumieniem coś przeciwnego: Flower przypominała szybkowar wypuszczający od czasu do czasu odrobinę pary, często bliski eksplozji. Sara wiedziała wszystko o legendarnych okresach napięcia przedmiesiączkowego Flower, rozumiała też, dlaczego Charlie nie ma psa, którego zawsze pragnął. Flower jej wyjaśniła, że tylko kopałaby go co miesiąc, kiedy akurat znajdowała się w stresie, a Charlie, biorąc pod uwagę to, jak traktowała jego co miesiąc, cieszył się, że nie mają zwierzaka w domu, którego tyłek do tej pory miałby ogromne wgłębienie.

Charlie i Flower gawędzili sobie, gdy Sara zawołała:

– Hej, czy to nie Marta i Ted z tym, jak mu tam?

– Nie wiem – odparła Flower. – Hej, Marta!

Marta dowiedziała się o demonstracji z lokalnych wiadomości i była pewna, że Charlie i Flower się tam zjawią, zabierając ze sobą biedną Sarę. Nadarzała się okazja, by zdradzić im nowe imię Jezusa. Ted się zgodził, ale Marta zabrała go tylko z łaski, i gdy ujrzał wszędzie pstrokaciznę hipisów, w jakimś sensie zrobiło mu się żal – co przypisywał swemu wiekowi – młodych policjantów, pryszczatych i świeżych, którzy siedzieli w minibusach, czekając na istny Armagedon.

Marta, Sara i Flower ucałowały się serdecznie i uściskały, gdyż po raz pierwszy od dłuższego czasu znów były razem. Robiło się coraz tłoczniej i hałaśliwiej, więc rytuał nadania imienia musiał się dokonać, kiedy jeszcze mieli wokół siebie trochę miejsca i słyszeli się nawzajem. Marta wyjęła dziecko z wózka i uniosła do góry niczym trofeum, co mu się niezbyt spodobało, więc zaczęło się mazać.

– Jak wiecie, nie mogliśmy się dogadać co do imienia – oświadczyła Marta. – Ja myślałam o Judzie, Ted o Adolfie, po swoim ojcu. Więc postanowiliśmy pójść na kompromis i oto chcemy, byście poznali... – Marta zawiesiła głos dla efektu – ... Judolfa!

Zapadła cisza i zdawało się, że uczestnicy demonstracji zamarli w niemym przerażeniu.

Cholera, to jeszcze gorsze niż Jezus, pomyślała Sara.

– Tylko żartowała – wyjaśnił Ted. – Ma na imię Jan.

Wszyscy odetchnęli z ulgą. Flower wciąż się obawiała, że Marta może zrobić coś głupiego, na przykład dać dziecku na drugie „Chrzciciel", ale nie, okazało się, że jest tylko stary dobry Jan. Nikt jak dotąd nie wspomniał o tym, że Ted prowadzi klub z erotycznym tańcem, i Flower zaczęła się zastanawiać, czy nie poruszyć tego tematu.

– Jak myślisz? – spytała Sarę. – Powinnam coś powiedzieć, by wyjaśnić sprawę?

– A co, chcesz go poprosić o posadę? – zdziwiła się Sara.

– Może i ja bym mogła, mam już dość tej roboty w informacji telefonicznej.

Flower wpatrywała się w otchłań, jaka rozciągała się między nią a Sarą – pod względem towarzyskim, kulturowym i, no cóż, każdym innym.

– Nie, nie to miałam na myśli, Sara. Chodziło mi o to, jak niedopuszczalne jest istnienie takich klubów, jeśli chodzi o kobiety.

– Och, rozchmurz się – poradziła Sara. – Ludzie już dawno mają to w nosie.

Być może mają też w nosie przemoc domową, pomyślała Flower, ale zauważyła tylko:

– Nie powinni, a ja mam tego dosyć.

– Rany, ale zrzędzisz – pokiwała głową Sara.

– Przepraszam. Dajmy temu spokój – machnęła ręką Flower i zamknęła się, ponieważ nie chciała wszczynać awantury z Tedem akurat tego dnia, kiedy świeciło słońce, a wokół gromadził się tłum zadowolonych demonstrantów.

Niestety, nie trwało to długo.

Kiedy tak stali, gawędząc sobie, jakiś pocisk trafił Flower w tył głowy – słowo „pocisk" stanowiło w takich okolicznościach eufemizm na określenie wszystkiego, co jest większe i cięższe od tabliczki czekolady.

– Auu – jęknęła Flower i spojrzała w dół, by zobaczyć, czym oberwała. Ujrzała ćwiartkę cegły i nie mogła się nadziwić, że nie straciła przytomności od uderzenia. Wydawało się, że pocisk nadleciał z miejsca, gdzie stała policja.

– Policja zaczyna atakować! – wrzasnęła do Charliego, starając się przekrzyczeć muzykę.

– Tak. Nie ujdzie im to na sucho – odparł Charlie i zaczął się przepychać przez tłum w stronę nierównej linii policjantów wraz z wieloma ludźmi ubranymi identycznie jak on.

– Nie zrób niczego głupiego! – krzyknęła Flower w ślad za jego znikającymi plecami; równie dobrze mogłaby krzyczeć za kotem: „Zostaw te myszy w spokoju!".

Ted uświadomił sobie nagle, że jego dziecko i Marta znajdują się w samym środku nieuchronnych zamieszek, i powiedział:

– Lepiej stąd chodźmy.

Marta, zapominając chwilowo, że kilka dni wcześniej rodziła, nabrała wielkiej ochoty na rozróbę i wyzwała go od smutasów.

– Daj spokój, zmywajmy się – prosił Ted.

Było już za późno. Zamieszanie ogarnęło szybko tłum demonstrantów, a droga odwrotu została odcięta, gdyż policja otoczyła największą w jej przekonaniu grupę wichrzycieli, i funkcjonariusze, niczym psy pasterskie zaganiające owce, starali się zapędzić ich w boczną uliczkę, gdzie łatwiej byłoby nad nimi panować, dokładać im i wyłuskiwać przywódców.

Marta zauważyła, że kilku ludzi atakuje McDonalda.

– Popatrz na tych głupich sukinsynów – powiedziała.

– A ja zdycham z głodu.

– Walczą z wpływami globalnego kapitalizmu – wyjaśniła Flower.

– Ostatnio obniżył się tam poziom obsługi – zauważyła Sara. – Może teraz się obudzą.

– Chodź, Marta – rzucił Ted, próbując przepchnąć się w stronę przeciwną do napierającego tłumu; ponieważ był z niego kawał chłopa, szło mu całkiem nieźle. Marta, Jan, Flower i Sara podążali jego śladem, walcząc łokciami i klnąc, by wreszcie, z nozdrzami przepełnionymi wonią niemytych ciał i hipisowskich perfum, wydostać się z tej ciżby.

– Przepuść nas, kolego – zwrócił się Ted do najbliżej stojącego gliniarza. – Jestem tu z rodziną i boję się o nią.

– Trzeba było o tym pomyśleć wcześniej – oznajmił policjant. – Zostań tam, gdzie jesteś.

– Daj spokój – przekonywał Ted. – Znaleźliśmy się tu przypadkiem.

– Proszę nas przepuścić – włączyła się Marta. – Chce mi się cholernie siusiać i jest mi słabo.

– Wstrzymaj się, zdziro – poradził gliniarz.

Tego było już za wiele dla Teda – zacisnął pięść i wprawił ją w ruch, a policjant wylądował jak długi na ziemi, bez hełmu i z gniewnym wyrazem twarzy.

Rozdział 30

*T*eda otoczył z miejsca rój policjantów kierujących się z misją ratownia honoru kolegi, gdyż niektórzy uważali, że zbyt łatwo poszedł na deski. Jednak, jakkolwiek silny był cios Teda, nie miało to znaczenia, gdyż jeden za drugim zaczęli mu dokładać.

Martę zaszokowało, że policjanci zachowują się w ten sposób tak otwarcie. Jak sobie dość naiwnie wyobrażała, mogliby przynajmniej udawać, że nie są zgrają bandytów, ale zdawało się, że mają to w nosie.

W pewnej chwili, będąc pod gradem ciosów, Ted usłyszał kilka szorstkich słów, których sens sprowadzał się mniej więcej do tego, że jest aresztowany i że zabierają go na posterunek, gdzie się nim odpowiednio zajmą. Westchnął, świadomy faktu, że jego przybycie do owego szczególnego miejsca zaowocuje prawdopodobnie kolejną serią ciosów ze strony wiernych sług Jej Królewskiej Mości.

Marta próbowała dzielnie przemówić do rozsądku policjantom, którzy aresztowali Teda, ale ponieważ nie należeli do ludzi popierających ideę urlopu przyznawanego ojcu z racji narodzin dziecka, a od tego właśnie zaczęła Marta, wydawało się wysoce nieprawdopodobne, by puścili Teda do domu, kierując się faktem, że właśnie został tatusiem.

Sara ze zdumieniem stwierdziła, że też jest oburzona. Zważywszy, że spędziła całe życie w kokonie świętoszkowatości, jaki był efektem lektury prawicowych szmatławców, nie chciała aż do tej pory przyznać, że policja zachowuje się niewłaściwie. Jeśli chodzi o bardziej subtelne zagadnienia, jak na przykład różnice klasowe, w jej głowie zaczął tykać maleńki zegar niejakiego oświecenia. W jej uszach rozbrzmiały słowa Billy'ego – odzywki, przekleństwa, groźby – i nagle ujrzała go jako niezwykle skutecznego policjanta. Może powinna mu zaproponować zmianę kariery zawodowej. Mógłby wtedy tłuc innych zamiast niej. Przyłączyła się do próśb Marty, jednak bezskutecznie, i nagle stwierdziła, że zwraca się do wielkiego policjanta per „cipo", który to epitet niezbyt mu się podobał i którego Sara nigdy by sama nie użyła jeszcze tydzień czy dwa wcześniej, zwłaszcza w odniesieniu do przedstawiciela władzy.

– Dobra robota – pochwaliła Marta, poklepując przyjaciółkę po plecach i zapominając chwilowo, że jej facet jest przywalony górą policjantów i że za chwilę go zabiorą.

Nagle funkcjonariusze ruszyli do akcji, podnieśli Teda z ziemi jak wielką trumnę i pobiegli z nim do furgonetki, a potem wrzucili go do jej wnętrza jak wielki worek gówna.

Marta, która poczuła, że hormony zaczynają krążyć po jej ciele z taką samą szybkością jak podczas porodu, wybuchnęła płaczem, podczas gdy Flower darła się bezskutecznie w ślad za plecami policjantów: „Niech was szlag trafi, świnie!", Sara zaś jej zawtórowała, dość kulawo, ale z wielkim entuzjazmem.

Nagle wyłonił się znikąd Charlie, liżąc w najlepsze loda na patyku, jak wczasowicz nad morzem. Wszyscy popatrzyli na niego z odrazą, on zaś zrewanżował im się łagodnym i pełnym zakłopotania spojrzeniem.

– Co? – spytał i po chwili uświadomił sobie, że Marta płacze, Sara jest czerwona z wściekłości i wygląda tak, jakby przejawiała ochotę do rozróby, a Flower ma na twarzy typowy demonstracyjny wyraz, połączenie rozbawienia i agresji.

– Na litość boską, Charlie – zwróciła się do niego poirytowana. – Wszystko przegapiłeś. Zabrali Teda.

– Tego faszystę? – spytał. – Co takiego zrobił? Pobił jakąś kobietę?

Marta przestała płakać.

– Odpieprz się, Charlie – rzuciła. – Może nie ma za sobą hipisowskiej przeszłości jak ty, ale w głębi serca jest przyzwoitym człowiekiem.

– Powiedz to ćpunkom chorym na AIDS, które zatrudnia w swoim klubie z tańcem erotycznym – odparł Charlie.

– Och, dorośnij – poradziła mu Marta. – To eleganckie studentki, które zgarniają kupę pieprzonej forsy.

– Są eksploatowane, człowieku – wyjaśnił Charlie.

Jan zaczął płakać.

– Dobra, zmywam się – oznajmiła Marta. – Chyba sprawdzę, co dzieje się z Tedem.

– Pojadę z tobą – zaproponowała Sara. – Pogadamy przy okazji o tym, czy Ted nie mógłby mnie zatrudnić u siebie.

– Sara – zwróciła się do niej Flower. – O czym ty u diabła mówisz?

– No, mam niezłą figurę – wyjaśniła. – I mogę się założyć, że robota w klubie jest o niebo lepsza niż moja gówniana praca. Cholera, czy zawsze muszę mieć jakiś politycznie sprawny powód?

– Poprawny – skorygowała Flower.

– A co Billy powie? – zapytała Marta, nim zdążyła się ugryźć w język.

– Nic mnie to nie obchodzi – odparła Sara. – Nie jesteśmy już razem.

Flower i Marta klasnęły w dłonie i zaczęły tańczyć z radości. Charlie też wyglądał na zadowolonego.

– No więc chodźmy – powiedziała Marta do Sary i się oddaliły.

Flower i Charlie patrzyli w ślad za dwiema kobietami, przed którymi zdawał się rozstępować tłum. Charlie potrząsnął głową.

– Może powinniśmy jej to wyperswadować? – spytał, zapalając odruchowo skręta.

– Nie – odparła Flower. – Nie sądzę, by ci się udało.

Dokładnie w tym momencie jakiś policjant przeciął niemal poziomym lotem powietrze, powalając Charliego na ziemię chwytem rugbisty. I w ten sposób Charlie i Ted wylądowali w jednej, dość małej celi na miejscowym posterunku policji. Cela była zatłoczona. Mieściła w swym wnętrzu dwóch kieszonkowców, którzy skorzystali z ciżby podczas demonstracji, by coś zwędzić, chorego psychicznie hipisa, w którego przypadku opieka pozaszpitalna okazała się nieskuteczna, gdyż bezustannie ciągnęło go do każdej okazji zwiastującej poważne kłopoty, jakiegoś człowieka, który dołożył swojej dziewczynie, i dwóch nastolatków, którzy ukradli samochód i jeździli wokół demonstracji, mierząc z wiatrówki do każdego, kto im się nie spodobał. Charlie i Ted zaszyli się w kącie i starali się unikać wszelkiego kontaktu z obłędem, jaki ich otaczał.

Ponieważ nie było nic innego do roboty, Charlie przyjął rolę ojca panny młodej, wypytując Teda o jego przydatność jako partnera Marty. Wydawało się rzeczą naturalną, że od razu poruszył temat klubu, który prowadził Ted, ponieważ większość swego życia poświęcił na walkę z tym przemysłem, ponadto czuł, że jest jego obowiązkiem dokonać analizy zagadnienia.

– Kobiety są traktowane jak przedmioty, człowieku – oświadczył Charlie. – A ty zachęcasz do takiego ich traktowania.

– Posłuchaj, stary – przekonywał Ted, nie tylko wyczerpany i posiniaczony, ale i nieobyty z celą. – Nie chcę się z tobą spierać, poza tym zgadzam się, że takie jest społeczeństwo, ale czy nie lepiej, skoro takie kluby istnieją, żeby prowadzili je ludzie mojego pokroju, którzy są mili dla dziewcząt i dbają o ich bezpieczeństwo?

– A więc nie zmuszasz ich do żadnych świństw? – zapytał Charlie.

– Nie, nie zmuszam ich do żadnych świństw, jak elegancko to określiłeś – odparł Ted. – Przyjdź któregoś wieczoru i sam się przekonaj.

– Flower nigdy by na to nie pozwoliła – wyjaśnił Charlie z nutką żalu.

– Zabierz ją ze sobą – doradził Ted.

Charlie zarechotał na tę propozycję i wyobraził sobie, jak prosi o to Flower, zwłaszcza gdy ta cierpi na zespół napięcia przedmiesiączkowego. Wzdrygnął się.

– Co jest, zobaczyłeś ducha? – zdziwił się Ted.

– Nie, ale z pewnością bym zobaczył, gdybym kiedykolwiek zaprosił ją do klubu z tańcem erotycznym – oznajmił Charlie.

Ted wybuchnął śmiechem.

– Pogadam z nią – obiecał.

– Mam nadzieję, że nas wypuszczą do wieczora – powiedział Charlie. – Flower ma numer w Maidstone, a to jej ostatni przed pierwszym poważnym występem w czołowym klubie londyńskim, i to jutro. Naprawdę chcę tam pojechać i ją wesprzeć.

– Mielibyśmy cholerne szczęście – zauważył Ted. – Obawiam się, że spędzimy tu noc.

Charlie uświadomił sobie, że towarzystwo wielkiego i brzydkiego jak noc Teda zapewnia mu, wątłemu i niechlujnemu hipisowi, ochronę, i po raz pierwszy od wieków poczuł się bezpiecznie. Wystarczyło, że Ted tylko spojrzał na innych gości w celi, a od razu wymiękali. Jego ogromne cielsko stanowiło solidną barierę nie do przebycia.

Flower i Marta dotarły w ślad za Charliem i Tedem na posterunek policji, posługując się komórką. Poinformowano je, że obaj wyjdą prawdopodobnie nad ranem, kiedy już zostaną poddani odpowiedniej procedurze.

To nie kawałki sera, pomyślała Flower, a potem przypomniała sobie, że Charlie ma na nogach stare cuchnące sandały, których za Boga nie chciał wyrzucić.

– Cholera – powiedziała głośno. – Musimy same pojechać do Maidstone.

– Bardzo bym chciała – przyznała Marta. – Ale muszę czekać w domu z Janem, na wypadek gdyby zwolnili jego tatusia.

Flower i Sara dostrzegły, że Marta promieniuje niejakim zadowoleniem, i dosłyszały w jej głosie ciepłą nutę, gdy wspomniała o Tedzie.

– Czy ty i Ted zamierzacie zostać razem? – spytała Flower.

– Nie wiem – odparła Marta. – Na razie idzie nam całkiem nieźle, poza tym jest niesamowity, no nie?

Flower i Sara spojrzały na nią uważnie, chcąc się przekonać, czy nie robi sobie jaj.

Nie robiła.

– No dobra, trzeba się chyba ruszyć – oznajmiła Sara.
– Pojedziemy do domu, żeby się przygotować przed występem?

Z mieszanymi uczuciami myślała o spotkaniu z matką po tak długim czasie. Marcie natomiast było żal, że nie może spędzić wieczoru z przyjaciółkami, jak za starych dobrych czasów, i gdy tamte szykowały się do wyprawy na drugą stronę rzeki, uświadomiła sobie ogrom zmiany, jaką w jej życiu spowodowało pojawienie się dziecka. Swoboda, która kiedyś wydawała jej się czymś naturalnym, została w dużym stopniu ograniczona z powodu Jana i tłustowłosego Teda.

Przyszło jej do głowy, żeby zostawić małego pod opieką mamy Juniora i spędzić ostatni wieczór z przyjaciółkami, ale stwierdziła o dziwo, że nie ma na to ochoty. Prowadziła teraz życie, jakiego zawsze pragnęła, i była gotowa się ustatkować. Napodróżowała się już geograficznie, seksualnie i uczuciowo przez życie pełne szaleństwa, melodramatu, dobrych przyjaciół i zabawy, i z pewnością to doceniała. Więc kiedy Flower i Sara spojrzały na nią z troską, była naprawdę szczera, mówiąc:

– Posłuchajcie, dziewczyny, jedźcie, zafundujcie sobie superwieczór i zabawcie się. Z radością posiedzę w domu przed telewizorem albo z książką. Prawdę mówiąc, nie mogę się doczekać, kiedy się położę i nie będę musiała bezustannie myśleć, co założyć, dokąd pójść, z kim się spotkać, czy mam na sobie odpowiednie gacie, czy mój oddech nie cuchnie, czy mam się wykąpać i czy kiedykolwiek spotkam kogoś, kto nie będzie kompletnym dupkiem, który spierdzieli po trzech miesiącach albo będzie mnie traktował jak szmatę.

– A więc Ted jest tym jedynym, tak? – spytała Sara zdumiona. Uważała, że brzydki chłopak jest jak opryszczki – nikomu o tym w towarzystwie nie wspominasz, ale ludzie po cichu to wiedzą i współczują ci ze szczerego serca.

Kiedy przyjaciółki ruszyły do domu, Flower uświadomiła sobie, jak bardzo przejmuje się występem w Comedy Store i wcześniej w Maidstone. Przeglądając w sypialni listę nowych dowcipów, które chciała wypróbować, zaczęła się zastanawiać, dlaczego jest taka podenerwowana. Miała wrażliwy żołądek, co nie jest korzystną przypadłością podczas występów, ponieważ toalety w klubach nie są na najwyższym poziomie, i bezustanna troska, że człowiek się zapaskudzi, tylko podkreśla fakt, że człowiek robi to metaforycznie na scenie.

Sara usadowiła się na starej, paskudnej sofie w salonie, rozmyślając o Billym, z którym nie miała kontaktu, od kiedy wyprowadziła się z mieszkania. Minęło siedem dni i choć wiedziała w gruncie rzeczy, że jest brutalem i że jego agresja jest skierowana wyłącznie na nią, uczucia niechęci i strachu przygasły do tego stopnia, że tęskniła za nim i nawet miała ochotę się z nim kochać. Postanowiła nie mówić o tym

Flower, ponieważ wiedziała, że jej przyjaciółka uraczy ją jednym ze swoich wykładów. Jej łatwo, pomyślała Sara, skoro trwa w nieskomplikowanym związku z kimś takim jak Charlie. Mnie znacznie trudniej, skoro kocham się w człowieku ze skazą.

– Gotowa? – spytała Flower, wchodząc do pokoju odrobinę posępna i zirytowana.

– Tak – odparła Sara, wyczuwając nastrój Flower; żałowała, że nie jest na tyle radosna, by rozruszać przyjaciółkę, ale po dwudziestu minutach przekonywania samej siebie, że wciąż jest do szaleństwa zakochana w Billym i że nikt inny go nie zastąpi, nie miała ochoty być jej pocieszycielką.

– Pojedziemy pociągiem, dobra? – zaproponowała Flower.

– Okej – zgodziła się Sara, absurdalnie wkurzona, że nikt nie odwiezie ich samochodem. Żałowała, że nie może zadzwonić do Billy'ego i poprosić go o to. Spytała z nadąsaną miną: – Jak wrócimy?

– Och, podwiezie nas jeden z moich kolegów po fachu – wyjaśniła Flower. – Trafi się ktoś zmotoryzowany.

Sara nie wyobrażała sobie niczego gorszego niż powrót z przedstawienia samochodem pełnym stukniętych, aroganckich komików, którzy gadają bzdury i starają się nawzajem przegadać. Sara nie należała do kobiet, które uwielbiają ponad wszystko ich obecność i które uważają ich za bystrych, czarujących i atrakcyjnych. W zasadzie uważała, że są zarozumiałymi kretynami, otoczonymi zwykle wianuszkiem nadskakujących kobiet, które rechotały i trzęsły głowami, jakby cierpiały na jakąś neurologiczną przypadłość, wykluczającą pozostanie choć przez chwilę w bezruchu. Wiedziała jednak, że postara się być miła ze względu na Flower, która przeżywała występ, i że zapomni o Billym do następnego dnia.

Rozdział 31

Podróż pociągiem nie była zbyt przyjemna czy relaksująca. Pokonawszy szpaler chłopaków w wieku szkolnym, którzy stali na peronie i częstowali podróżnych niezbyt przychylnymi uwagami, Sara i Flower spędziły żałosną godzinę w przedziale, wyglądając przez okno na pogrążony w mroku krajobraz, czyli dalekie przedmieścia i rachityczną trawę. Wysiadły na stacji w Maidstone i ruszyły w stronę pubu, kierując się niejasnymi wskazówkami, jakie Flower uzyskała od organizatora imprezy.

Kiedy przybyły na miejsce, Flower uświadomiła sobie z przygnębieniem, że nie ma osobnej sceny na występy i że wszystko ma się odbywać w obrębie baru, a tym samym trzeba będzie się borykać ze stałymi bywalcami pubu, którzy przykleją się do kontuaru i będą zawracać głowę barmance.

Sara powiodła wzrokiem po wnętrzu i nawet ona, dziewica komediowa, która tylko sporadycznie oglądała występy Flower, ponieważ Billy zwykle chciał robić coś innego, na przykład iść do pubu albo na mecz, wyczuła nadchodzącą klęskę.

– Poradzisz sobie sama, jeśli pójdę do garderoby? – spytała ją Flower.

– Jasne, bez problemu – zapewniła Sara. – Przepchnę się jak najbliżej baru i będę ci dopingować jak diabli. Nie martw się, pójdzic ci doskonale.

– Mam nadzieję – wyznała Flower, żałując, że nie ma z nimi Marty, która dodałaby jej otuchy i zakrzyczała potencjalnych nękaczy.

Ruszyła na tyły pubu, do prowizorycznej garderoby, czyli maleńkiej klitki, gdzie jedynym ukłonem w stronę show--biznesu były dwa składane krzesła i pęknięte lustro na wyszczerbionym stole.

Siedział tam już Mal Fogarty, konferansjer, miejscowy gość. Pracował w rzeźni i miał groźną żonę z północy, Glenys, która nie pozwalała mu występować zbyt często, żywiąc przekonanie, że mężowskie zajęcie to „kupa gówna". Bała się też, że Mal porzuci pracę i skończy z nędznym groszem, by w końcu wylądować na zasiłku. Tego wieczoru jednak, ponieważ znajdował się niedaleko domu, żona aprobowała ów konferansjerski występ. W głębi duszy była zadowolona z siedemdziesięciu funtów, które przynosił co tydzień do domu, i mówiła w pracy z dumą każdemu, kto tylko chciał słuchać, że jej mąż to wielki artysta.

Prócz Flower, z Londynu przyjechało jeszcze dwóch komików, jeden z nich nazywał się Terry Cipa, a drugi Jake Ashkenazy. Różnili się całkowicie pod względem stylu. Terry Cipa podkreślał swoją wadę wymowy i się często przewracał, Jake Ashkenazy natomiast pokazywał poważny, polityczny numer, który nie odpowiadał za bardzo mentalności dobrych mieszczan z Maidstone. Pechowo, nie odpowiadał mentalności dobrych mieszczan gdziekolwiek – jeśli pominąć polityczną przysługę, jaką Jake wyświadczył raz pewnej grupie aktywistów, którzy niemal zaczęli go obnosić na swych ramionach, sikając w spodnie ze śmiechu po jego dwudziestominutowej analizie ostatnich zamieszek na Bliskm Wschodzie.

Flower spotkała przy kilku okazjach Terry'ego Cipę, który naprawdę nazywał się Joe Evans, i zawsze uważała go za miłego i zabawnego faceta, podczas gdy Jake zachowywał raczej dystans i okazywał wyższość, co było cechą typową dla wielu lewicowych komików, których socjalistyczne przekonania nie są na tyle głębokie, by chcieli traktować bliźnich z szacunkiem. Jake był niewiarygodnie wytworny, co Flower wydawało się dziwne, gdyż wyrzekł się wszystkiego i zamieszkał na zwykłym osiedlu w północnym Londynie. Z jednej strony podziwiała go za to, z drugiej uważała, że zachowuje się jak palant. Zabawnie było widzieć go w jednym pomieszczeniu z prawdziwym przedstawicielem klasy robotniczej takim jak Mal, ponieważ Jake miał mu niewiele do powiedzenia i wydawał się wyraźnie zakłopotany jego towarzystwem. Terry Twat gawędził swobodnie i pytał Flower, jak się jej wiedzie na niwie komediowej.

– Nieźle – odparła, choć czuła skurcze żołądka na myśl o tym, co ją za chwilę czeka. – Występuję jutro w Comedy Store, ale ciągle łazi za mną pewien nękacz, który mi wszystko chrzani.

– Coś w rodzaju prześladowcy? – spytał Jake.

– Tak bym tego nie nazwała – zastrzegła Flower. – Ale pojawia się za często, więc trudno się nie przejmować.

– Trochę mnie dziwi, że nie ma z tobą Charliego – oznajmił Terry. – Myślę, że powinien cię chronić.

– Jest w więzieniu – wyjaśniła Flower. – Narozrabiał podczas demonstracji.

Jake Ashkenazy wyraźnie się ożywił.

– Rany, powiedz mi tylko, że dowalił pieprzonemu faszyście, moja kochana – rzucił uradowany.

– Nie, przyłapali go, jak palił skręta – odparła Flower. – Jestem pewna, że go niedługo wypuszczą.

– Rany – mruknął z podziwem Jake. – Mówisz o tej dzisiejszej demonstracji?

– Tak – skinęła głową Flower. – Też tam byłam.

– Zajebista, no nie? – pochwalił Jake. – Pokazaliśmy tym świniom. Walnąłem kilku po żebrach.

– Dołożyłeś gliniarzowi? – zainteresował się Mal.

Jake zauważył, jak mięśnie na karku tego faceta napinają się nieznacznie, a twarz przybiera groźny wyraz. Uznał, że lepiej się wycofać, i nieco zakłopotany wybuchnął śmiechem.

– No, niezupełnie, człowieku – zaczął tłumaczyć. – Wrzasnąłem na niego… rozumiesz.

– Mam nadzieję, że nie uderzyłeś gliniarza, bo wtedy zrobiłbym to samo z tobą – poinformował szczerze Mal.

Jake zadrżał i wlepił wzrok w podłogę. Mal mrugnął do Flower. Do pokoju zajrzał właściciel baru.

– Chyba jesteśmy gotowi, kolego – zwrócił się do rzeźnika-konferansjera. – Miejscowi zaczynają się niecierpliwić.

– Słusznie – przytaknął Mal.

Zdecydowano, że Jake pójdzie na pierwszy ogień, Flower wystąpi jako druga, a Terry Twat na końcu; chodziło o zachowanie pewnej równowagi. Flower żałowała, że nie wychodzi pierwsza, miałaby wtedy dobrą wymówkę, żeby się urwać i zobaczyć, czy wypuścili Charliego.

Jake wyszedł przed publiczność i serce w nim zamarło, gdyż ujrzał przed sobą istną kohortę przedstawicieli klasy robotniczej, wśród nich wielu ogorzałych facetów z niedzielnej zmiany, którzy wstąpili do pubu na piwo i liczyli na mnóstwo seksizmu, odrobinę rasizmu i od cholery świństw: Jake Ashkenazy z pewnością nie był tym, kogo oczekiwali.

– Witajcie, bracia – zaczął.

– Nie jestem twoim pieprzonym bratem, ty cipo – zawołał jeden z ogorzałych pijaków. – Nigdy nie miałbym brata, który by gadał tak, jakby pochodził z rodziny pieprzonych bogaczy. Powiesz nam, co jest nie tak z naszym życiem i jak je wyprostować?

To właśnie Jake zamierzał zrobić. Zastanawiał się, czy trwać nadal i liczyć na to, że przyjdzie mu do głowy mnóstwo świńskich dowcipów. Nic z tego i po krótkiej walce Jake Ashkenazy poległ na samym początku swego występu. Od razu postanowił udać się w trasę objazdową po ośrodkach kultury, gdzie miał nadzieję spotkać wyłącznie przedstawicieli klasy średniej, którzy uwielbiają, kiedy się ich nazywa klasą pracującą, i którym nawet by się nie śniło częstować kogokolwiek epitetem na literę „c".

Jake przekradł się z powrotem do garderoby, podczas gdy ogorzali pijacy cieszyli się ze swej pierwszej ofiary. Zostawili Mala Fogarty'ego w spokoju, ponieważ go lubili, był w końcu jednym z nich, ale te wymuskane dupki z Londynu to co innego.

Sara patrzyła na wszystko speszona i zrobiło się jej żal Jake'a, ponieważ był przystojny, choć nie zrozumiała ani słowa z tego, co powiedział w ciągu kilku minut, jakie zdołał wytrwać na scenie. Co się natomiast tyczy Mala Fogarty'ego, od razu poczuła do niego sympatię, gdyż przypominał mężczyzn, którzy w jej młodości otaczali matkę. Matka zawsze stanowiła gorszą połowę tych związków – pazerna, złośliwa i nieprzyjazna wobec partnerów, którzy kochali ją do szaleństwa za dziką urodę i poczucie humoru; Sara niestety go nie odziedziczyła.

Właśnie rozmyślała o tym, jak upierdliwa była jej matka, kiedy poczuła klepnięcie po ramieniu.

– Kopę lat, Sez! Jak ci leci, dziewczyno? – usłyszała, a potem rozległ się wysoki śmiech, który rozpoznałaby wszędzie.

– Mamo, jak dobrze cię widzieć – oznajmiła Sara, zastanawiając się przy okazji, czy tak jest rzeczywiście.

– No cóż, nie mogłam przepuścić takiej okazji. Cholernie chciałam się z tobą spotkać, z tą twoją nochatą przyjaciółką hipiską – wyznała Connie McBride. – No i jesteś. Poza tym lubię Mala.

– Mamo – zwróciła się do niej z wyrzutem Sara. – Jest żonaty. Zostaw go w spokoju.

– W miłości i na wojnie wszystkie chwyty dozwolone – odparła przytomnie matka. – Mogę postawić ci drinka, kochanie? Mam dość Philipa. Facet działa mi na nerwy.

Philip od wielu lat trwał cierpliwie przy boku Connie; był łagodnym, nieco zarośniętym dyrektorem banku po sześćdziesiątce, który nie mógł uwierzyć we własne szczęście, gdy Connie zaciągnęła go do łóżka i zaczęła uszczęśliwiać w sposób, o jakim nie śmiał nawet myśleć przy żonie.

– A jak tam cudowny Billy? – dopytywała się Connie, która słyszała o nim od córki podczas jednej z rzadkich rozmów telefonicznych. Sara nie bardzo wiedziała, czy ma powiedzieć matce prawdę. Bała się, że Connie wskoczy do pociągu i spróbuje przespać się z nim, gdyż zawsze flirtowała niezmordowanie z każdym jej chłopakiem, ilekroć przyjeżdżali do Maidstone, by się spotkać z Sarą.

Sara poprosiła matkę o wódkę z tonikiem i Connie udała się w stronę tej części baru, gdzie stał Mal, i oparła się o niego, nie na tyle jednak, by uchodzić za namiastkę syjamskiego bliźniaka. Właściciel knajpy ogłaszał między występami przerwę na drinka, gdyż uważał, że stali bywalcy byliby wściekli, gdyby musieli czekać na sam koniec imprezy. Connie siedziała w pubie już od jakiegoś czasu i zdołała się nieźle wstawić.

– Kiedy występuje twoja kumpelka? – spytała z sympatią, Sara zaś miała nadzieję, że gdy Flower wyjdzie na scenę, matce przejdzie ochota na konwersację.

– Teraz – odparła Sara, podczas gdy Mal przedstawiał Flower, która trzęsła się za cienką kurtyną oddzielającą gwiazdy sztuki komicznej od plebsu.

Flower podeszła do mikrofonu.

– Dobry wieczór – powiedziała na wstępie. – Byłam dziś na demonstracji w londyńskim City. Walnęłam kilku drani i narobiłam bigosu.

Słuchacze wydawali się zdeprymowani.

– Mimo wszystko – ciągnęła Flower – to wspaniałe życie, być pieprzonym gliniarzem.

Gromki śmiech.

– Sara nigdy nie mówiła, że jesteś gliniarzem – dobiegł jakiś głos z pierwszego rzędu, gdzie usadowiła się Connie, by spoglądać z uwielbieniem na postawną sylwetkę Mala.

– O, w mordę – odparła Flower. – Nie wiedziałam, że Camilla Parker Bowles dorabia na lewo jako striptizerka w Maidstone.

Widownia zatrzęsła się od śmiechu. Flower poczuła się jednocześnie radosna i wyjątkowo wredna.

– Odpieprz się – rzuciła Connie dość urażona.

– Mam nadzieję, że nie używasz takiego języka w siedzibie księcia Walii – odcięła się Flower.

Widzowie byli zachwyceni i dopingowali Flower, gdy dobierała się do Connie, odczuwając niejakie wyrzuty sumienia, gdyż była to matka Sary, ale jednocześnie tłumacząc sobie, że to fair, bo tamta zaczęła pierwsza.

Wszystko szło bardzo dobrze, gdy nagle przez huragan śmiechu przebił się znajomy głos.

– Coś ty taka wścibska? – spytał. – Z takim nochalem nic chyba nie możesz na to poradzić.

W tym momencie Flower się dowiedziała, że nawet jeśli widownia darzy człowieka miłością słodką jak miód, nigdy nie można być pewnym jej przychylności, i że w ułamku sekundy może zamienić się w największego wroga.

Tłum odpowiedział głośnym i przeciągłym śmiechem, Flower zaś skamieniała; cała radość życia, jaką przyniosła jej wymiana zdań z Connie, pierzchła bez śladu, i teraz biedaczka stała jak niemowa. Szykowała się na bitwę, ale na próżno. Tylko jeden sztych i ktokolwiek go wymierzył, wtopił się już z powrotem w tłum.

Flower pozostała na placu boju, walcząc dostatecznie długo, by zarobić swoje pieniądze, a potem się wycofała.

– Przepraszam, Connie – zwróciła się do matki Sary.

– Ibardzodobrze – oznajmiła tamta, której zaczęły się już zlewać słowa.

– Ty pierwsza zaczęłaś – przypomniała Flower.

– Nie, kurwa, nie zaczęłam – upierała się Connie.

– A właśnie, że zaczęłaś – obstawała przy swoim Flower.

– Posłuchaj, ty mała głupia krowo – odparła poirytowana Connie. – Poszło ci beznadziejnie i dobrze o tym wiesz. Gdybym ci nie pomogła, zawaliłabyś cały występ.

– Nie rozśmieszaj mnie – prychnęła Flower.

– No, mnie na pewno nie rozśmieszyłaś – zrewanżowała jej się Connie, całkiem zgrabnie jak na kogoś tak pijanego.

W tym punkcie dyskusji zwróciły się do Sary, która spędziła cały wieczór w błogiej nieświadomości tego, co się wokół niej dzieje, rozmyślając po prostu o Billym.

– Och, kurwa, sama nie wiem – rzuciła tylko i wyszła.

Sara po pięciu minutach szybkiego marszu znalazła się na wiejskiej, źle oświetlonej drodze. Ogarnął ją bojowy nastrój, w jaki człowiek popada, kiedy się właśnie z kimś rozstał, co pozwala mu wracać nocą do domu przez cmentarz, zwymyślać policjanta albo podejść do obcego i zwrócić się doń w bardzo agresywny sposób. Postanowiła ruszyć w stronę miasta i prawie znalazła się w kręgu bladego pomarańczowego światła, kiedy z tyłu wysunęła się jakaś dłoń i zacisnęła na jej gardle.

Rozdział 32

*F*lower była nieco zaniepokojona, gdy Sara nie pojawiła się już tego wieczoru, ale pomyślała, że po prostu wróciła do Connie, żeby się zdrzemnąć. Nie znając jej telefonu, nie troszczyła się, by dzwonić; uznała, że Sara zjawi się prędzej czy później nazajutrz.

Sara w końcu zadzwoniła późnym rankiem w niedzielę.

– Cześć, Flower, to ja – oznajmiła z dziwnie stłumioną pogodą ducha.

– Jesteś u mamy? – spytała Flower.

Sara nie odpowiedziała.

– Nie wracam już do ciebie – powiedziała. – Ale dziękuję za wszystko.

– Zostaniesz u Connie przez jakiś czas? – spytała Flower. – Jesteś pewna, że to mądre?

Zapadła długa cisza.

– Znów jestem z Billym – wyznała Sara.

– Kurwa, w mordę, ja pierdolę, po coś to zrobiła? – wykrzyknęła Flower, nawet nie starając się udawać, że jest zadowolona.

– Przyjechał zeszłej nocy do Maidstone, żeby mnie odszukać – wyjaśniła Sara. – Spotkałam go na drodze, kiedy wyszłam z pubu. Udawał, że mnie atakuje. To było takie słodkie.

„Po cholerę miał udawać? Normalnie nie udaje", miała na końcu języka Flower, ale trzymała buzię na kłódkę.

– Naprawdę za nim tęskniłam. Zrobi wszystko, by się zmienić – wyznała Sara, nieświadoma, że znów powtarza

najbardziej wyświechtany komunał z przemocy domowej.
– Słuchaj, spieszę się. Muszę lecieć. Niedługo się zobaczymy.

– Tak, niedługo się zobaczymy – odparła Flower, przygnębiona, skacowana i wkurzona z powodu nocy w pubie i podróży powrotnej do domu w towarzystwie Twata i Ashkenazy'ego, która przerodziła się w hałaśliwą kłótnię na temat jej występu w Comedy Store i oskarżenia o to, że się sprzedaje.

Zapragnęła, by Charlie był przy niej, i w tym momencie drzwi wejściowe się otworzyły a do środka wgramolił się dość cuchnący, wyczerpany Charlie, po czym opadł na podniszczoną kanapę.

– Sara wróciła do Billy'ego – poinformowała Flower.

– Ach tak? – mruknął Charlie bez cienia zainteresowania.

– Nic cię to nie obchodzi, kurwa?! – wrzasnęła Flower.

– A ciebie?! – wrzasnął z kolei Charlie. – Przesiedziałem całą noc w jednej celi z pieprzonym pięknisiem Tedem! Mogłabyś przynajmniej spytać, jak się czuję.

– Owszem, ale ty nie dostajesz regularnie od swojego chłopaka – zauważyła Flower, poirytowana żądaniem Charliego, by najpierw spytać go o zdrowie.

– Nie, ale przejechała się po moim tyłku trupa peruwiańskich flecistów – rzucił wściekle Charlie.

– Och, zamknij się – powiedziała Flower. – Idę zobaczyć się z Martą.

Flower poczuła się naprawdę dobrze, kiedy wyszła z mieszkania, gdzie doznawała niewątpliwej klaustrofobii. Z jakiegoś powodu wydawało się brudne i małe; nie chciała tam dłużej siedzieć. Nienawidziła Charliego i swojej doli.

– Ja pierdolę! – zawołała Marta, kiedy usłyszała o Sarze i Billym.

Ted leżał na kanapie, sprawiając wrażenie obolałego, jakby i on został poddany analnej penetracji ze strony peruwiańskich flecistów. Posłał Marcie znużone spojrzenie, które mówiło: „Och, typowo babskie posunięcie", kiedy wyraziła zdziwienie w związku z ponownym zejściem się Sary i Billy'ego.

– Tylko nie próbujcie jej tego wyperswadować – poradził.

– Ostatecznie ludzie robią tylko to, co chcą robić, więc nie ma sensu szukać ukrytych motywów czy podobnych bzdur. Zostanie z tym dupkiem, dopóki jej nie zabije.

– Dzięki – powiedziała ironicznie Marta. – Myślałeś kiedyś, żeby udzielać porad sercowych?

Ted wrócił do drzemki.

– Co zrobimy z cholerną Sarą? – spytała Flower.

– Trzeba chyba dać sobie spokój. Niech to ciągnie dalej – odparła Marta.

– Zmieniłaś płytę – zauważyła Flower. – Jeszcze niedawno byłaś całym sercem za interwencją.

– Wiem, przepraszam – tłumaczyła Marta. – To wszystko wydawało się o wiele ważniejsze, kiedy byłam sama, ale teraz, szczerze mówiąc, mam coś innego na głowie.

– O, wielkie dzięki – zawołała Flower. – Naprawdę poczułam się lepiej. Więc jestem żałosną ofermą bez własnego życia, co?

– Wiem, że to zabrzmiało niewłaściwie – przyznała Marta. – Naprawdę przepraszam.

– Ja też. Rzecz w tym, że jestem ostatnio taka drażliwa i zaniepokojona. Ten zwariowany nękacz znów się pojawił zeszłego wieczoru. Byłam w najwyższej formie i szykowałam się, żeby go załatwić, ale zniknął. Obawiam się jednak, że wróci, a Charlie wciąż nie chce chodzić na moje występy. Mam pietra – wyznała roztrzęsiona Flower.

– Zastrzel drania – poradziła wesoło Marta. – Masz broń, Calamity Jane.

Flower przyłożyła palec do ust. Nie chciała, by Ted wiedział. Mógłby zasugerować coś rozsądnego, jak na przykład oddanie broni na posterunku policji.

– No dobra – oznajmiła wreszcie. – Dość o tym. Przyjdziesz zobaczyć dziś wieczór mój wielki debiut w Comedy Store?

– Och, bardzo bym chciała – zapewniła Marta. – Ale z Janem to niemożliwe. Czuję, że nie powinnam go zostawiać.

Flower przyszło do głowy, że z takim dziwnym imieniem biedak będzie zdrowo prześladowany na palcu zabaw, pełnym różnych Feargalów i Jacków.

– A mama Juniora? – zapytała Flower. – Słuchaj, Marta, to dla mnie bardzo ważne. Przyda mi się każde wsparcie, i to jak cholera.

– Pomyślałam o tym i prawdę mówiąc, poprosiłam ją, ale wychodzi – wyjaśniła Marta. – Przykro mi, ale nikomu innemu bym nie zaufała.

– Okej – odparła przygnębiona Flower. – Sara też chyba nie przyjdzie, skoro znów jest z Billym.

– Przepraszam – powiedziała Marta. – Wiem, ile to dla ciebie znaczy. Może zabierzemy Jana ze sobą. Jeden wieczór mu chyba nie zaszkodzi.

– Jezu, Marta, nie ma nic gorszego niż niemowlak na podobnej imprezie. To jak hipomaniak na pogrzebie.

– Szczerze mówiąc, nie rozumiem porównania – wyznała Marta. – Ale ten dowcip może okazać się niezły, jeśli będziesz występować kiedykolwiek na letnim balu Królewskiej Akademii Psychiatrii.

– To właśnie mój problem – przytaknęła Flower. – Jestem zbyt inteligentna dla mas.

Jan, który drzemał na kolanach Teda, obudził się i zaczął płakać, więc Marta wzięła go na ręce i zabrała się do karmienia.

Rozległo się gwałtowne, niechrześcijańskie pukanie do drzwi.

– Otworzę – zaoferowała się Flower.

Był to wielebny Brian, Pat, siostra Marty Mary i jej niewiarygodnie skurczony, kościsty mąż.

– Witam – powiedziała Flower. – Wejdźcie.

Cała czwórka została wprowadzona do salonu, gdzie Marta bardzo szybko obudziła Teda, który w pośpiechu starał się przygładzić włosy, złagodzić nieco erekcję i pozbyć się strużki śliny, ściekającej mu podczas drzemki na koszulę.

– Chryste, wy to umiecie zjawić się w odpowiednim momencie – zauważyła z przekąsem Marta. – Dlaczego nigdy wcześniej nie dzwonicie?

– Bo powiedziałaś, żebyśmy nie przychodzili – wyjaśniła Pat.

Keith szkieletor zachichotał i odetchnął z suchym świstem, słysząc słowa teściowej, po czym zmarszczył nos, jakby po mieszkaniu rozszedł się jakiś fetor. Faktycznie – to Jan był jego źródłem.

– I co was sprowadza w tę czarującą okolicę? – spytała Marta. – Macie ochotę pozwiedzać osiedle czy też zamierzacie nawracać gang niepełnoletnich morderców?

– Nie bądź taka sarkastyczna, moja droga – upomniał ją wielebny Brian. – Jesteś teraz matką i musisz trochę dorosnąć.

– Bzdura – skomentowała Marta, a jej ojciec wzdrygnął się jak ugodzony nożem.

– Nie zaczynajmy od tego – poprosiła łagodnie Pat.

– Przepraszam. Wstawię wodę na herbatę – poddała się Marta. Podsunęła matce Jana. – Masz, trzymaj.

– Pomogę ci – zaproponowała Mary.

Marta i Mary nigdy się specjalnie nie lubiły, ale w kuchni, kiedy ta pierwsza szykowała tacę z filiżankami, rozmowa przebiegała zaskakująco przyjaźnie, co więcej, zaczęły sobie żartować ze swoich mężczyzn.

– Mogłybyśmy pójść z nimi na bal przebierańców. Są jak Flip i Flap – oznajmiła Marta, wzbudzając wesołość Mary.

– Słuchaj, wiem, że kiepska była ze mnie siostra – wyznała nagle Mary.

– Nie mów nic więcej – zastrzegła Marta. – Nie odstawiajmy na dodatek szczęśliwej rodzinki.

– Zaczekaj, aż będę miała przychówek – doradziła Mary. – Wtedy pogadamy.

– Boże, jesteś w ciąży?! – zawołała Marta.

Mary przytaknęła. Siostra uściskała ją serdecznie.

– Chcieliśmy wam powiedzieć, jak będziemy wszyscy razem. Mama i tata zostają na weekend.

Marta poczuła się nieco przytłoczona tą rodzinną bliskością.

– Wracasz dziś wieczorem do domu? – spytała.

– Nie wiem – odparła Mary. – Zastanawiamy się z Keithem, czy nie przenocować w hotelu.

– Chyba nie... – zaczęła Marta. – Posłuchaj, mam dziś wieczorem coś bardzo ważnego na głowie, ale nikomu prócz ciebie nie powierzyłabym dzieciaka. Nie będzie mnie tylko kilka godzin.

– Przygotuj szybko trochę mleka – poprosiła Mary. – Dam mu z filiżanki.

W ustach Mary zabrzmiało to jak drobnostka, ale Marta wiedziała, że przez czterdzieści pięć minut będzie musiała tkwić przytwierdzona do sadystycznego kawałka plastiku, pompując z godnością rasowej krowy, by wyprodukować dwie łyżeczki cholernego płynu.

Pat i Brian gawędzili w salonie z Tedem, nie mając pojęcia, czym się zajmuje, bo nikt im nie powiedział, więc wyobrażali sobie niewinnie, że ten wielki niedźwiedziowaty brzydal odwala jakąś krzepiąco nudną robotę, na przykład w lokalnych władzach.

Marta doszła do wniosku, że ten most należy pokonać nieco później, ale potem robiła sobie wyrzuty, że nie powiedziała ojcu od razu, czym się zajmuje Ted, co sprawiłoby jej odrobinę przyjemności.

Flower siedziała zadowolona, widząc dysfunkcyjną rodzinę Marty razem w jednym miejscu, w dodatku rokującą nadzieje na przyszłość. Odczuwała jednocześnie ciężar zbliżającego się występu, który wisiał nad nią niczym wielka czarna zmora. Nie była w stanie skupić się na niczym innym, odprężyć czy uznać, że jest to tylko jeszcze jeden zwyczajny dzień. Marta, choć zewsząd otoczona oparami rodziny i macierzyństwa, dostrzegła rozterkę przyjaciółki i poradziła jej:

– Jedź do domu, weź długą, gorącą kąpiel, odpręż się i daj sobie trochę luzu przed wieczorem.

– Chyba tak zrobię – zgodziła się Flower i wyszła, włączając komórkę. Miała trzy wiadomości z przeprosinami od Charliego, co podziałało jej na nerwy.

Popołudnie zdawało się trwać kilka dni i przed szóstą Flower poczuła się jak obłąkana od napięcia. Była też zmęczona i bolała ją głowa – samopoczucie, trzeba przyznać, niezbyt odpowiednie na najważniejszy w życiu występ.

Zastanawiała się, czy nie powinna sobie zaaplikować czegoś z apteczki Charliego, istnego rogu obfitości, pełnego wszelkich leków ziołowych na każdą bez wyjątku chorobę. Flower nigdy nie zażywała niczego na uspokojenie, ale tego dnia czuła, że musi się wzmocnić przed nieprzewidzianymi wydarzeniami scenicznymi.

– Weź tę małą żółtą tabletkę – poradził Charlie. – Jest w apteczce, wewnątrz najmniejszej babuszki. – Charlie stosował dziwny, ale doskonale zorganizowany system przechowywania leków. – Dostałem je od jednego faceta w zeszłą sobotę. Mówił, że to niemiecki środek homeopatyczny na stres. Powinien ci pomóc.

Flower wygrzebała tabletkę i połknęła. Nie było to wcale lekarstwo homeopatyczne, tylko bardzo silna amfetamina, którą dowcipniś dał Charliemu w nadziei, że biedak ją zażyje i zacznie się komedia. Po kilku minutach Flower poczuła, że kończyny płoną jej ogniem.

Zadzwoniła komórka. To była Sara.

– Cześć – powiedziała. – Ten twój wielki występ... możemy przyjść? Naprawdę chcę ci dodawać otuchy, ale nie bardzo mogę powiedzieć Billy'emu, żeby został w domu.

Wspaniale, pomyślała Flower, której umysł w sposób nieprzewidziany zaczął zmieniać tok myśli, co powodowało jeszcze głębszy stres. Dlaczego wszyscy dranie nie mogą zostać w domach, żebym mogła odstawić artystyczną śmierć na scenie, a potem zapomnieć o komedii i wrócić do swojej roboty?

Przed wyjściem wykąpała się i założyła coś stosunkowo neutralnego, by się nie zastanawiać, czy to, co ma na sobie, może mieć jakikolwiek wpływ na reakcję publiczności.

Broń spoczywała w jednej z jej torebek, owinięta w niewinnie wyglądający kawałek materiału. Flower, która z każdą sekundą wspinała się nieświadomie po drabinie emocjonalnego pobudzenia, spojrzała na spluwę i wsadziła ją do kieszeni, która kryła już listę z dowcipami. Potem przypomniała sobie, że nie włożyła swoich szczęśliwych majtek, zlokalizowała je poirytowana w koszu na bieliznę, gdzie wylądowały po występach w Maidstone, spryskała dezodorantem o zapachu sandałowca (Marta byłaby z niej dumna), po czym wciągnęła je na siebie.

Charlie siedział cicho, starając się nie rzucać w oczy. Wiedział, co się dzieje przed takimi imprezami: Flower potrafiła zachowywać się wyjątkowo wrednie, kiedy dostawała przedscenicznego pobudzenia.

Przybyli do Comedy Store o jedenastej; występy miały się zacząć o północy. Flower zdołała załatwić Charliemu, Marcie, Tedowi, Billy'emu i Sarze darmowy wstęp. Czuła się bardzo dziwnie i spytała Charliego:

– Jesteś pewien, że towar od tego gościa jest w porządku?

– Oczywiście – zapewnił Charlie, którego sieć kolegów-dostawców obejmowała dzikie lokale jak kraj długi i szeroki. – Może to przez te cztery puszki piwa, które walnęłaś sobie w domu?

– Będzie okropnie – zawyrokowała Flower, ale znajdując się pod wpływem prochów, czuła także podniecenie i radość, jakby tego wieczoru miała ostatecznie potwierdzić swą wielkość i udowodnić wszystkim, że może występować na scenie. Publiczność też była podniecona, kilku widzów wyglądało nawet na zdrowo zalanych, podczas gdy starzy wyjadacze siedzieli przygnębieni w garderobie... po prostu kolejny dzień pracy. Jednak nerwowość, jaką przejawiała Flower, zaszczepiła w nich złe przeczucie.

Konferansjerem był Adrian Mole – naprawdę tak się nazywał – programista komputerowy z Lincolnshire, facet o miłym usposobieniu i odrobinę niewyraźnej wymowie, którego wszyscy uwielbiali.

W pewnym momencie Flower znalazła się sama w garderobie z Wackiem Fiutem. Nie widziała go od fatalnego występu na uniwersytecie, kiedy to w rezultacie swego niepowodzenia pojechała z nim i załatwiła sobie broń.

Wacek Fiut, gdy nastawał późny wieczór, zawsze był w swoim żywiole.

– Wyjmij spluwę na scenie dla żartu – doradził. – I pomachaj nią, jeśli ktoś będzie ci dogadywał.

– Nie mam jej przy sobie.

Wacek Fiut rzucił jej spojrzenie, które mówiło: „Nie wierzę ci".

Niepoprawny komik australijski Pat Denny chodził tam i z powrotem, zastanawiając się, czy spróbować dowcipu o swych rodaczkach, które według niego przypominały końskie zady. Czuł się dość bezpiecznie w Londynie, lecz w Australii ścigała go bezustannie mała koteria studentek o nastawieniu feministycznym, które uprzykrzały mu życie podczas występów, obrzucając określeniami w rodzaju „gwałciciel", co nie nastawiało doń przychylnie publiczności.

Pojawił się też Jake Ashkenazy, wyraźnie zmieszany po wygłoszeniu zeszłego wieczoru diatryby pod adresem Flower.

Jeden z komików nie mógł wziąć udziału w programie i Jake zajął jego miejsce. Znów pogrążał się w fałszywej nadziei na sukces.

Dwaj występujący w duecie komicy, „Kretyni", grali w karty i popijali piwo.

Adrian wyszedł na scenę i starał się uspokoić publiczność. Tego wieczoru składała się ona między innymi z kilku chłopaków z City, świętujących wieczór kawalerski. Ich głównym celem było pochłonięcie jak najszybciej znacznej ilości alkoholu i obejrzenie striptizu po występach komików, w którym to momencie ich genitalia nie byłyby w stanie zareagować na cokolwiek. Zjawiło się też mnóstwo turystów, spędzających noc na West Endzie, a więc również pijanych, i liczne grupki przyjaciół, którzy postanowili spędzić wesoły wieczór poza domem.

Flower występowała jako ostatnia i miała przed sobą dwie godziny czekania. Oglądała pozostałych wykonawców na małym monitorze zainstalowanym w garderobie.

Tymczasem w barze siedzieli Charlie, Billy, Sara, Ted i Marta, których nikt nie uznałby za ludzi pałających do siebie sympatią. Ted i Billy patrzyli jeden na drugiego wilkiem, ponieważ ten pierwszy wyczuwał szóstym zmysłem, że Billy podoba się Marcie, i budziło to w nim głęboki sprzeciw. Marta stwierdziła, że napięta sprężyna macierzyństwa za chwilę wrzuci ją z powrotem do domu i Jana, ale powtarzała sobie, by trzymać się dzielenie i zapewnić Flower wsparcie podczas pierwszego poważnego występu. Ona także miała złe przeczucia i zastanawiała się, czy Flower wzięła z domu broń, ale bała się spytać, ponieważ przyjaciółka sprawiała wrażenie zdenerwowanej i nieobliczalnej.

Marta patrzyła raz na przystojniaka Billy'ego, raz na starego Teda o końskiej twarzy, i cieszyła się, że jest z tym drugim. Także dlatego, oczywiście, że z wielką radością mogła powiedzieć wielebnemu Brianowi o klubie z tańcem erotycznym, i czekała na jego reakcję, nuklearną jak przypuszczała, zwłaszcza gdyby Ted zdążył się do tej pory z nią ożenić.

Adrian konferansjer wywołał na scenę Jake'a Ashkenazy'ego, spoglądając w stronę drzwi, które prowadziły za kulisy, te jednak pozostawały zamknięte.

– Jake Ashkenazy! – zawołał jeszcze raz, dość rozpaczliwie.

– Och, biedny dupek się spietrał – oznajmił Ted i sztuka komediowa zeszła na plan dalszy, gdy zaczęli ponownie rozmawiać.

Marta zastanawiała się, czy nie zadzwonić do Mary i jej męża spytać o Jana. Ted radził, by tego nie robiła – za dobrze się bawił. I miał rację, Jan bowiem darł się jak opętany od chwili, gdy Marta wyszła z domu, i spryskał rdzawoczerwony welurowy sweter Keitha wyjątkowo żrącym strumieniem niemowlęcych wymiocin. Nie chciał jeść z butelki i małżonkom przyszło jednocześnie do głowy, że być może ciąża Mary to poważny błąd.

Sara i Charlie sprawiali wrażenie zdenerwowanych i odrobinę niespokojnych, z sobie tylko wiadomych powodów. Billy wyglądał na zadowolonego i rozkoszował się ulgą, jaką dawała mu świadomość, że Sara z nim została; postanowienie poprawy było coraz mocniejsze, a propozycja małżeństwa, wyrażona nie myślą, lecz słownie, pozostawała kwestią dosłownie godzin.

Inspicjent Comedy Store, po nieoczekiwanej ucieczce Jake'a Ashkenazy'ego, powiedział pozostałym, by zaczekali jeszcze trochę, sam zaś poszedł na scenę, by poszukać na widowni kogoś, kto zechciałby wystąpić w miejsce Jake'a.

Wacek Fiut odniósł oczywiście sukces.

Pat Denny zaczął łagodnie od tego, że jest Australijczykiem, a potem przeszedł do sedna sprawy.

– Większość dziewcząt w Australii wygląda jak końskie zady – oznajmił ku radości osobników świętujących wieczór kawalerski, którzy piali z zachwytu, wiwatowali i darli się: „U nas też, kolego!".

– Naprawdę? – spytał Pat, wyraźnie zdziwiony, że tak dobrze mu idzie. Po chwili zdziwił się jeszcze bardziej, gdyż oberwał prosto w twarz grudą końskiego łajna. Owa fekalna riposta, nieoczekiwanie adekwatna do sytuacji, była dziełem pewnej grupy kobiet z Londynu, do których zadzwoniły studentki z Australii, a które zupełnie przypadkowo zaplanowały wyprawę do Comedy Store akurat tego dnia, gdy ojciec jednej z nich zakupił koński nawóz z myślą o swoich różach. Jego córka, tak na wszelki wypadek, schowała trochę łajna do torebki.

Pat Denny nie mógł się po czymś takim podnieść i zszedł ze sceny. Zapowiadał się krótki wieczór.

Jednak na „Kretynów" zawsze można było liczyć. Działając na podstawie przesłanki, że jeden na dwóch ludzi uwielbia dowcipy o smarkach i pierdzeniu, przedstawili majstersztyk cielesnej emanacji, który uczestnicy wieczoru kawalerskiego mieli zapamiętać do końca życia.

W końcu wymieniono głośno imię Flower, choć ta wierzyła, że to nigdy nie nastąpi, więc wyszła na scenę, by stanąć w obliczu zalanego, zmęczonego, ale w gruncie rzeczy rozbawionego tłumu.

Z miejsca rozległy się krzyki dezaprobaty, które zwykle towarzyszą pojawianiu się na scenie kobiety, wzbogacone o uwagi dotyczące jej przydatności jako partnera seksualnego i zabarwione niekłamaną mizoginią; zawsze znajdzie się na widowni co najmniej pięciu czy sześciu wyznawców takiej postawy. Jedyną pociechą było to, że wszyscy oni krzyczeli jednocześnie, więc na dobrą sprawę nic nie było słychać prócz nieprzerwanego ciągu słów wypowiadanych przez znajomy głos w pierwszym rzędzie. Flower nie była w stanie niczego dostrzec, nie zdobyła się też na to, by się nachylić i zobaczyć, kim jest jej prześladowca, który nie dawał jej spokoju od kilku tygodni. Miała wrażenie, że głosem odrobinę przypomina Charliego.

W ułamku sekundy postanowiła zrezygnować z przygotowanego wcześniej programu i w swym zamroczonym amfetaminą umyśle podjęła decyzję, że zda się całkowicie na improwizację.

– Ilu z was, facetów zasiadających na widowni, dokłada swoim partnerkom? – spytała, wywołując falę zaskoczenia na widowni. – I nie mam na myśli gry w bilard.

Ludzie wybuchnęli śmiechem, odprężając się nieco, choć dowcip nie był najwyższych lotów.

– Chłopak mojej przyjaciółki tłucze ją regularnie – oświadczyła. – Biedaczka czasem nawet na to nie zasługuje, bo obiad jest smaczny. A jak w sosie pływają grudy, to mamy powód do rękoczynów, co?

Słowa te wywołały konsternację na widowni, choć uczestnicy wieczoru kawalerskiego nadal wyrażali głośno swój aplauz.

– Wiecie, co jest najzabawniejsze? My, to znaczy moja przyjaciółka Marta i ja, pomyślałyśmy sobie, że najlepiej to załatwić, zabijając faceta.

Widownia zareagowała wesołością, która osiągnęła jeszcze wyższy stopień, gdy Flower wyciągnęła broń.

– Wiem, co myślicie: że to tylko replika – oznajmiła. – No to patrzcie.

Wycelowała w sufit i strzeliła, a na scenę spadł kawałek tynku. Cichy pomruk zwiastował bliski wybuch paniki na widowni.

Flower uświadomiła sobie, że Billy, Ted, Marta, Sara i Charlie siedzą tuż przed nią, a ich twarze zdradzają oznaki zatwardzenia, choć język ciała dowodził, że mogą popuścić w każdej chwili.

– Daj spokój – zwrócił się do niej Charlie tonem policyjnego negocjatora. – Oddaj nam broń. Coś ci odbiło, kochanie.

– Podejdź tutaj, Charlie – nakazała, kierując na niego broń. – Chcę z tobą pogadać... i z pozostałymi też.

Skinęła na Martę, Teda, Billy'ego i Sarę, by przyłączyli się do Charliego, więc usłuchali z bijącym sercem. Widzowie nie bardzo mogli się zdecydować – wiać w panice, drąc się wniebogłosy, gdyby ta niezrównoważona hipiska zaczęła do nich strzelać, czy też zostać i popatrzeć sobie na coś, co zapowiadało się jako fascynujące preludium kryzysu przyjaźni. Flower było wszystko jedno, co zrobią. Zamierzała przeanalizować swoje życie, a nie zmuszać widzów, by ją oglądali pod groźbą kulki w łeb. W konsekwencji co bardziej nerwowi osunęli się na dłonie i kolana, by umknąć po cichu na czworakach przez drzwi w tylnej części sali. Kilku postanowiło natychmiast zadzwonić do gazet i telewizji, zapominając, że policja byłaby w tej sytuacji bardziej odpowiednia.

Na szczęście szef klubu poszedł do swojego biura i zawiadomił policję, ta zaś rozpoczęła przygotowywanie operacji, która okazałaby się skuteczna, gdyby chodziło o kilku terrorystów z IRA, ale w przypadku wkurzonej i napakowanej amfetaminą hipiski była lekką przesadą.

– Dobra – oświadczyła Flower, której głos przechwyciły zainstalowane w podłodze mikrofony. – Skoro wszyscy tu jesteśmy, możemy równie dobrze wyjaśnić kilka spraw, a potem pójść do domu i żyć sobie dalej. *Comprende?*

Charlie skrzywił się odruchowo. Flower nigdy nie używała takich słów, jeśli była trzeźwa.

– Flower... – zaczął.

– Zamknij się! – wrzasnęła na niego. – Zawsze... – szukała odpowiedniego słowa – zawsze mnie nękasz. W sympatyczny sposób, ale fakt pozostaje faktem. Nigdy nie mogę powiedzieć tego, co chcę. Masz mi nie przerywać. Muszę sama to wyjaśnić. Morda w kubeł, jasne?

Charlie przytaknął posłusznie.

– To ty włóczysz się za mną po klubach i mi dogadujesz? – spytała Flower, patrząc na niego groźnym wzrokiem i ściskając broń zadziwiająco pewną ręką jak na kogoś, kto zażył końską dawkę specyfików zmieniających świadomość.

– Chyba żartujesz, kurwa – odparł oburzony Charlie. – Przecież...

– Powiedz tylko „tak" lub „nie" – przerwała mu Flower.

– Oczywiście, że nie! Musisz mi ufać – oświadczył dobitnie Charlie.

– A ty mi ufasz? – zapytała z kolei Flower.

Charlie wahał się przez ułamek sekundy.

– A widzisz! – wrzasnęła Flower. – Nie ufasz mi, nigdy nie ufałeś. Wiem, że z ciebie miły facet i w ogóle, ale doprowadzasz mnie do szału swoją podejrzliwością i bezustannym nadzorem. Nie mogę się ani na chwilę odprężyć.

Charlie się zastanawiał, czy nie wyrwać jej broni. Nie mógł uwierzyć, że ta łagodna, urocza kobieta zamieniła się w uzbrojoną boginię nieobliczalności. Prawdziwy postęp w porównaniu z diwą napięcia przedmiesiączkowego, która od czasu do czasu kopnęła kota.

Może Sim któregoś dnia ułożyłby z tego opowieść, pomyślał, o wiele bardziej interesującą od tych bzdur, które miał zwykle w zanadrzu. Charliemu przyszło też do głowy, że w takich sytuacjach człowiek odznacza się wyjątkową jasnością rozumowania.

Flower zauważyła, że ktoś w pierwszym rzędzie podnosi rękę do góry.

– Tak? – spytała.

– Czy mogę iść do toalety? – zapytał jakiś młody człowiek, który oblewał się potem, unikając za wszelką cenę wzroku Flower, wyraźnie poruszonej tym objawem szacunku, pomimo mgły, jaka spowijała jej percepcję.

– Idź – rzuciła szorstko, tamten zaś pomknął, jakby się paliło.

Świadomość własnej potęgi dodała Flower odwagi, by skierować broń na Billy'ego. Widownia westchnęła zgodnie.

– A więc? – spytała.

– A więc co? – odparł nerwowo, pozbawiony nagle pewności siebie.

– Może nam opowiesz o swoim zachowaniu w ciągu kilku ostatnich miesięcy?

Widzowie nadstawili uszu. Niewiele brakowało, by zaczęli się dobrze bawić.

– Posłuchaj, Flower, wiem, że ty i Marta szczerze mnie nienawidzicie, i nie winię was za to. Zdaję sobie sprawę, że przez całe życie byłem małym gnojkiem i że uchodziło mi to na sucho, bo zawsze wyżywałem się na ludziach, którzy się mnie bali.

– Mów dalej – nakazała Flower.

– Nie mogę – odparł bezradnie Billy. – Nie wiem, co jeszcze powiedzieć.

– Możesz nam na początek wyjaśnić, dlaczego biłeś Sarę.

– Tak – wymamrotała zgodnym chórem widownia: na jej oczach zaczęła się rozgrywać surrealistyczna opera mydlana.

– Nie wiem – wyznał szczerze Billy. – Czasem działa mi na nerwy. Jak to kobiety.

– A co cię tak w nas irytuje? – spytała Flower, wypowiadając każde słowo powoli i z ironią.

– Mam być szczery? – zapytał Billy.

– Tak – odpowiedziały półgłosem wszystkie obecne na sali kobiety.

– Jesteście zbyt bezradne, lizusowskie i czasem się za bardzo kleicie… jak pies, którego ma się ochotę kopnąć – wyznał. – Czasem nie mogę znieść tego, że jestem kochany przez kobietę. To mnie dławi.

Była to najbardziej wnikliwa i inteligentna wypowiedź Billy'ego w całym jego życiu; sam wydawał się zdziwiony.

– Wszystko? – odezwały się jednocześnie Sara i Marta.

– Tak, z grubsza – odparł Billy. – I nie mówiłem złośliwie. Tak po prostu czuję.

– Więc dlaczego taki jesteś? – dopytywała się Sara, rzucając niepewne spojrzenie Flower, by się przekonać, czy ma prawo wyręczać gospodarza programu.

– Nie wiem – powiedział po prostu Billy. – Tak zostałem chyba wychowany. Nawet się nad tym nigdy nie zastanawiałem.

– No cóż, może powinieneś, jeśli inni z tego powodu obrywają.

– Przywykłem do tego – wyznał ze znużeniem Billy, jakby opowiadał wszystko setki razy, podczas gdy w rzeczywistości robił to po raz pierwszy. Potem mówił dalej: – Patrzyłem przez całe dzieciństwo, jak ojciec traktuje matkę niczym śmiecia, i chyba to od niego przejąłem. Nie podobało mi się jego postępowanie, czułem złość, ale spójrzcie teraz na mnie – jestem wierną kopią starego. Może było to nieuniknione.

Marta drgnęła. Czy stanowiła wierną kopię wielebnego Briana?

– A nawet kiedy moją mamę naprawdę źle traktował, to pamiętam, że miałem wyrzuty sumienia, bo myślałem, że jest cholernie żałosna. Mój ojciec doprowadził ją do takiego stanu, że wystarczyło, by spojrzał na nią w określony sposób albo upuścił coś specjalnie, żeby podskoczyła, i od razu robiła wszystko, co jej kazał. Miała bezustannie taki wyraz twarzy, jakby ją uderzył, nawet kiedy nie uderzył, a ja czułem do niej obrzydzenie i chciałem, żeby coś z tym zrobiła.

– Nie twój ojciec, co? – spytała Flower.

– Hę? – nie zrozumiał Billy.

– Dlaczego właśnie twoja matka miała coś z tym zrobić? – wyjaśniła Flower. – To twój ojciec miał problem.

– Chyba tak – mruknął Billy, zwieszając głowę. Wyglądał tak, jakby owa autoanaliza zabiła w nim połowę komórek w mózgu, nie wyłączając tych, które kontrolowały mięśnie karku.

– Jesteś gwałtownikiem – oznajmiła Flower. – Wykorzystujesz swoją siłę fizyczną, żeby zastraszać ludzi. To niesprawiedliwe, kurwa.

– Wiem – przyznał Billy. – I nie jestem z tego dumny, zapewniam.

– Naprawdę? – spytała Marta, starając się niestosownie wtrącić jakieś zgrabne powiedzonko. Wszyscy ją zignorowali.

– To po części moja wina – wyznała Sara.

Flower zarechotała; był to wysoki dźwięk, jakiego nigdy u siebie nie słyszała, co ją bardzo zaniepokoiło. W przekonaniu Charliego oznaczał, że jest na najlepszej drodze, by stracić nad sobą całkowicie kontrolę.

– Och, nie rozśmieszaj mnie – prychnęła Flower. – Nie zaczynaj tej samej starej śpiewki „zasłużyłam na to", dobra, Sara?

– Posłuchaj, Flower, nie wszystkie jesteśmy cholernymi lesbijkami – odparła Sara.

– Chcesz powiedzieć, jak przypuszczam, że nie wszystkie jesteśmy lewicowymi separatystycznymi feministkami, prawda? – zauważyła Flower.

– Może – przyznała Sara i dodała: – I nie wszystkie chodzimy z pieprzonymi hipisami. Chodzi mi o to, że siedziałam w domu i znosiłam to przez całe miesiące, dając mu do zrozumienia – tu wskazała na Billy'ego, jakby był drogowskazem – że tak ma być. Powinnam odejść dawno temu, ale myślałam głupio, że jeśli naprawdę mnie lubi, to nie odważy się więcej mnie skrzywdzić.

– Założenie całkiem słuszne – powiedział Ted, który siedział do tej pory cicho.

– Posłuchaj, Flower – zwrócił się do niej Charlie – nie chcę być upierdliwy, ale proponuję, żebyśmy szybko to zakończyli, bo kilku widzów zdążyło już pewnie powiadomić gliny, że masz tu niezły występ. Jestem pewien, że lada chwila przyślą snajpera.

Jego słowa odniosły skutek odwrotny od zamierzonego. Flower, tracąc resztki panowania, wrzasnęła na niego, żeby się zamknął, i to tak gwałtownie, że widzowie przestraszyli się nie na żarty i jak jeden mąż spuścili wzrok, by nie ściągnąć na siebie gniewu Flower.

– Słuchaj, chcę wyprostować Billy'ego i dowiedzieć się, kto mi dogadywał, jak występowałam – oznajmiła. – Potem będziemy mogli wszyscy pójść do domu.

– Nie trzeba prostować Billy'ego – wtrąciła Sara. – Sam to zrobi.

– Nie powiem, żeby ostatnio się na to zanosiło – zauważyła Flower.

– Hej, nie kłóćcie się – próbowała interweniować Marta. – My, dziewczyny, musimy trzymać się razem.

– Co, nawet po tym, jak wypieprzyłaś mojego chłopaka? – spytała zjadliwie Sara.

Publiczność znów nadstawiła ucha, a Marta poczuła, jak kiszki odmawiają jej posłuszeństwa. Była zbyt zszokowana, by przedstawić jakiś argument na swoją obronę, więc tylko popatrzyła zalękniona w podłogę i spytała:

– Skąd wiesz?

– To było cholernie oczywiste – wyjaśniła Sara. – Co innego mogło się stać? Za każdym razem, jak cię spotykam, widać to po twoich oczach, a gdy tylko ktoś wspomni tamten wieczór, zaczynasz gadać bzdury.

– Więc dlaczego nie przyszłaś do mnie i nie dołożyłaś mi? – spytała Marta, uświadamiając sobie w tej samej chwili, że zważywszy na okoliczności, jej uwaga nie była najbardziej taktowna.

– Bo miałam chyba nadzieję, że jeśli przymknę oko, wszystko rozejdzie się po kościach, i że razem z Billym znów wyjdziemy na prostą. I nigdy nie trzeba będzie już o tym wspominać.

– Więc dlaczego wspomniałaś teraz? – chciała wiedzieć Marta.

– Bo jestem cholernie wściekła – wyjaśniła Sara.

– Ja też – wyznał Ted.

– Przepraszam – wtrąciła Flower, wymachując bronią, jakby to był bukiet więdnących kwiatów. – Ale przypominam, że to ja mam pieprzony kryzys i że ja tu rządzę. A teraz zajmiemy się tym gościem, który mnie prześladuje. To byłeś ty, Billy? – spytała, kierując w jego stronę pistolet.

– Nie, przysięgam na grób mojej matki – zastrzegł Billy.

– Pieprzony histeryk – mruknął pod nosem Ted, w którym wzbierało coraz większe pragnienie, by dać Billy'emu po mordzie.

– Myślę, że mógłbyś tak powiedzieć, gdyby twoja matka naprawdę nie żyła – zauważyła Sara.

– Wierzę ci, Billy – powiedziała Flower.

– Może to ktoś obcy, kto poszedł już dawno do domu, a ty się nigdy nie dowiesz – dowodził Ted.

– Cholera – zaklęła Flower. – Ten chłopak, który spytał, czy może iść do toalety… myślisz, że…

– Nie – odparł zdecydowanie Charlie. – To nie mógł być on.

– Jesteś pewien, że to nie ty, Charlie? – zapytała Flower.

– Och, na litość boską – zirytował się Charlie. – Dlaczego miałbym to robić, ja, który kocham cię jak wariat? Nie wszyscy jesteśmy jak Billy, nie rozumiesz?

– To był cios poniżej pasa – powiedział urażony Billy.

– Więc mnie walnij – doradził Charlie. – Wszyscy to robią.

Ten jeden raz żadna pięść nie spotkała się z twarzą Charliego i żaden but z jego jajami. Skłoniło go to do wygłoszenia mowy, którą sobie układał już od jakiegoś czasu. Uznał, że chwila jest jak najbardziej odpowiednia.

– Posłuchaj, Flower – zwrócił się do niej – nie wiesz nawet, co przeżywałem, widząc, jak włóczysz się po zakazanych klubach i próbujesz rozśmieszyć ludzi, nie mówiąc już o zlokalizowaniu tego cholernego nękacza. Wiem, że będziesz zła, ale pewnego wieczoru poszedłem cię obejrzeć i usłyszałem tego faceta. Próbowałem się przepchnąć przez tłum, żeby zobaczyć, kto to jest, ale nim tam dotarłem, już się ulotnił. Proszę, daj sobie spokój z tym komediowym biznesem. Jesteś na to zbyt miła. To już bardziej pasuje do Marty.

– Wielkie dzięki – mruknęła Marta.

– Zostaw to i chodź do domu. Naprawdę się postaram i nie będę już taki zaborczy, i w ogóle. Obiecuję – ciągnął Charlie.

Po twarzy Flower spłynęła łza. Wiedziała, że Charlie ma rację i że na scenie jest kiepska. Prawdę mówiąc, w tych rzadkich chwilach, kiedy Marta zjawiała się w jakimś klubie, zawsze mówiła ze swego miejsca na widowni rzeczy o wiele zabawniejsze niż ona, Flower.

– Dalej, Flower, oddaj nam broń – poprosił Charlie.

– Chodźmy stąd.

Flower odpuściła i zaczęła iść powoli w stronę Charliego. Nagle otworzyły się drzwi garderoby i Wacek Fiut, który oglądał wszystko na monitorze, wkroczył niespiesznym krokiem na scenę.

– Super przedstawienie – oznajmił. – Piękne.

W pamięci Flower wybuchły potężne fajerwerki, a neurony przekazały jej informację, że słowo „piękne" stanowi klucz do tożsamości nękacza.

– Ja pierdolę, to byłeś ty! – wrzasnęła, obracając się na pięcie w stronę Wacka Fiuta i zachowując przy tym pewność dłoni, którą się odznaczała przez cały wieczór.

– Co ja, księżniczko? – spytał, siląc się na swobodę.

– To ty mnie nękałeś – powiedziała Flower.

– Skąd, dorwałaś niewłaściwego faceta, Flower. Nigdy bym ci czegoś takiego nie zrobił – zapewnił Wacek. – Kocham cię. Nie domyślałaś się? Cholera, co ja gadam? Wiem, że nękanie to było pieprzone dziwactwo, ale nie chciałem, żebyś wypadła z gry, a pomyślałem sobie, że się na to zanosi, więc robiłem, co w mojej mocy, żeby cię zahartować, dać ci pancerz, jakiego potrzebowałaś. Chryste, jeśli sądzisz, że dotąd szło ci kiepsko, to poczekaj, aż twoja kariera nabierze rozpędu i dobiorą się do ciebie krytycy. Są gorsi niż jakakolwiek zalana cipa na widowni, wierz mi. Nikt ich nie przeżyje, nawet ci, którzy wydają się najtwardsi. Ten włochaty palant ma rację, jesteś na to za miła. Więc próbowałem cię przygotować na to gówno, którym byś oberwała, gdybyś została w branży, bo, kurwa mać, Flower, moja słodka, jesteś cholernie cudowna, a ja cię uwielbiam. Zastrzel mnie teraz, jeśli chcesz.

Wackowi zaczął stawać na myśl, że zostanie zastrzelony na scenie Comedy Store przez kobietę, którą kocha.

Choć facet wyglądał obrzydliwie staro, Marta stwierdziła, że jest odrobinę zazdrosna o tę niezrównoważoną deklarację miłości i zerknęła na Teda, czekając, by ten dorównał przedmówcy. Na nieszczęście Ted wciąż miał przed oczami Billy'ego, wchodzącego wieczorem do jej mieszkania... i w nią, oczywiście. Charlie uniósł pięść.

– Uspokój się – nakazała mu Flower. – Nie trzeba. On mnie kocha, nie musisz go za to bić.

– Kochasz go? – zapytał Charlie.

– Oczywiście, że nie – zapewniła Flower, a widząc, jak zawiedziony jest Wacek Fiut, zaczęła żałować, że nie darowała sobie tego „oczywiście".

– To dlatego, że jestem brzydki? – spytał Wacek.

– Nie jesteś brzydki – zapewniła go Flower.

– Owszem, jest! – zaryzykowało kilku wesołków na widowni.

– Nie słuchaj ich – poradziła Flower.

– Bzdura – oznajmił Ted, który prawie się nie odzywał przez cały wieczór. – Pewnie, że jest szpetny, tak jak ja, i trzeba się nauczyć z tym żyć. Na nic romantyczne gesty, bo nie mam granitowej szczęki ani supertwarzy okolonej grzywą czarnych kręconych włosów. O nie, jestem ofiarą trądziku z nadwagą, której kończyny wyglądają tak, jakby zostały zaprojektowane dla kogoś trzykrotnie ode mnie starszego, a włosy przypominają tłuste spaghetti. Byłem wyśmiewany, opluwany, wyszydzany, unikany, upokarzany, ignorowany, kopany, bity, wykorzystywany jako trampolina i rzucany na chodnik tyle razy, że już straciłem rachubę, ale musiałem sobie z tym radzić.

– A operacja plastyczna? – spytała Sara, mistrzyni taktownego wtrętu.

Marta aż sapnęła, słysząc tę niezamierzenie okrutną uwagę, ale Ted tylko wybuchnął śmiechem.

– Chryste, nie – odparł. – Wybrałem po prostu robotę, która pasowała do mojej gęby. Wszyscy się spodziewają, że jestem zboczeńcem, więc dlaczego miałbym ich rozczarować? Postanowiłem wyprowadzić ich z błędu dzięki robocie, taki był mój zamiar. Dobrze prowadzę swój klub, jestem miły i nieźle płacę. I właśnie tam poznałem najbardziej postrzeloną, nieobliczalną, niemądrą, małostkową, niechlujną, upartą, najwspanialszą kobietę na świecie. Doczekaliśmy się syna i to mi pasuje. – Zwrócił się do Wacka. – Musisz się tylko za kimś rozejrzeć, stary.

– Tak – zgodził się tamten, wciąż nie mogąc się pozbierać po odpowiedzi, jakiej udzieliła mu Flower, gdy wyznał swój sekret, skrywany przez dwa lata. Nie był w stanie uwierzyć, że jego szansa na szczęście została pogrzebana tak zdecydowanie i tak szybko.

Marta uśmiechnęła się szeroko.

– Zawsze chciałam mieć paskudnego faceta – wyznała. – Żeby nikt nie próbował mi go zwędzić. Trafiłam w cholerną dziesiątkę z Tedem.

Ted zaczął się śmiać.

– Choć nie mam wielkiej ochoty uczestniczyć w tej godzinie amatorskiej psychologii – ciągnęła Marta – muszę wyznać, że razem z Flower chciałyśmy, żeby Billy przestał bić Sarę, bez względu na to, czy uda im się dojść do porozumienia, czy nie.

Sara, Ted, tak mi przykro, że przespałam się z Billym. Nie mam zamiaru się usprawiedliwiać, mogę tylko powiedzieć, że zawiniły hormony i alkohol. To się nigdy nie powtórzy. Przepraszam, jeśli kogoś zraniłam. Nie wiadomo dlaczego, ale przyszło mi chyba do głowy, że Sara może odejdzie od Billy'ego, jeśli okaże się niewierny, i że to załatwi sprawę.

– Naprawdę tak pomyślałaś? – spytał Ted.

– Nie – odparła szczerze Marta. – Ale nie chciałam przyznać się przed sobą, że jestem moralnym bankrutem.

– Nie wiem, czy mogę ci wybaczyć – zastrzegła Sara.

– O Boże – jęknęła Marta.

– Ale się postaram – obiecała Sara.

– Wspaniale, kurwa – wtrącił Wacek Fiut. – Więc każdy jest szczęśliwy prócz mnie?

Wszyscy przytaknęli uroczyście, a widownia zaczęła bić brawo.

Wacek Fiut ruszył przygnębiony do wyjścia.

– Jeszcze jedno – przypomniała Marta. – Flower, czy nie ustaliłyśmy czasem, że załatwimy sprawę z Billym raz na zawsze, grożąc odstrzeleniem mu jaj, jeśli kiedykolwiek tknie Sarę?

Billy instynktownie chwycił się za jądra, nie bardzo wiedząc, czy Marta żartuje, czy nie.

– Tak, to był tylko żart – wyjaśniła.

Wacek Fiut znów się pojawił, tym razem przy wyjściu.

– Na zewnątrz jest od cholery policji – krzyknął.

Flower wyjęła mikrofon ze stojaka.

– Proponuję, by widzowie wyszli w absolutnym porządku z rękami w górze, a my wyjdziemy na końcu i wszystko wyjaśnimy. – Po chwili namysłu zmieniła zdanie. – Zaczekajcie chwilę, nie skończyłam jeszcze swojego numeru. Siadać.

– Flower – zwrócił się do niej zniecierpliwiony Charlie.

– Pieprzyć to – machnęła ręką. – Pozwól mi przynajmniej opowiedzieć kilka dowcipów. Po raz ostatni w życiu.